STRALENDE MEISJES

Lauren Beukes

Stralende meisjes

Vertaald door Dennis Keesmaat

2013
DE BEZIGE BIJ
AMSTERDAM

Cargo is een imprint van Uitgeverij De Bezige Bij, Amsterdam

Copyright © 2013 Lauren Beukes
Copyright Nederlandse vertaling © 2013 Dennis Keesmaat
Oorspronkelijke titel *The Shining Girls*
Oorspronkelijke uitgever HarperCollins*Publishers,* Londen
Omslagontwerp Wil Immink Design
Omslagillustratie Kate Polin/Millenium Images/Hollandse Hoogte.
Cover design based on cover design layout HarperCollins*Publishers* 2013
Foto auteur Casey Crafford
Vormgeving binnenwerk Peter Verwey, Heemstede
Druk Koninklijke Wöhrmann, Zutphen
ISBN 978 90 234 7999 4
NUR 305

www.uitgeverijcargo.nl

Voor Matthew

Harper 17 juli 1974

Hij houdt de pony van oranje plastic stevig in de zak van zijn tweedjasje gedrukt. Hij voelt zweterig aan in zijn hand. Het is hartje zomer hier, te warm voor zijn kleding, maar hij heeft geleerd zich voor zijn doel in een uniform te hullen, en dan in het bijzonder een spijkerbroek. Hij neemt grote stappen – een man die loopt alsof hij ondanks zijn manke voet ergens moet zijn. Harper Curtis is geen lanterfanter. En de tijd wacht op niemand. Nou ja, niet altijd.

Het meisje zit in kleermakerszit op de grond, haar blote knieën wit en knokig als vogelschedels, en onder de grasvlekken. Ze kijkt op bij het geluid van zijn laarzen die over het grind knerpen, net lang genoeg voor hem om te kunnen zien dat haar ogen onder de wirwar van vuile krullen bruin zijn, waarna ze haar belangstelling verliest en verdergaat met waar ze mee bezig was.

Harper is teleurgesteld. Toen hij op haar af liep had hij zich voorgesteld dat ze wellicht blauw zouden zijn, de kleur van het meer, een heel eind weg, op de plek waar de oever verdwijnt en je het gevoel hebt dat je midden op de oceaan bent. Bruin is de kleur van garnalen vangen, als de modder helemaal omgewoeld is in de ondiepte en je geen jota kunt zien.

'Wat doe je?' zegt hij, en hij zorgt dat hij opgewekt klinkt. Hij hurkt naast haar in het kale gras. Hij heeft nog nooit een kind met zulk wild haar gezien. Alsof ze rondgetold was in haar eigen zandstorm, eentje die alle troep had rondgesmeten die om haar heen lag. Een groepje roestige blikken, een kapot fietswiel dat op zijn kant ligt met spaken die naar buiten steken. Haar aandacht is gevestigd op een theekopje waar hoekjes uit zijn en dat op zijn kop staat, zodat de zilveren bloemen op de rand in het gras verdwijnen. Het oor is afgebroken en er resteren nog slechts twee botte stompjes. 'Hou je een theekransje, meisje?' probeert hij nog een keer.

'Het is geen theekransje,' mompelt ze in het geschulpte kraagje van haar ruitjeshemd.

'Goed hoor,' zegt hij. 'Ik heb toch liever koffie. Mag ik alsjeblieft een kopje, mevrouw? Zwart met drie suiker, oké?' Hij steekt zijn hand uit naar het gehavende porselein en het meisje gilt en slaat zijn hand weg. Onder het omgedraaide kopje klinkt een diep, boos gezoem.

'Jezus, wat heb je daar?'

'Het is géén theekransje. Het is een circus!'

'Is dat zo?' Hij zet zijn glimlach in, de sullige waarmee hij duidelijk maakt dat hij zichzelf niet al te serieus neemt, en dat zou jij ook niet moeten doen. Maar de rug van zijn hand gloeit waar ze hem een tik heeft gegeven.

Ze neemt hem achterdochtig op. Niet om wat hij zou kunnen zijn of wat hij haar zou kunnen aandoen, maar omdat het haar irriteert dat hij het niet begrijpt. Hij kijkt om zich heen, voorzichtiger nu, en herkent het eindelijk: haar krakkemikkige circus. De grote tent met een vinger in het zand getekend, een strak koord vervaardigd van een platgedrukt rietje dat tussen twee lege blikjes frisdrank is bevestigd, het gebutste fietswiel dat het reuzenrad moet voorstellen, half overeind gezet tegen een bosje, met een steen om hem op zijn plaats te houden en uit tijdschriften gescheurde papieren mensen tussen de spaken gestoken.

Het ontgaat hem niet dat de steen die hem overeind houdt volmaakt in zijn vuist zou passen. Of hoe makkelijk een van die scherpe spaken dwars door een oog van het meisje zou gaan, alsof het pudding was. Hij knijpt hard in de plastic pony in zijn zak. Het woedende gezoem dat van onder het kopje komt is een trilling die hij tot in zijn ruggengraat voelt, en zijn kruis trekt samen.

Het kopje schokt en het meisje drukt haar handen eromheen.

'Zo hé!' zegt ze lachend, en ze verbreekt de betovering.

'Inderdaad, zo hé! Heb je een leeuw daar?' Hij duwt met zijn schouder tegen haar aan, en er breekt een glimlach door haar kwade blik, maar het is slechts een flauwe. 'Ben je een dierentemmer? Laat je hem door brandende hoepels springen?'

Ze grijnst, de sproeten op haar blozende appelwangen gaan omhoog en er verschijnen stralend witte tanden.

'Nee, Rachel zegt dat ik niet met lucifers mag spelen. Niet na de vorige keer.' Ze heeft één scheve hoektand die een beetje over haar snijtand steekt. En de glimlach vormt meer dan genoeg compensatie voor het bruin als brak water van haar ogen, omdat hij nu de glinstering ervan kan zien. Het bezorgt hem dat gevoel alsof hij valt. En het spijt hem dat hij ooit getwijfeld heeft aan het Huis. Zij is een van hen. Zijn stralende meisjes.

'Ik heet Harper,' zegt hij ademloos, en hij houdt zijn hand uitgestoken. Ze moet haar andere hand op het kopje drukken om hem te schudden.

'Ben jij een vreemdeling?' vraagt ze.

'Niet meer, toch?'

'Ik heet Kirby. Kirby Mazrachi. Maar zodra ik oud genoeg ben verander ik hem in Lori Star.'

'Als je naar Hollywood gaat?'

Ze trekt het kopje over de grond naar zich toe en jaagt het insect eronder op tot nieuwe hoogten van razernij. Hij beseft dat hij een vergissing heeft begaan.

'Weet je zeker dat je geen vreemdeling bent?'

'Ik bedoel het circus. Wat gaat Lori Star daar doen? Salto's maken van een trapeze? Op olifanten rijden? Wordt ze clown?' Hij houdt zijn wijsvinger boven zijn bovenlip. 'De besnorde dame?'

Tot zijn opluchting giechelt ze. 'Neeee.'

'Leeuwentemmer! Messenwerper! Vuurvreter!'

'Ik word koorddanser. Ik heb geoefend. Wil je het zien?' Ze maakt aanstalten om op te staan.

'Nee, wacht,' zegt hij, opeens wanhopig. 'Mag ik je leeuw zien?'

'Het is niet een echte leeuw.'

'Dat zeg jij,' zegt hij om haar aan te sporen.

'Oké, maar je moet heel voorzichtig zijn. Ik wil niet dat hij wegvliegt.' Ze brengt het kopje een piepklein stukje naar boven. Hij legt zijn hoofd op de grond en tuurt om het te kunnen zien. De geur van platgetrapt gras en zwarte aarde is geruststellend. Er beweegt iets onder het kopje. Harige pootjes, een flard geel en zwart. Voelsprietjes gaan in de richting van het spleetje. Kirby hapt naar adem en sluit het kopje met een smak weer af.

'Dat is een flinke hommel,' zegt hij, en hij gaat weer op zijn hurken zitten.

'Dat weet ik,' zegt ze, trots op zichzelf.

'Je hebt hem behoorlijk boos gemaakt.'

'Volgens mij wil hij niet bij het circus.'

'Mag ik je iets laten zien? Dan moet je me wel vertrouwen.'

'Wat is het?'

'Wil je een koorddanser?'

'Nee, ik…'

Maar hij heeft het kopje al opgepakt en de opgewonden hommel opgepakt in zijn handen. De vleugels eraf trekken maakt hetzelfde doffe geluid als het steeltje van een zure kers plukken, zoals de exemplaren die hij een seizoen lang geplukt had in Rapid City. Hij had het hele godverlaten land doorgetrokken en als een loopse teef baantjes nagejaagd. Tot hij op het Huis was gestuit.

'Wat doe je?' roept ze.

'Het enige wat we nog nodig hebben is wat vliegenpapier om over de bovenkant van twee blikjes te spannen. Zo'n groot insect moet zijn voetjes wel los kunnen trekken, maar het is kleverig genoeg om te voorkomen dat hij valt. Heb je vliegenpapier?'

Hij plaatst de hommel op de rand van het kopje. Hij klampt zich vast aan de rand.

'Waarom heb je dat gedaan?' Ze geeft hem een reeks klappen tegen zijn arm, met haar handpalmen open.

Haar reactie verbaast hem. 'We spelen toch circusje?'

'Je hebt het verpest! Ga weg! Ga weg, ga weg, ga weg, ga weg.' Het wordt een liedje, herhaald bij elke klap.

'Ho. Ho even,' zegt hij lachend, maar ze blijft tegen hem aan meppen. Hij grijpt haar hand met de zijne. 'Ik meen het. Kappen nou, mevrouwtje.'

'Het is niet eerlijk!' roept ze, en ze barst in tranen uit. Dit gaat niet zoals hij het gepland had – voorzover hij deze eerste ontmoetingen kan plannen. Hij is de onvoorspelbaarheid van kinderen beu. Daarom houdt hij niet van kleine meisjes, daarom wacht hij tot ze opgroeien. Later is het een ander verhaal.

'Goed, sorry. Niet huilen, oké? Ik heb iets voor je. Alsjeblieft, niet huilen. Kijk.' Wanhopig pakt hij de oranje pony, of dat probeert hij. Zijn kop blijft steken in zijn zak en hij moet hem losrukken. 'Hier.' Hij steekt hem in haar richting en spoort haar aan hem aan te pakken. Een van de voorwerpen die alles met elkaar verbindt. Daar heeft hij hem toch voor meegenomen? Hij voelt maar een vleugje onzekerheid.

'Wat is dat?'

'Een pony. Dat zie je toch wel? Is een pony niet beter dan een of andere domme hommel?'

'Hij leeft niet.'

'Dat weet ik. Godsamme. Pak nou maar aan, goed? Het is een cadeautje.'

'Ik wil hem niet,' zegt ze snikkend.

'Oké, het is geen cadeautje, het is een onderpand. Je bewaart hem voor me. Zoals bij de bank als je die geld geeft.' De zon brandt fel. Het is te warm voor een jas. Hij kan zich nauwelijks concentreren. Hij wil alleen maar dat het voorbij is. De hommel valt van het kopje en ligt ondersteboven in het gras, zijn pootjes trappelend in de lucht.

'Goed dan.'

Hij voelt zich al kalmer. Alles is zoals het moet zijn. 'Goed bewaren, oké? Dat is heel belangrijk. Ik kom hem later ophalen. Snap je?'

'Waarom?'

'Omdat ik hem nodig heb. Hoe oud ben je?'

'Zes en driekwart jaar. Bijna zeven.'

'Dat is mooi. Heel mooi. Kijk eens aan. Alsmaar rondjes, als je reuzenrad. Ik zie je weer als je groot geworden bent. Kijk maar naar me uit, goed, lieverd? Ik kom terug voor je.'

Hij staat op en stoft zijn handen af tegen zijn been. Hij draait zich om en loopt met kwieke tred over het terrein, zonder om te kijken en maar een beetje mank. Ze ziet hem oversteken en naar het spoor lopen tot hij tussen de bomen verdwijnt. Ze kijkt naar het plastic stuk speelgoed, klam van zijn hand, en roept hem na: 'Ja? Nou, ik hoef dat stomme paard van je niet!'

Ze smijt hem op de grond en hij stuitert één keer omhoog en blijft dan liggen naast haar fietswiel dat een reuzenrad moet voorstellen. Zijn geschilderde oogjes staren nietszeggend naar de hommel, die zich heeft weten om te draaien en zich wegsleept over de grond.

Maar ze gaat er later voor terug. Natuurlijk.

Harper 20 november 1931

Het zand onder hem zakt weg, het is helemaal geen zand, maar stinkende, ijzige modder die een zuigend geluid maakt in zijn schoenen en dwars door zijn sokken gaat. Harper vloekt zachtjes om te voorkomen dat de mannen het horen. Ze schreeuwen naar elkaar in de duisternis: 'Zie je hem? Heb je hem?' Als het water niet zo vreselijk koud was, zou hij het riskeren weg te vluchten door hiervandaan te zwemmen. Maar hij rilt al hevig door de wind van de rivier die hem dwars door zijn hemd heen kwelt. Zijn jas heeft hij achtergelaten in de kroeg, onder het bloed van die schoft.

Hij waadt over het strand en baant zich een weg door het afval en het rottende timmerhout, en de modder zuigt hem bij elke stap naar beneden. Hij hurkt neer achter een kleine keet aan de rand van het water, opgetrokken uit pakkisten en bij elkaar gehouden met teerpapier. Lamplicht sijpelt door de spleten en de stukken karton die de boel bij elkaar houden, waardoor het hele geval opgloeit. Hij snapt niet waarom mensen zo dicht bij het meer bouwen – alsof ze denken dat het ergste al heeft plaatsgevonden en het op deze plek niet slechter kon worden. Alsof mensen niet in de ondiepe plekken scheten. Alsof het water niet kon stijgen door de regen en die hele stinkende krottenwijk niet zou wegspoelen. De verblijfplaats van vergeten mannen bij wie tegenspoed tot diep in hun vezels zat. Niemand zou ze missen. Zoals niemand die klootzak Jimmy Grebe zou missen.

Hij had niet verwacht dat Grebe zo zou bloeden. Het zou niet zover zijn gekomen als die lummel een eerlijke strijd had gevoerd. Maar hij was dik en dronken en wanhopig. Hij kon hem nog geen opduvel geven, en dus greep hij Harper bij de ballen. Harper had de dikke vingers van die rotvent naar zijn broek voelen graaien.

Als het lelijk wordt, vecht je net zo lelijk terug. Het is niet Harpers schuld dat de hoekige punt van het glas een slagader raakte. Hij was voor Grebes gezicht gegaan.

Niets van dat alles zou gebeurd zijn als die smerige tbc-patiënt niet op de kaarten had gehoest. Ja, Grebe had de bloederige fluim met zijn mouw weggeveegd, maar iedereen wist dat hij de tering had en het virus in zijn bloederige zakdoek rochelde. Ziekte en verval en de getergde zenuwen van mannen. Het is het einde van Amerika.

Probeer dat 'burgemeester' Klayton en zijn kliek klootzakken van ordehandhavers maar eens duidelijk te maken, hun borst vooruit alsof de tent van hen is. Maar er heersen hier geen wetten. Alsof er geen geld is. Geen zelfrespect. Hij heeft de tekenen gezien, en niet alleen de bordjes met 'kennisgeving van inbeslagneming'. Eerlijk is eerlijk, Amerika had erop kunnen wachten.

Een zwakke lichtstraal glijdt over de oever en blijft hangen bij de littekens die hij in de modder heeft getrokken. Maar dan zwiept de zaklantaarn opzij in een andere richting en de deur van de keet gaat open, waardoor er van alle kanten licht naar buiten stroomt. Een magere rat van een vrouw stapt naar buiten. Haar gezicht is ingevallen en grauw in de gloed van kerosine – net als dat van iedereen hier – alsof de stofstormen hier op het platteland niet alleen hun gewassen hebben weggeblazen maar ook elk spoortje van het karakter van mensen.

Ze heeft een donker tweedjasje dat drie maten te groot is over haar schriele schouders geslagen, als een sjaal. Dikke wol. Het ziet er warm uit. Hij weet al dat hij het van haar gaat afpakken voordat hij beseft dat ze blind is. Haar blik is leeg. Haar adem ruikt naar kool en de tanden rotten in haar hoofd. Ze steekt haar hand naar hem uit. 'Wat is er aan de hand?' zegt ze. 'Waarom schreeuwen ze?'

'Dolle hond,' zegt Harper. 'Ze zitten achter hem aan. U kunt maar beter naar binnen gaan, mevrouw.' Hij kan de jas zo van haar optillen en ervandoor gaan. Maar ze zou een keel kunnen opzetten. Ze zou zich kunnen verzetten.

Ze grijpt naar zijn overhemd. 'Wacht,' zegt ze. 'Ben jij het? Ben jij Bartek?'

'Nee, mevrouw. Dat ben ik niet.' Hij probeert haar vingers los te wrikken. Haar stem klinkt nu hard en dringend. Een stem waarmee je de aandacht trekt.

'Jawel, je moet hem wel zijn. Hij zei dat je zou komen.' Ze is nu bijna hysterisch. 'Hij zei dat hij...'

'Sst, rustig maar,' zegt Harper. Het kost geen enkele moeite om zijn arm uit te steken naar haar keel en haar met zijn volle gewicht tegen de keet te duwen. Alleen maar om haar het zwijgen op te leggen, houdt hij zichzelf voor. Moeilijk om te schreeuwen met een ingedrukte luchtpijp. Haar lippen steken vooruit. Haar ogen puilen uit. Haar keel gaat op en neer in protest. Haar handen grijpen zijn overhemd alsof ze wasgoed uitwringt, en dan vallen haar vingers met de kippenbotjes weg en zakt ze ineen langs de muur. Hij beweegt met haar mee naar beneden en zet haar voorzichtig neer terwijl hij de jas van haar schouders licht.

Een kleine jongen staart hem vanuit de deuropening aan, zijn ogen groot genoeg om je volledig te verzwelgen.

'Waar kijk je naar?' fluistert Harper nijdig naar de jongen terwijl hij zijn armen in de mouwen steekt. De jas is te groot voor hem, maar dat doet er niet toe. Er rinkelt iets in de zak. Kleingeld, als hij geluk heeft. Maar het blijkt veel meer te zijn.

'Ga naar binnen. Haal wat water voor je moeder. Ze voelt zich niet zo lekker.'

De jongen staart hem aan en dan opent hij zonder van uitdrukking te veranderen zijn mond en slaakt een schelle kreet waardoor de verdomde zaklantaarns weer deze kant op schijnen. Stralen scheren over de deuropening en de ineengezakte vrouw, maar Harper rent al. Een van Klaytons makkers – of misschien is het de man die zichzelf heeft opgeworpen als burgemeester zelf wel – roept: 'Daar!' en de mannen rennen over de oever achter hem aan.

Hij schiet door de wirwar van hutjes en tenten die willekeurig over en door elkaar heen zijn opgetrokken, met nauwelijks genoeg ruimte om er een handkar doorheen te rijden. Insecten hebben nog meer zelfbeheersing, denkt hij als hij afbuigt in de richting van Randolph Street.

Hij rekent niet op mensen die zich gedragen als termieten.

Hij stapt op een stuk zeildoek en valt er dwars doorheen, in een kuil ter grootte van een pianokist, maar een stuk dieper, uit de aarde gegraven waar iemand iets heeft ingericht wat een huis moet voorstellen en erboven eenvoudigweg een kleed in de grond heeft geslagen. Hij komt hard terecht en zijn linkerhiel knalt tegen de zijkant van een bed van houten pallets met een scherp geluid als een knappende snaar van een gitaar. Door de klap slaat hij zijwaarts tegen de rand van een eigengemaakt fornuis. Het raakt hem onder zijn ribbenkast en even heeft hij geen adem. Het voelt alsof er een kogel dwars door zijn enkel is gegaan, maar hij heeft geen schot gehoord. Hij heeft geen adem om te schreeuwen en hij verdrinkt in het teerkleed dat van boven op hem neervalt.

Ze treffen hem daar aan, spartelend in het canvas en het menselijk wrakhout vervloekend dat niet genoeg materiaal en waardigheid had om een fatsoenlijke hut te bouwen. De mannen verzamelen zich boven de verborgen plek, kwaadaardige silhouetten achter het felle licht van hun zaklantaarns.

'Je kunt hier niet zomaar komen doen wat je wilt,' zegt Klayton op zijn vroomste toon. Harper krijgt eindelijk weer adem. Elke inademing brandt als een steek in zijn zij. Hij heeft in elk geval een rib gebroken, en met zijn voet is er nog iets ergers gebeurd.

'Je moet je buurman respecteren en je buurman moet jou respecteren,' gaat Klayton verder. Harper heeft hem dat tijdens de wijkbijeenkomsten eerder horen zeggen. Hij praat dan over de noodzaak om te proberen vriendelijk te blijven tegen eigenaars van zaken aan de overkant – dezelfde eigenaars die de autoriteiten gestuurd hadden om waarschuwende teksten op elke tent en bouwval te hangen en ze mee te delen dat ze zeven dagen hadden om het gebied te verlaten.

'Het valt niet mee om respect te hebben als je dood bent,' zegt Harper lachend, hoewel het eerder een fluitend geluid is waardoor zijn buik samentrekt van de pijn. Hij denkt dat ze misschien wel pistolen in de aanslag hebben, hoewel dat onwaarschijnlijk lijkt, en pas als een van de zaklantaarns niet langer op zijn gezicht schijnt ziet hij dat ze gewapend zijn met buizen en hamers. Zijn maag trekt weer samen.

'Jullie zouden me moeten overdragen aan de politie,' zegt hij hoopvol.

'Nee hoor,' antwoordt Klayton. 'Die hebben hier niks te zoeken.' Hij zwaait met zijn zaklantaarn. 'Sleur hem eruit, jongens. Voordat die Chinees Eng terugkomt naar zijn gat en dit stuk vuil hier aantreft.'

En dan is er nog een teken, zo helder als glas, dat over de horizon voorbij de brug komt kruipen. Voordat de mannen van Klayton de drie meter naar beneden kunnen klimmen, begint het te regenen, striemende druppels, bitter koud. En dan klinkt er van de andere kant van het kamp geschreeuw. 'Politie! Het is een inval!'

Klayton draait zich om en overlegt met zijn mannen. Ze lijken wel apen met hun drukke gepraat en gezwaai met armen, en dan schiet er een vuurstraal door de regen die de hemel verlicht en een eind maakt aan hun gesprek.

'Hé, laat dat...' In de verte klinkt vanaf Randolph Street een gil. Gevolgd door nog eentje. 'Ze hebben benzine!' roept iemand.

'Waar wachten jullie nog op?' zegt Harper zacht in de kletterende regen en het rumoer.

'Blijf waar je bent!' Klayton priemt naar hem met zijn buis terwijl de silhouetten zich verspreiden. 'We zijn nog niet klaar met je.'

Harper negeert het raspende geluid dat zijn ribben veroorzaken en duwt zich omhoog op zijn ellebogen. Hij buigt naar voren, grijpt het zeildoek beet dat zich aan één kant nog vastklampt aan zijn spijkers, en trekt eraan. Hij vreest het onvermijdelijke, maar het schiet niet los.

Boven hoort hij de autoritaire stem van de brave burgemeester die door het gewoel heen naar onzichtbare mensen roept. 'Hebben jullie hier een gerechtelijk bevel voor? Denk je dat jullie hier zomaar heen kunnen komen om huizen te verbranden van mensen die alles al eens zijn kwijtgeraakt?'

Harper grijpt een dik stuk van het materiaal beet en met zijn goede voet tegen het omvergeworpen fornuis hijst hij zichzelf omhoog. Zijn enkel stoot tegen de aarden wand en een flits van pijn verblindt hem. Hij kokhalst en hoest een lange sliert spuug en slijm op, doortrokken met rood. Hij klampt zich vast aan het zeildoek en knippert hevig tegen de zwarte gaten die opbloeien voor zijn geestesgoog, tot hij weer kan zien.

Het geschreeuw vervaagt in het geroffel van de regen. Hij heeft weinig tijd meer. Hij hijst zichzelf langzaam maar zeker omhoog langs het vettige, natte zeildoek. Een jaar eerder had hij dat niet gekund, maar na twaalf weken klinknagels in de Triboro Bridge in New York te hebben geslagen is hij zo sterk als de aftandse orang-oetan die hij op een jaarmarkt met zijn blote handen een watermeloen in tweeën had zien scheuren.

Het doek maakt bij wijze van protest onheilspellende broze geluiden, waardoor hij weer in dat rotgat dreigt te tuimelen. Maar het houdt hem en hij trekt zichzelf dankbaar over de rand. Het kan hem niet eens schelen dat hij zijn borst openrijt aan de nagels die het doek op zijn plek houden. Als hij zijn wonden later op een veilige plek bekijkt, merkt hij op dat de striemen eruitzien alsof een enthousiaste hoer haar sporen heeft achtergelaten.

Hij ligt daar met zijn gezicht in de modder en de regen die op hem neer striemt. Het gegil is weggestorven hoewel er nog een geur van rook hangt, en het licht van een aantal vuren vermengt zich met het grijs van de dageraad. Een flard muziek zweeft door de nacht, uit het raam van een appartement wellicht, met de huurders die naar buiten leunen om te genieten van het spektakel.

Harper kruipt op zijn buik door de modder met in zijn schedel lichtflitsen van de pijn – of misschien zijn ze echt. Als hij op een stuk hout stuit dat dik genoeg is om zichzelf mee overeind te duwen gaat hij over van kruipen op hobbelen.

Zijn linkervoet is onbruikbaar en sleept achter hem aan. Maar hij gaat verder, door de regen en de duisternis, weg van de brandende krottenwijk.

Alles heeft een reden. Omdat hij gedwongen is te vertrekken stuit hij op het Huis. Omdat hij de jas heeft meegenomen heeft hij de sleutel.

Kirby 18 juli 1974

Het is dat tijdstip 's ochtends vroeg waarop de duisternis zwaar aanvoelt, als de treinen niet langer rijden en er bijna geen verkeer meer is, maar voordat de vogels beginnen te zingen. Het is een snikhete nacht. De kleverige hitte waardoor alle insecten tevoorschijn komen. Motten en vliegende mieren tikken als onregelmatig tromgeroffel tegen de lamp aan de veranda. Ergens vlak bij het plafond zeurt een mug.

Kirby ligt in bed en streelt de nylon manen van de pony terwijl ze naar de geluiden van het lege huis luistert dat kreunt als een hongerige maag. Het huis werkt, zoals Rachel het noemt. Maar Rachel is er niet. En het is laat, of vroeg, en Kirby heeft niets gegeten sinds de muffe cornflakes tijdens het ontbijt van lang geleden, en er zijn geluiden die niet bij het 'werken' horen.

Kirby fluistert tegen de pony: 'Het is een oud huis. Het is vast de wind, meer niet.' Hoewel de deur van de veranda op de klink zit en niet zou moeten klapperen. De vloerplanken zouden niet moeten kraken alsof er een inbreker naar haar kamer sluipt, met een donkere zak om haar in te stoppen en in mee te nemen. Of misschien is het de levende pop uit het enge tv-programma dat ze niet zou moeten kijken, trippelend op kleine plastic voetjes.

Kirby slaat het laken open. 'Ik ga kijken, oké?' zegt ze tegen de pony, want de gedachte te moeten wachten tot het monster haar komt halen is onverdraaglijk. Op haar tenen loopt ze naar de deur, die haar moeder toen ze hier vier maanden geleden kwamen wonen heeft beschilderd met exotische bloemen en wilde ranken, klaar om dicht te slaan in het gezicht van wie (of wat) er ook de trap op komt.

Ze staat achter de deur alsof het een schild is en luistert aandachtig terwijl ze aan de ruwe textuur van de verf pulkt. Eén tijgerlelie heeft ze al afgekrabd tot op het hout. Haar vingertopjes tintelen. De stilte galmt door haar hoofd.

'Rachel?' fluistert Kirby, zo zacht dat alleen de pony het kan horen.

Er klinkt een bons, heel dichtbij, gevolgd door een knal en het geluid van iets wat breekt. 'Shit!'

'Rachel?' zegt Kirby, dit keer harder. Haar hart klettert in haar borstkas.

Er valt een lange stilte. Dan zegt haar moeder: 'Ga terug naar bed, Kirby, er is niks aan de hand.' Kirby weet dat dat niet zo is. Maar het is in elk geval niet Talky Tina, de moordzuchtige pop.

Ze houdt op met aan de verf te pulken en trippelt door de gang, de gebroken stukjes glas ontwijkend die als diamanten tussen de dode rozen met hun verschrompelde blaadjes liggen. De deur staat een stukje open voor haar.

Elk nieuw huis is ouder en armoediger dan het vorige, hoewel Rachel de deuren en kasten verft en soms zelfs de vloerplanken om er hun huis van te maken. Ze kiezen samen de tekeningen uit Rachels grote grijze kunstboek: tijgers of eenhoorns of heiligen en bruine eilandmeisjes met bloemen in hun haar. Kirby gebruikt ze als aanwijzingen om zichzelf eraan te herinneren waar ze zijn. *Dit* huis heeft de smeltende klokken aan het keukenkastje boven het fornuis, wat wil zeggen dat de koelkast links is, en een badkamer onder de trap. Maar hoewel de indeling van elk huis anders is, en ze soms een tuin hebben en Kirby's slaapkamer soms een kast heeft en het soms meezit en ze boekenplanken heeft, is de kamer van Rachel het enige waar niets aan verandert.

Ze beschouwt hem als de schatkist van een piraat. Jurken en sjaals slingeren rond in de kamer alsof een zigeunerin die zowel een piraat als een prinses was ze in een woedende bui om zich heen had gesmeten. Een verzameling namaaksieraden hangt aan de gouden sierkrullen van een ovale spiegel, het eerste wat Rachel aan de muur spijkert als ze naar een nieuwe plek verhuizen, waarbij ze steevast met de hamer op haar duim slaat. Soms houden ze een verkleedpartijtje, en dan drapeert Rachel elke ketting en armband om Kirby en ze noemt haar 'mijn kleine kerstboompje', ook al zijn ze joods, of half.

Er hangt een ornament van gekleurd glas in het raam dat in het licht van de middagzon dansende regenbogen door de kamer verspreidt, over de schuine tekentafel en de illustratie waar Rachel op dat moment aan werkt.

Toen Kirby een baby was en ze nog in de stad woonden, plaatste Rachel het hekje van de box om haar bureau heen, zodat Kirby kon rondkruipen zonder haar te storen. Ze maakte vroeger tekeningen voor damestijdschriften, maar nu 'is mijn stijl uit de mode, lieverd – het is een grillige wereld'. Kirby vindt dat een mooi woord. *Grillig-lillig-willig-grillig.* En als ze op weg naar de buurtwinkel langs Doris' Pannenkoekenhuis lopen vindt ze het fijn om haar moeders tekening te zien van een knipogende serveerster die twee stapels pannenkoeken waar de boter van af druipt in evenwicht houdt.

Maar het glazen ornament is nu koud en dood, en om de lamp naast het bed hangt half een gele sjaal gedrapeerd, waardoor de hele kamer er ziekelijk uitziet. Rachel ligt met een kussen over haar gezicht op het bed. Ze is helemaal aangekleed, met haar schoenen aan en alles. Haar borst schokt onder haar zwarte kanten jurkje alsof ze de hik heeft. Kirby staat in de deuropening en dwingt haar moeder haar op te merken. Haar hoofd voelt aan alsof het is opgezwollen met woorden die ze niet kan uitspreken.

'Je hebt je schoenen aan in bed,' weet ze uiteindelijk uit te brengen.

Rachel tilt haar kussen van haar gezicht en kijkt met gezwollen ogen naar haar dochter. Haar make-up heeft een zwarte vlek op het kussen gemaakt. 'Sorry, lieverd,' zegt ze met een flinterig lachje. ('Flinterig' doet Kirby denken aan een flintertje van een tand. Melanie Ottesen was een flintertje tand kwijtgeraakt toen ze uit het klimtouw viel. Of bekers met een barstje waaruit je niet meer mocht drinken.)

'Je moet je schoenen uittrekken!'

'Dat weet ik, lieverd,' zucht Rachel. 'Niet schreeuwen.' Met haar tenen wurmt ze de zwart met bruine pumps uit en laat ze op de vloer kletteren. Ze rolt op haar buik. 'Wil je op mijn rug krabben?'

Kirby klimt op het bed en gaat in kleermakerszit naast haar zitten. Het haar van haar moeder ruikt naar rook. Met haar nagels volgt ze het krullende patroon op het kant. 'Waarom huil je?'

'Ik huil niet echt.'

'Jawel.'

Haar moeder zucht. 'Het is de tijd van de maand, meer niet.'

'Dat zeg je altijd,' pruilt Kirby, en dan als een nagekomen gedachte: 'Ik heb een pony.'

'Ik kan geen pony betalen.' Rachels stem klinkt dromerig.

'Nee, ik heb er al een,' zegt Kirby geïrriteerd. 'Ze is oranje. Ze heeft vlinders op haar bips en bruine ogen en gouden haar en, eh, ze ziet er nogal suf uit.'

Haar moeder werpt haar over haar schouder een blik toe, opgewonden bij de gedachte. 'Kirby! Heb je iets gestolen?'

'Nee! Het was een cadeautje. Ik wilde hem niet eens.'

'Dan is het goed.' Haar moeder wrijft met de muis van haar hand langs haar ogen en smeert er als een inbreker een veeg mascara langs.

'Dus ik mag hem houden?'

'Natuurlijk. Je mag bijna alles doen wat je maar wilt. Vooral met cadeautjes. Al breek je ze in duizend miljoen stukjes.' Zoals de vaas in de gang, denkt Kirby.

'Oké,' zegt ze, serieus nu. 'Je haar ruikt vreemd.'

'Moet jij nodig zeggen!' De lach van haar moeder is als een regenboog die door een kamer danst. 'Wanneer heb jij dat van jou voor het laatst gewassen?'

Harper 22 november 1931

Het Mercy-ziekenhuis schenkt maar weinig genade. 'Kunt u betalen?' vraagt de vermoeid ogende vrouw achter de receptie door een rond gat in het glas. 'Patiënten die betalen zijn eerst aan de beurt.'

'Hoe lang moet ik wachten?' gromt Harper.

De vrouw knikt naar de wachtruimte. Er is alleen plek om te staan, tussen de mensen die zitten of half ineengezakt op de vloer liggen, te ziek of te moe of ronduit te verveeld om op de been te blijven. Een paar kijken met hoop of woede of een onhoudbare combinatie van de twee in hun ogen. De anderen hebben de berustende blik die hij gezien heeft bij boerderijpaarden op hun laatste benen, de ribben net zo duidelijk zichtbaar als de spleten en groeven in de dode aarde waar ze moeizaam hun ploeg doorheen trekken. Een dergelijk paard maak je af.

Hij zoekt in de zak van de gestolen jas naar het verfrommelde biljet van vijf dollar dat hij daar had aangetroffen, naast een veiligheidsspeld, vijf centen en een sleutel, versleten op een manier die vertrouwd aanvoelt. Of misschien is hij gewend geraakt aan dofheid.

'Is dit genoeg voor *genade*, liever?' vraagt hij, en hij schuift het biljet onder het raam door.

'Ja.' Ze houdt zijn blik vast om hem duidelijk te maken dat ze zich er niet voor schaamt geld te vragen, ook al maakt die handeling het tegenovergestelde duidelijk.

Ze rinkelt met een belletje en een verpleegster komt hem halen, met degelijke schoenen die op het linoleum klepperen. Op haar naamspeldje staat E. Kappel. Ze is knap op een alledaagse manier, met roze wangen en zorgvuldig geschikte roodbruine krullen onder haar witte kapje. Op haar neus na, die te zeer omhoogwijst, waardoor hij op een snuit lijkt. Varkentje, denkt hij.

'Kom maar met me mee,' zegt ze, duidelijk geërgerd door zijn aanwezigheid. Ze plaatst hem al in de categorie 'menselijk afval'. Ze draait zich om en beent weg, waardoor hij achter haar aan moet hobbelen. Bij elke stap schiet er een steek van pijn naar zijn heup, als een vuurpijl, maar hij is vastbesloten haar bij te houden.

Elke zaal waar ze langslopen is overvol, soms met wel twee mensen in één bed, om en om. Alle ziekte stroomt naar buiten.

Niet zo erg als de veldhospitalen, denkt hij. Verminkte mannen op draagbaren die onder het bloed zaten tussen de stank van brandwonden en rottend vlees en poep en braaksel en zuur koortszweet. Het onophoudelijke gekreun als een afschuwelijk koor.

Hij herinnert zich die jongen uit Missouri die zijn been was kwijtgeraakt. Hij bleef maar schreeuwen en hield iedereen wakker, tot Harper naar hem toe was geglipt, alsof hij hem wilde troosten. In werkelijkheid had hij zijn bajonet in de dij van die idioot gestoken, vlak boven de bloederige troep, en met een rukje de slagader doorgesneden. Net zoals hij tijdens zijn opleiding had geoefend op de poppen van stro. Steken en draaien. Een buikwond velt een man geheid. Harper vond het altijd persoonlijker dan kogels om bij iemand binnen te dringen. Het maakte de oorlog draaglijk.

Dat zit er hier niet in, denkt hij. Maar er zijn andere manieren om je van lastige patiënten te ontdoen. 'Je zou het zwarte flesje tevoorschijn moeten halen,' zegt Harper om de mollige verpleegster op stang te jagen. 'Ze zouden je bedanken.'

Ze snuift minachtend en gaat hem voor langs de privékamers, die vrijwel allemaal leeg zijn. 'Breng me niet in de verleiding. Een kwart van het ziekenhuis fungeert momenteel als pesthuis. Tyfus, infecties. Gif zou een zegen zijn. Maar laat de chirurgen je niet over een zwart flesje horen.'

Door een open deur ziet hij een meisje in een bed liggen, omringd door bloemen. Ze ziet eruit als een filmster, ook al is het meer dan tien jaar geleden dat Charlie Chaplin Chicago verruild heeft voor Californië en de hele filmindustrie met zich mee heeft genomen. Haar blonde krulletjes plakken zweterig tegen haar gezicht, dat nog bleker is door het winterlicht dat moeizaam door de ramen straalt. Maar als hij even blijft staan, gaan haar ogen trillend open. Ze komt half overeind en lacht hem stralend toe, alsof ze hem al verwacht had en hij wel even bij haar mag komen zitten om een praatje te maken.

De verpleegster moet er niets van hebben. Ze grijpt hem bij de elleboog en neemt hem mee. 'Niet zo staan gapen. Het laatste wat die troel nodig heeft is nog een aanbidder.'

'Wie is dat?' Hij kijkt achterom.

'Niemand. Een naaktdanseres. Die dwaze meid heeft zich vergiftigd met radium. Dat is haar nummer, ze beschildert zichzelf ermee zodat ze opgloeit in het donker. Maak je geen zorgen, ze mag binnenkort naar huis en dan kun je haar zo vaak zien als je maar wilt. En van top tot teen, als ik het goed heb begrepen.'

Ze neemt hem mee de kamer van de dokter in, helderwit met een scherpe geur van ontsmettingsmiddel. 'Ga hier maar zitten en laten we eens kijken wat je jezelf hebt aangedaan.'

Hij hupt onvast op de onderzoekstafel. Ze trekt haar neus op als ze geconcentreerd de smerige lappen openknipt die hij als een soort voetbeugel, zo strak als hij kon verdragen, onder zijn hiel heeft gebonden.

'Je bent niet goed wijs, weet je dat?' Het glimlachje om haar mondhoeken maakt duidelijk dat ze weet dat ze het kan maken zo tegen hem te praten. 'Dat je niet meteen hierheen bent gekomen. Dacht je dat het helemaal vanzelf beter zou worden?'

Ze heeft gelijk. Het is ook niet handig dat hij de afgelopen twee nachten buiten heeft geslapen, in een deuropening met een kartonnen doos om op te slapen en een gestolen jas als deken. Hij kon echter niet terug naar zijn tent, voor het geval Klayton en zijn knechtjes hem opwachtten met hun buizen en hamers.

De glimmende zilveren bladeren van de schaar gaan *knip-knip* door het lappenverband dat witte strepen in zijn opgezwollen voet heeft veroorzaakt, waardoor het eruitziet als een ingebonden ham. Wie was er nu een varkentje? Wat pas dwaas is, denkt hij verbitterd, is dat hij de oorlog heeft doorstaan zonder blijvende schade op te lopen, en nu raakt hij kreupel omdat hij in het schuilgat van de een of andere zwerver is gevallen.

De dokter dendert de kamer binnen, een oudere man met een gerieflijk laagje vet om zijn buik en dik grijs haar dat als de manen van een leeuw om zijn oren krult.

'En waar kan ik u vandaag mee helpen, meneer?' De glimlach maakt de vraag niet minder betuttelend.

'Ik heb in elk geval niet gedanst in verf waardoor je oplicht.'

'En dat zit er ook niet in, als ik het zo eens zie,' zegt de dokter, nog steeds lachend, als hij de gezwollen voet in zijn handen neemt en heen en weer beweegt. Hij duikt behendig en professioneel opzij als Harper brult van de pijn en naar hem uithaalt.

'Ga vooral zo door, jongen, als je op straat gegooid wilt worden,' zegt de dokter grijnzend, 'of je nu betaalt of niet.' Als hij de voet weer op en neer beweegt, klemt Harper zijn tanden op elkaar en balt zijn vuisten om te voorkomen dat hij weer een uitval doet.

'Kun je zelf je tenen omhoogtrekken?' zegt hij, en hij kijkt aandachtig. 'O, mooi. Dat is een goed teken. Beter dan ik dacht. Uitstekend. Zie je hier?' zegt hij tegen de verpleegster, en hij knijpt in de holte boven de hiel. Harper kreunt. 'Daar zou de pees vast moeten zitten.'

'O ja.' De verpleegster knijpt in de huid. 'Ik voel het.'

'Wat houdt dat in?' zegt Harper.

'Dat houdt in dat je de komende maanden op je rug in het ziekenhuis zou moeten liggen, jongen, maar ik schat zo in dat dat voor jou geen mogelijkheid is.'

'Alleen als het gratis is.'

'Of als je bezorgde weldoeners hebt die je herstel willen bekostigen, zoals ons radiummeisje.' De dokter knipoogt. 'We kunnen je een gipsverband geven en je met een kruk op pad sturen. Maar een gescheurde pees geneest niet uit zichzelf. Je zou minstens zes weken niet moeten lopen. Ik kan een schoenmaker aanbevelen die zich specialiseert in medisch schoeisel dat de hiel omhoogbrengt, dat zal een beetje helpen.'

'En hoe moet ik dat doen? Ik moet werken.' Harper is nijdig over de klagende toon die in zijn stem kruipt.

'We hebben allemaal financiële moeilijkheden, meneer Harper. Vraag maar aan de bestuursleden van het ziekenhuis. Ik stel voor dat je doet wat je kunt.' Weemoedig voegt hij eraan toe: 'Je hebt toch geen syfilis, hè?'

'Nee.'

'Jammer. Er begint een onderzoek in Alabama waarmee je al je medische kosten had kunnen betalen. Hoewel je dan wel een neger zou moeten zijn.'

'Dat ben ik ook al niet.'

'Jammer.' De dokter haalt zijn schouders op.

'Kan ik straks weer lopen?'

'O ja,' zegt de dokter. 'Maar reken er niet op dat je auditie kunt doen voor meneer Gershwin.'

Harper hobbelt het ziekenhuis uit, zijn ribben verbonden, zijn voet in het gips, zijn bloed vol morfine. Hij steekt een hand in zijn zak om te voelen hoeveel geld hij nog heeft. Twee dollar en wat kleingeld. Maar dan strelen zijn vingers langs het gekartelde randje van de sleutel en er gaat iets open in zijn hoofd, alsof het een ontvanger is. Misschien komt het door de medicijnen. Of misschien lag het wel altijd voor hem in het verschiet.

Het is hem nooit eerder opgevallen dat de straatlantaarns zoemen, een lage frequentie die zich achter zijn ogen boort. En hoewel het middag is en de lichten niet branden, lijken ze op te flakkeren als hij eronderdoor loopt. De zoemtoon huppelt vooruit naar de volgende lantaarn, alsof hij hem wenkt. *Deze kant op.* En hij zou zweren dat hij krakerige muziek kan horen, een verre stem die naar hem roept als een radio die afgestemd moet worden. Hij volgt het pad van de zoemende straatlantaarns en gaat zo snel als hij maar kan, hoewel de kruk niet meewerkt.

Hij loopt State Street in en die leidt hem via de West Loop in het ravijn van Madison Street met wolkenkrabbers die aan weerszijden veertig verdiepingen hoog opdoemen. Hij passeert Skid Row, waar hij voor twee dollar een tijdje een bed zou hebben, maar het zoemen en de lichten brengen hem verder, de Black Belt in waar de armoedige jazztentjes en cafés overgaan in goedkope huisjes die boven op elkaar zijn gestapeld, met haveloos geklede kinderen die op straat spelen en oude mannen met sjekkies die op de stoepjes zitten en hem onheilspellend aankijken.

De straat wordt smaller en de gebouwen drommen samen en werpen koude schaduwen over de stoep. In een van de hoger gelegen woninkjes lacht een vrouw, het geluid abrupt en lelijk. Overal waar hij kijkt hangen bordjes. Gebroken ramen in de huurflats, en eronder met de hand geschreven briefjes achter de lege winkelramen: 'Gesloten', 'Tot nadere kennisgeving gesloten', en één keer gewoon: 'Sorry'.

Er snijdt een zilte klamme wind van het meer door de grauwe middag die onder zijn jas waait. Hoe verder hij de wijk met pakhuizen in gaat, hoe minder mensen er zijn, en dan verdwijnen ze helemaal, en in hun afwezigheid zwelt de muziek aan, mooi en treurig. En nu herkent hij de melodie. 'Somebody From Somewhere'. En de stem fluistert dringend: 'Blijf lopen, blijf lopen, Harper Curtis.'

De muziek voert hem over het spoor, diep de West Side in en de trap van een logement voor arbeiders op, niet te onderscheiden van de andere houten logementen in de rij die tegen elkaar staan geleund, met verf die afbladdert, erkers die zijn dichtgetimmerd. Een briefje met 'Onbewoonbaar verklaard door de gemeente Chicago' is aan de planken gelijmd die in de vorm van de letter X voor de voordeuren zijn gespijkerd. Onderscheid je voor president Hoover, hoopvolle mannen. De muziek komt van achter de deur van 1818. Een uitnodiging.

Hij reikt onder de gekruiste planken en probeert de deur te openen, maar hij zit op slot. Harper blijft op het stoepje staan en ervaart een gevoel van vreselijke onvermijdelijkheid. De straat is volkomen verlaten. De andere huizen zijn dichtgetimmerd of hun gordijnen zijn strak dichtgetrokken. Een straat verderop hoort hij verkeer en een straatventer die pinda's verkoopt: 'Koop ze nu ze nog warm zijn!' Het klinkt echter gedempt, alsof het door dekens komt die om zijn hoofd zijn gewikkeld, in tegenstelling tot de muziek, een scherpe splinter die zich dwars door zijn schedel boort: *de sleutel*.

Hij steekt zijn hand in de zak van de jas, opeens doodsbang dat hij hem kwijt is. Tot zijn opluchting is hij er nog. Brons, met de woorden Yale & Towne erin gestanst. Hij past in het slot van de deur. Trillend steekt hij hem er helemaal in. De sleutel pakt.

Achter de deur ligt duisternis, en een lang, vreselijk moment staat hij daar, verlamd door de mogelijkheden. En dan bukt hij onder de planken door, werkt onhandig zijn kruk door de spleet en gaat het Huis binnen.

Kirby 9 september 1980

Het is zo'n typische dag vlak voor de herfst, fris en helder. De bomen hebben er gemengde gevoelens over: de blaadjes zijn groen, geel en bruin tegelijk. Kirby kan van de overkant van de straat al zien dat Rachel stoned is. Niet alleen door de zoete geur die in het huis hangt (dat verraadt het al), maar door de gespannen manier waarop ze door de tuin loopt en zich druk maakt over iets wat in het veel te lange gras ligt. Tokyo springt opgewonden blaffend om haar heen. Ze hoort niet thuis te zijn. Ze moet op bezoek zijn bij John, of 'zon', zoals Kirby hem had genoemd toen ze klein was. Nou ja, een jaar geleden.

Wekenlang had ze zich afgevraagd of die man, John, haar vader was, en of Rachel zich erop voorbereidde haar mee te nemen om hem te ontmoeten, tot Grace Tucker haar op school vertelde dat een 'john' een woord was voor een man die naar een prostituee ging, en dat haar moeder er eentje was. Ze wist niet wat een prostituee was, maar ze bezorgde Gracie een bloedneus en Gracie trok een pluk haar uit haar hoofd.

Rachel vond het hilarisch, hoewel Kirby's schedel rood was en zeer deed waar het haar had gezeten. Ze had niet willen lachen, 'maar het is echt heel grappig'. Toen legde ze het Kirby uit zoals ze alles uitlegde, op een manier waardoor het helemaal niet duidelijk werd. 'Een prostituee is een vrouw die haar lichaam gebruikt om misbruik te maken van de ijdelheid van mannen,' had ze gezegd. Maar dat bleek nog niet eens in de buurt te komen. Want het bleek erop neer te komen dat een prostituee geld kreeg voor seks.

Ze fluit naar Tokyo. Vijf korte scherpe tonen, duidelijk genoeg om ze te onderscheiden van de manier waarop alle anderen in het park hun hond roepen. Hij komt aan springen, blij zoals alleen een hond dat kan zijn. 'Een volbloed straathond,' noemt Rachel hem meestal. Voddig, met een lange snuit en een bonte vacht met rossige en witte vlekken en roomkleurige cirkels om zijn ogen. 'Tokyo' omdat ze als ze groter is naar Japan gaat verhuizen om een beroemde vertaler van haiku's te worden en groene thee te drinken en samoeraizwaarden te verzamelen. ('Nou ja, het is beter dan Hiroshima,' zei haar moeder.) Ze was al begonnen zelf haiku's te schrijven. Dit is er eentje:

> Raket gaat van start
> Neem me mee, ver hiervandaan
> De sterren wachten.

Dit is er nog eentje:

> En dan verdween ze
> Geplooid als origami
> In haar dagdromen.

Rachel klapt enthousiast als ze haar een nieuwe voorleest. Maar Kirby begint te denken dat ze net zo goed de tekst op de zijkant van het pak met Choco-Krispies kon oplezen, dan zou haar moeder net zo hard juichen, vooral als ze stoned is, wat tegenwoordig vaker wel dan niet het geval is.

Ze geeft die John de schuld. Of hoe hij ook heet, Rachel wil het haar niet vertellen. Alsof ze de auto niet hoort voorrijden om drie uur 's nachts, of de gefluisterde gesprekken, onverstaanbaar maar gespannen, voordat de deur wordt dichtgeslagen en haar moeder op haar tenen binnen probeert te komen om haar niet wakker te maken. Alsof ze zich niet afvraagt waar het geld voor hun huur vandaan komt. Alsof dit niet al járen aan de gang is.

Rachel heeft al haar schilderijen uitgestald, zelfs het grote van Lady Shalott in haar toren (Kirby's favoriet, hoewel ze dat nooit zou toegeven), dat gewoonlijk achter in de bezemkast staat bij de andere doeken waaraan haar moeder begint, maar die ze nooit afmaakt.

'Gaan we onze spullen op straat verkopen?' vraagt Kirby, hoewel ze weet dat de vraag Rachel zal ergeren.

'O, liever toch.' Haar moeder lacht op die afwezige manier van haar, zoals ze dat doet als Kirby haar teleurstelt, wat tegenwoordig altijd lijkt te zijn. Gewoonlijk als ze dingen zegt waar ze volgens Rachel nog te jong voor is. 'Je raakt je kinderlijke onschuld kwijt,' had ze twee weken daarvoor tegen haar gezegd, met een scherpte in haar stem alsof het vreselijk was.

Vreemd genoeg lijkt Rachel het niet erg te vinden als ze echt in de problemen komt. Niet toen ze op school betrokken raakte bij een gevecht en zelfs niet toen ze de brievenbus van meneer Partridge in de hens stak om hem betaald te zetten dat hij geklaagd had over Tokyo die zijn doperwten had opgegraven. Rachel gaf haar een standje, maar Kirby merkte dat ze het geweldig vond. Haar moeder maakte zelfs een hele vertoning, en ze schreeuwden zo hard tegen elkaar dat die 'zelfingenomen windbuil van hiernaast' ze door de muren heen kon horen. Haar moeder krijste: 'Besef je niet dat het een misdaad is de Amerikaanse postdienst te hinderen bij het uitvoeren van hun werk?' waarna ze in giechelen uitbarstten en hun hand voor hun mond sloegen.

Rachel wijst op een klein schilderijtje dat pal tussen haar blote voeten ligt. Op haar teennagels zit feloranje lak die niet bij haar past. 'Vind je deze te heftig?' vraagt ze. 'Te duidelijk een rooie rakker?'

Kirby weet niet wat ze daarmee bedoelt. Het kost haar moeite de schilderijen van haar moeder uit elkaar te houden. Het zijn allemaal bleke vrouwen met lang golvend haar en treurige uitpuilende ogen, te groot voor hun hoofd, in vage landschappen in tinten groen, blauw en grijs. Niks roods. Rachels kunst doet haar denken aan wat de sportleraar tegen haar zei tijdens de gymles, toen ze steeds een verkeerde aanloop nam naar de bok. 'Je moet minder je best doen!'

Kirby aarzelt: 'Ik vind hem wel mooi.'

'O, maar mooi betekent niks!' roept Rachel en ze grijpt haar hand en trekt haar in een zwierende foxtrot mee langs de schilderijen. 'Mooi is de essentie van middelmatigheid. Mooi is beleefd. Mooi is maatschappelijk aanvaardbaar. Ons leven moet opwindend zijn en diepgang hebben en niet alleen maar *mooi*, mijn liefste!'

Kirby wurmt zich uit haar greep en blijft naar alle mooie treurige meisjes kijken, met hun dunne armen die ze uitsteken als bidsprinkhanen. 'Eh,' zegt ze. 'Wil je dat ik je help de schilderijen weer naar binnen te brengen?'

'O, lieverd,' zegt haar moeder met zo veel medelijden en minachtig dat Kirby het niet kan uitstaan. Ze rent stampend over de treden van de veranda naar binnen, en vergeet haar te vertellen over de man met het dunner wordende haar en de te hoog opgetrokken spijkerbroek en een neus als een bokser die in de schaduw van de plataan bij Mason's benzinestation een flesje cola met een rietje stond te drinken en naar haar keek. Door de manier waarop hij naar haar keek draaide Kirby's maag zich om, alsof je in een rupsbaan zat, en het voelt alsof iemand je ingewanden eruit heeft geschept.

Toen ze enthousiast en te vrolijk naar hem zwaaide – *Hé, meneertje, ik zie je wel naar me staren, lul-de-behanger*, stak hij een hand op om duidelijk te maken dat hij haar gezien had. En hij hield die (hartstikke eng) opgestoken toen ze de hoek om ging naar Ridgeland Street in plaats van haar gebruikelijke kortere weg door het steegje te nemen, om maar zo snel mogelijk uit zijn gezichtsveld te verdwijnen.

Harper 22 november 1931

Het is net alsof hij weer een jongen is en in de naburige boerderijen glipt. Gezeten aan de keukentafel van het stille huis, liggend tussen de koele lakens van het bed van iemand anders, de kastlades doorzoekend. De spullen van andere mensen vertellen hun geheimen.

Hij wist altijd of er iemand thuis was, die keer en alle andere keren dat hij sindsdien heeft ingebroken in verlaten huizen om naar eten te zoeken of naar een vergeten snuisterij om te verpanden. Een leeg huis heeft een bepaald gevoel. Drukkend van afwezigheid.

Dit Huis is vol verwachting, waardoor de haartjes op zijn armen overeind gaan staan. Er is nog iemand. En dan bedoelt hij niet het dode lichaam dat in de gang ligt.

De kroonluchter boven de trap werpt een lichte gloed over donkerhouten vloeren, glimmend van verse boenwas. Het behang is nieuw, een diamantpatroon van donkergroen en roomwit waarvan zelfs Harper kan zien dat het smaakvol is. Aan de linkerkant bevindt zich een lichte moderne keuken, rechtstreeks uit de catalogus van Sears: kastjes met een laag melamine, een gloednieuwe oven, een koelkast en op het fornuis een zilveren ketel, allemaal keurig uitgestald. Wachtend op hem.

Hij zwaait zijn kruk breed over het bloed dat als een tapijt over de vloer druipt en hinkt eromheen om beter naar de man te kunnen kijken. Hij heeft een halfbevroren kalkoen in zijn armen, het grijsroze vlees puisterig en besmeurd met geronnen bloed. Het is een stevige kerel in een net overhemd met bretels, een grijze broek en keurige schoenen. Geen jas. Zijn hoofd is verpulverd als een meloen, maar er is nog genoeg van over om hangende wangen met stoppels en bloeddoorlopen blauwe ogen te onderscheiden, die groot van schrik uit de ravage van zijn gezicht staren.

Geen jas.

Harper hinkt langs het lijk en volgt de muziek naar de salon. Hij rekent er min of meer op de eigenaar aan te treffen in een gestoffeerde stoel voor de open haard, met de pook waarmee hij de man de hersens had ingeslagen op zijn schoot.

De kamer is leeg. Hoewel het vuur brandt. En er ligt wel degelijk een pook naast het volle rek met hout, alsof men hem al verwachtte. De muziek komt van een goudkleurige en bordeauxrode grammofoon. Op het label staat: 'Gershwin'. Natuurlijk. Door een spleet in de gordijnen ziet hij het goedkope triplex dat voor de ramen is gespijkerd en het daglicht buiten houdt. Maar waarom zou je dit verstoppen achter dichtgetimmerde ramen en een bordje dat het huis onbewoonbaar is? *Om te voorkomen dat andere mensen het vinden.*

Op een bijzettafeltje met een kanten kleedje staat een kristallen karaf met een honingkleurige vloeistof klaar naast een enkel tuimelglas. Dat moet weg, denkt Harper. En hij moet iets aan het lichaam doen. Bartek, denkt hij, en hij herinnert zich de naam die de blinde vrouw had genoemd voordat hij haar wurgde.

Bartek hoorde hier nooit thuis, zegt de stem in zijn hoofd. Maar Harper wel. Het Huis heeft op hem gewacht. Het heeft hem hier met een bedoeling naartoe laten komen. De stem in zijn hoofd fluistert *thuis*. En zo voelt het ook, meer dan de ellendige plek waar hij is opgegroeid of de reeks luizige hotels en hutjes waarin hij zijn hele volwassen leven heeft doorgebracht.

Hij zet zijn kruk tegen de stoel en schenkt een glas sterkedrank in uit de karaf. Het ijs tinkelt als hij het rond laat walsen. Slechts half gesmolten. Hij neemt een langzame slok, laat het door zijn mond gaan en langs zijn keel branden. Canadian Club. De beste binnengesmokkelde drank, hij toost in de lucht. Het is lang geleden dat hij iets gedronken heeft wat niet de bittere nasmaak van formaldehyde had. Het is lang geleden dat hij op een stoel heeft gezeten die bekleed was.

Hij weerstaat de stoel, hoewel zijn been pijn doet van het lopen.

Welke koorts hem ook voortjaagt, hij brandt nog steeds. *Er is nog meer, deze kant op, meneer,* als een roepende kermisjongen. *Komt u maar, mis het niet. Het ligt allemaal voor u in het verschiet. Kom maar, kom maar, Harper Curtis.*

Harper hijst zichzelf de treden op, hangend aan de balustrade die zo glimt dat hij handafdrukken achterlaat op het hout. Vettige spookimpressies die al vervagen. Hij moet zijn voet elke keer opzij en omhoog zwaaien, en zijn kruk sleept achter hem aan. Hij hijgt door zijn tanden van inspanning.

Hij hinkt door de gang, langs een badkamer met een wastafel bespat met straaltjes bloed die bij de doorweekte handdoek passen die er in een hoopje naast ligt en waaruit roze vocht over de glimmende zwart-witte tegels sijpelt. Harper schenkt er geen aandacht aan, noch aan de trap die van de overloop naar de zolder loopt, noch aan de logeerkamer met het bed dat keurig was opgemaakt, hoewel het kussen een holte had.

De deur naar de grote slaapkamer zit dicht. Licht vormt strepen op de houten planken onder de spleet. Hij reikt naar het handvat en rekent er min of meer op dat hij op slot zit. Maar hij draait het met een klik open en met het uiteinde van zijn kruk duwt hij de deur voorzichtig verder. Hij komt uit in een kamer die om onverklaarbare redenen baadt in het felle licht van een zomerse middag. Er staan maar weinig meubels. Een notenhouten kast, een ijzeren bed.

Hij knijpt zijn ogen half dicht tegen de plotselinge felheid buiten en ziet het veranderen in dikke wolken die voorbijdrijven en verzilverde vlagen regen, en vervolgens in een roodgestreepte zonsondergang, als een goedkope zoötroop. Maar in plaats van een paard in galop of een meisje dat ondeugend haar kousen uittrekt, schieten er hele seizoenen voorbij. Hij kan het niet verdragen. Hij loopt naar het raam om de gordijnen dicht te trekken, maar werpt eerst nog een blik naar buiten.

De huizen aan de overkant van de weg *veranderen.* De verf verdwijnt, krijgt een nieuwe kleur, verdwijnt weer door sneeuw en zon en troep vermengd met bladeren die door de straat waaien.

Ramen zijn gebroken, dichtgespijkerd, opgesierd met een vaas met bloemen die bruin worden en uitvallen. Het lege perceel raakt overwoekerd, vult zich met cement, gras groeit in wilde plukken door de spleten, afval dikt in, het afval wordt verwijderd, het komt weer terug, naast de agressief opgeschreven teksten in heftige kleuren op de muren. Er verschijnt een hinkelpaadje in de striemende regen en het verdwijnt weer, gaat ergens anders heen, kronkelt over het beton. Een bank rot door de jaargetijden heen weg en vat dan vlam.

Hij trekt de gordijnen dicht, draait zich om ziet het. Zijn lot uiteengezet in deze kamer.

Elk oppervlak is aangetast. Er hangen artefacten aan de muren, vastgespijkerd of met draad opgehangen. Ze lijken springerig te bewegen, op een manier die hij voelt in zijn kiezen. Alles verbonden met lijnen die keer op keer zijn getekend, met krijt of inkt of de punt van een mes die door het behang is geschraapt. *Sterrenbeelden*, zegt de stem in zijn hoofd.

Er staan namen naast gekrabbeld: Jin-Sook. Zora. Willy. Kirby. Margo. Julia. Catherine. Alice. Misha. Vreemde namen van vrouwen die hij niet kent.

Hoewel de namen zijn geschreven in het handschrift van Harper zelf.

Het is genoeg. Het besef. Alsof er een deur in hem opengaat. De koorts bereikt een hoogtepunt en er jankt iets door hem heen, vol razernij, toorn en vuur. Hij ziet de gezichten van de stralende meisjes en hoe ze moeten sterven. Het schreeuwen in zijn hoofd. *Dood haar. Maak haar af.*

Hij slaat zijn handen voor zijn gezicht en laat de kruk vallen. Hij deinst naar achteren en laat zich zwaar op het bed vallen, dat kraakt onder zijn gewicht. Zijn mond is droog. Hij kan alleen nog maar aan bloed denken. Hij voelt de voorwerpen gonzen. Hij hoort namen van de meisjes als het refrein van een lied. De druk in zijn schedel neemt toe totdat hij onverdraaglijk is.

Harper haalt zijn handen weg en dwingt zich zijn ogen te openen. Hij hijst zich overeind met behulp van de bedstijl om in evenwicht te blijven en hobbelt naar de muur waar de voorwerpen trillen en flikkeren, alsof ze op hem wachten. Hij laat zich erdoor leiden en steekt zijn hand uit. Een ervan lijkt op de een of andere manier scherper. Het knaagt aan hem, zoals een erectie, met onbetwistbare resoluutheid. Hij moet het vinden. En het meisje dat erbij hoort.

Het is alsof hij zijn hele leven heeft doorgebracht in een dronken waas, maar nu is de sluier weggerukt. Het is het moment van volledige helderheid, als neuken, of het moment waarop hij de keel van Jimmy Grebe had opengelegd. *Als dansen in fluorescerende verf.*

Hij pakt een stuk krijt dat op de schoorsteenmantel ligt, en op het behang naast het raam, omdat er ruimte voor is en hij het kennelijk moet doen, schrijft hij in zijn grillige, schuine handschrift: 'Gloeimeisje', over de schim van het woord dat er al staat.

Kirby 30 juli 1984

Ze zou kunnen slapen. Zo op het eerste gezicht. Als je in de zon tuurde die door de bladeren scheen. Als je dacht dat haar topje roestbruin hoorde te zijn. Als je de dikke vliegen over het hoofd zag.

Een van haar armen ligt nonchalant boven haar hoofd, dat heel bekoorlijk naar opzij is gedraaid, alsof ze luistert. Haar heupen zijn dezelfde kant op gedraaid, met haar benen over elkaar, gebogen bij de knie. De serene houding logenstraft de gapende wond in haar buik.

Die zorgeloze arm waardoor ze zo romantisch tussen de blauwe en gele bloemetjes lijkt te liggen draagt sporen van verzet. De snijwonden in het middelste gewricht van haar vingers, tot op het bot, wijzen erop dat ze waarschijnlijk het mes van haar belager probeerde te pakken. De laatste twee vingers van haar rechterhand zijn gedeeltelijk doorgesneden.

De huid van haar voorhoofd is gebarsten door meerdere slagen met een stomp voorwerp, mogelijk een honkbalknuppel. Het zou echter ook het handvat van een bijl of zelfs een dikke tak kunnen zijn. Geen van alle is op de plaats delict aangetroffen.

De schuurplekken op haar polsen suggereren dat haar handen waren vastgebonden, hoewel het materiaal waarmee dat gebeurd is verwijderd is. Metaaldraad waarschijnlijk, door de manier waarop die in haar huid heeft gebeten. Bloed vormt een zwarte korst over haar gezicht, als een helm. Ze is van het borstbeen tot het bekken opengesneden in een omgekeerd kruis, waardoor bepaalde afdelingen van de politie vermoeden dat er satanisme in het spel is, vooral omdat haar maag is verwijderd, maar daarna gaat men uit van een moord in groepsverband. Haar maag wordt een eindje verderop aangetroffen, in stukken gesneden, de inhoud verspreid over het gras. Haar darmen zijn als kerstversiering aan de takken gehangen. Ze zijn al droog en grijs als de agenten het terrein eindelijk afzetten. Het toont aan dat de moordenaar tijd had gehad. Dat niemand haar om hulp heeft horen schreeuwen. Of dat niemand reageerde.

Verder opgevoerd als bewijsmateriaal:

Een witte sneaker met een lange moddervlek langs de zijkant, alsof ze uitgegleden was in de modder terwijl ze wegrende en hij was uitgeschoten. Hij werd dertig meter van het lichaam aangetroffen. Hij hoorde bij het exemplaar dat ze droeg, dat onder de bloedspetters zat.

Een topje met ruches, spaghettibandjes, door het midden opengesneden, voorheen wit. Kort, gebleekt spijkerbroekje met bloedvlekken. Ook: urine, fecaliën.

Haar boekentas met daarin: één studieboek (*Uitgangspunten van de wiskundige economie*), drie pennen (twee blauwe, één rode), één markeerstift (geel), lippenbalsem met druivensmaak, mascara, een half pakje kauwgum (Wrigley's met muntsmaak, nog drie plakjes over), een vierkant goudkleurig poederdoosje (het spiegeltje is gebarsten, wellicht tijdens de aanval), een zwart cassettebandje met *Janis Joplin – Pearl* op het etiketje geschreven, sleutels van de voordeur van Alpha Phi, een schoolagenda met data waarop opdrachten moeten worden ingeleverd, een afspraak bij een vereniging voor seksuele voorlichting, verjaardagen van vrienden en verschillende telefoonnummers die de politie één voor één natrekt. Tussen de pagina's van de agenda zit een briefje dat er een bibliotheekboek ingeleverd had moeten worden.

De kranten schrijven dat het de wreedste moord van de afgelopen vijftien jaar in de regio is. De politie maakt werk van elke aanwijzing en spoort getuigen aan zich te melden. Ze hebben goede hoop dat de moordenaar snel zal worden opgespoord. Zo'n brute moord moet een precedent hebben gehad.

Kirby miste het hele voorval. Ze was op dat moment druk in de weer met Fred Tucker, de anderhalf jaar oudere broer van Gracie, die zijn piemel in haar probeerde te steken.

'Hij past niet,' zegt hij hijgend, en zijn magere borst gaat op en neer.

'Je moet beter je bést doen,' fluistert Kirby nijdig.

'Je helpt me niet!'

'Wat moet ik nog meer doen?' vraagt ze geërgerd. Ze draagt zwarte lakleren pumps van Rachel met een flinterdun glanzend beige onderjurkje dat ze drie dagen eerder zo van het rek van Marshall Field had geplukt, waarna ze het hangertje naar achteren had geduwd. Ze had de rozen van meneer Partridge kaalgeplukt en verspreid over de lakens. Condooms had ze gestolen uit het nachtkastje van haar moeder, zodat Fred zich niet opgelaten hoefde te voelen als hij ze moest kopen. Ze had zich ervan vergewist dat Rachel die middag niet thuis zou komen. Ze had zelfs geoefend door de rug van haar hand te zoenen. Wat ongeveer net zo effectief was als jezelf kietelen. Daarom heb je andere vingers, andere tongen nodig. Alleen andere mensen kunnen je echt laten vóélen.

'Ik dacht dat je dit al vaker had gedaan.' Fred laat zich op zijn ellebogen vallen, met zijn gewicht boven op haar. Het is een aangenaam soort gewicht, hoewel zijn heupen knokig zijn en zijn huid glimt van het zweet.

'Dat zei ik alleen maar om ervoor te zorgen dat je niet zenuwachtig zou zijn.' Kirby reikt langs hem heen naar Rachels sigaretten die op het nachtkastje liggen.

'Je moet niet roken,' zegt hij.

'Ja? En jij moet niet naar bed gaan met iemand die minderjarig is.'

'Je bent zestien.'

'Op 8 augustus pas.'

'Jezus,' zegt hij, en hij krabbelt van haar af. Ze ziet hem door de slaapkamer stommelen, op de sokken en het condoom na naakt – zijn pik nog steeds stijf en in gereedheid – en neemt een lange haal van de sigaret. Ze houdt niet eens van sigaretten. Maar cool zijn draait om rekwisieten hebben om je achter te verschuilen. Ze

heeft de formule uitgewerkt: twee delen het heft in handen nemen zonder dat je daar moeite voor lijkt te doen, en drie delen
doen alsof het allemaal niks uitmaakt. En hé, het doet er niet toe
of ze zich vandaag laat ontmaagden door Fred Tucker of niet.
(Het doet er héél veel toe.)

Ze bewondert de afdruk van de lippenstift op het filter, en slikt
de hoestbui weg die zich aandient. 'Rustig maar, Fred, het is de
bedoeling dat het leuk is,' zegt ze. Ze houdt het soepel, hoewel ze
eigenlijk wil zegen: 'Het geeft niet, ik geloof dat ik van je hou.'

'Waarom heb ik dan het gevoel alsof ik een hartaanval heb?'
zegt hij, en hij graait naar zijn borst. 'Misschien moeten we gewoon vrienden blijven?'

Ze heeft met hem te doen. Maar ook met zichzelf. Ze knippert
heftig en drukt de sigaret uit, na drie halen, alsof het de rook was
die haar ogen vochtig maakte.

'Wil je een film kijken?' vraagt ze.

Dat doen ze dan maar. En uiteindelijk rommelen en zoenen
ze anderhalf uur op de bank, terwijl Matthew Broderick op zijn
computer de wereld redt. Ze hebben het niet eens in de gaten als
de band afloopt en het scherm overgaat op ruis, omdat hij zijn
vingers in haar heeft en zijn mond warm aanvoelt tegen haar
huid. En ze klimt op hem en het doet pijn, wat ze al had verwacht,
en het is lekker, wat ze had gehoopt, maar het is niet hemelschok-
kend, en na afloop zoenen ze een hele tijd en ze roken de rest van
de sigaret en hij hoest en zegt: 'Dat was anders dan ik gedacht
had.'

Hetzelfde geldt voor vermoord worden.

Het dode meisje heette Julia Madrigal. Ze was eenentwintig. Ze
was derdejaarsstudent aan Northwestern. Economie. Ze hield
van wandelen en ijshockey, omdat ze oorspronkelijk uit Banff
in Canada kwam, en ze ging graag met haar vriendinnen naar
de bars aan Sheridon Road, omdat in Evanston geen alcohol geschonken mocht worden.

Ze was steeds van plan geweest zich aan te melden als vrijwilliger om passages uit studieboeken voor te lezen voor de studiecassettes van de vereniging voor blinde studenten, maar het was er nooit van gekomen, net als de gitaar die ze had gekocht en waarop ze maar één akkoord had leren spelen. Ze was wél in de running geweest om voorzitter van haar studentenclub te worden. Ze zei altijd dat ze de eerste vrouwelijke CEO van Goldman Sachs zou worden. Ze wilde drie kinderen en een groot huis en een echtgenoot die iets interessants deed en haar aanvulde – een chirurg of een effectenmakelaar of zo. Niet Sebastian, met wie ze zich prima vermaakte, maar die niet echt een geschikte huwelijkskandidaat was.

Ze was te luidruchtig, net als haar vader, vooral op feestjes. Haar gevoel voor humor was nogal grof. Haar lach was berucht en legendarisch, afhankelijk van wie het over haar had. Je hoorde hem aan de andere kant van Alpha Phi. Ze kon vervelend zijn. Ze kon bekrompen zijn zoals mensen die denken dat ze op alles het antwoord hebben. Maar ze was het soort meisje dat je niet onder de duim kon houden. Tenzij je haar opensneed en haar schedel insloeg.

Haar dood zal een enorme schok zijn voor iedereen die haar kent, en sommige mensen die haar niet kennen.

Haar vader zal het nooit te boven komen. Hij valt af tot hij nog maar een flauwe parodie is van de luidruchtige en zelfverzekerde makelaar die tijdens een barbecue rustig ruziet over een sportwedstrijd. Hij verliest alle interesse in het verkopen van huizen. Halverwege verkooppraatjes valt hij stil en kijkt hij naar de lege plekken aan de muur tussen de volmaakte familieportretten, of erger nog, naar de voegen tussen de tegels van de badkamer. Hij leert om te doen alsof, om het verdriet in te perken. Thuis begint hij te koken. Hij leert zichzelf de kneepjes van de Franse keuken. Maar wat hem betreft smaakt alles flauw.

Haar moeder trekt de pijn naar binnen: een monster dat ze opgesloten houdt in haar borstkas en dat alleen bedwongen kan worden met wodka. Het eten van haar man laat ze staan. Als ze terugverhuizen naar Canada en kleiner gaan wonen, neemt ze haar intrek in de logeerkamer. Na verloop van tijd verbergt hij haar flessen niet meer. Als haar lever twintig jaar later vastloopt, zit hij naast haar in een ziekenhuis in Winnipeg en streelt haar hand en draagt hij recepten voor die hij als wetenschappelijke formules uit zijn hoofd heeft geleerd, want er valt verder niets te zeggen.

Haar zus verhuist zo ver als ze maar kan, eerst naar de andere kant van de staat, dan van het land en vervolgens naar het buitenland, naar Portugal, om au pair te worden. Ze is niet de beste au pair. Ze vormt geen band met de kinderen. Ze is te bang dat ze iets overkomt.

Sebastian, sinds zes weken Julia's vriend, wordt drie uur ondervraagd, en zijn alibi wordt bevestigd door onafhankelijke getuigen en de olievlekken op zijn korte broek. Hij had aan zijn motorfiets van Indian uit 1974 gesleuteld, met de garagedeur open. Iedereen op straat kon hem zien. De ervaring maakt diepe indruk op hem, en hij ervaart Julia's dood als een teken dat hij zijn leven vergooit door bedrijfswetenschap te studeren. Hij sluit zich aan bij de antiapartheidsbeweging van studenten en gaat naar bed met antiapartheidsmeisjes. Zijn tragische verleden kleeft aan hem als feromonen die vrouwen onweerstaanbaar vinden. Het heeft zelfs een vast liedje: 'Get It While You Can' van Janis Joplin.

Haar beste vriendin ligt 's nachts wakker met een schuldgevoel omdat ze ondanks haar shock en verdriet heeft berekend dat ze als gevolg van Julia's moord zelf achtentachtig procent minder kans maakt om vermoord te worden.

In een ander deel van de stad heeft een meisje van elf net over de zaak gelezen, net Julia's foto in haar laatste jaarboek gezien, en ze ontdoet zich van de pijn die dat veroorzaakt – en het leven in het algemeen – door heel zorgvuldig een stanleymes over de dunne huid van haar bovenarm te halen, boven de rand van de mouwen van haar T-shirts, waar de sneetjes niet te zien zijn.

En vijf jaar later is Kirby zelf aan de beurt.

Harper 24 november 1931

Hij slaapt in de logeerkamer, met de deur stevig dichtgetrokken om de voorwerpen buiten te sluiten, maar ze graven zich een weg in zijn hoofd, hardnekkig als vlooienbeten. Na wat aanvoelt als enkele dagen van koortsachtige dromen, sleurt hij zich uit bed en slaagt erin de trap af te hinken.

Zijn hoofd voelt dik aan, als een brood dat in terpentijn is gedrenkt. De stem is weg, opgegaan in dat moment van verschroeiende helderheid. De totems reiken naar hem om hem te grijpen als hij langs de Kamer hobbelt. Nog niet, denkt hij. Hij weet wat er moet gebeuren, maar op dit moment klemt zijn maag zich om de leegte vanbinnen.

De chique koelkast is leeg, op een fles Franse champagne na, en een tomaat die langzaam vergaat, net als het lichaam in de gang. Dat is groenig uitgeslagen en verspreidt het eerste vleugje van verrotting. Maar de ledematen die zo stijf als een plank waren zijn twee dagen geleden zachter geworden en slap gaan hangen. Dat maakt het makkelijker om bij de kalkoen te komen. Hij hoeft niet eens vingers te breken om hem uit de handen van de dode man te wrikken.

Met zeep wast hij de korst van bloed van de vogel. Dan kookt hij hem met twee oude aardappelen uit een la in de keuken. Meneer Bartek was duidelijk niet getrouwd.

De enige plaat die hij kan vinden is het exemplaar dat al op de grammofoon ligt, dus hij slingert hem aan en luistert naar dezelfde reeks variétédeuntjes om hem gezelschap te houden. Gezeten voor het vuur schrokt hij zijn eten naar binnen. Hij ziet af van bestek maar gebruikt zijn handen om stukken vlees af te scheuren. Die spoelt hij weg met whisky uit de tuimelaar die hij tot de rand vol heeft geschonken, zonder ijs. Hij is warm en er zit eten in zijn pens, en de aangename roes van sterkedrank in zijn hoofd en de schelle muziek lijken de voorwerpen het zwijgen op te leggen.

Als er niets meer in de karaf zit, haalt hij de champagne en drinkt die rechtstreeks uit de fles, tot ook die leeg is. Koppig dronken zit hij daar, het uit elkaar gepulkte omhulsel van de vogel op de grond naast hem gegooid, en hij negeert het tikken van de grammofoon, de naald die zonder groef nutteloos krast, tot de behoefte om te pissen hem dwingt met tegenzin op te staan.

Hij wankelt op weg naar de wc tegen de bank en de geklauwde voeten schrapen over de grond. Ze blijven haken in het vloerkleed en onthullen op die manier een hoekje van een gebutste blauwe koffer die onder de bank is geschoven.

Hij leunt op de armleuning en trekt de koffer er aan de handgreep onder vandaan. Om hem beter te kunnen bekijken probeert hij hem op de kussens te trekken. Maar dankzij de drank en zijn vettige vingers glipt hij weg, en de goedkope gesp breekt open. De inhoud stort over de vloer: bundels geld, een aantal fiches van geel en rood bakeliet en een zwart grootboek dat gevuld is met gekleurde papieren.

Harper vloekt en laat zich op zijn knieën vallen. Instinctief wil hij het weer in de koffer scheppen. De bundels zijn zo dik als een pak kaarten: biljetten van vijf dollar, tien dollar, twintig dollar, honderd dollar, bij elkaar gehouden met elastiek, en vijf biljetten van vijfduizend dollar, in de voering van de koffer gestoken. Het is meer geld dan hij ooit heeft gezien. Geen wonder dat iemand Barteks hersens heeft ingeslagen. Maar waarom hebben ze hier dan niet naar gezocht? Zelfs door het waas van alcohol heen weet hij dat er iets niet in de haak is.

Hij bestudeert de bankbiljetten zorgvuldiger. Ze zijn gerangschikt naar waarde, maar onderverdeeld in variaties, met subtiele verschillen. Het is de grootte, denkt hij, en hij betast ze. Het papier, de kleur van de inkt, kleine veranderingen in de rangschikking van de afbeeldingen en de tekst dat het een wettig betaalmiddel is. Het duurt even voordat hij iets merkwaardigs opmerkt. De data van uitgifte kloppen niet. *Net als wat ik door het raam zag,* denkt hij, en hij probeert het meteen uit zijn hoofd te zetten. Misschien was die Bartek een valsemunter, redeneert hij. Of maakte hij rekwisieten voor het theater.

Hij kijkt naar het gekleurde papier. Wedformulieren. Met data die variëren van 1929 tot 1952. Renbaan Arlington. Hawthorn. Lincoln Fields. Washington Park. Stuk voor stuk winnaars. Niets te buitensporig – win te veel en te vaak en je trekt het verkeerde soort aandacht, vooral in de stad van Capone, schat Harper in.

Elk formulier heeft een bijbehorende aantekening in het zwarte grootboek, het bedrag en de bron genoteerd in keurige blokletters. Elk ervan staat voor winst, vijftig dollar hier, twaalfhonderd dollar daar. Op één na. Een adres. Het huisnummer is 1818, naast een bedrag dat in het rood is geschreven: zeshonderd dollar. Hij doorzoekt het grootboek naar het bijbehorende document. De akte van eigendom voor het Huis. Het staat op naam van Bartek Krol. 5 April 1930.

Harper leunt op zijn hielen en gaat met zijn duim langs de rand van een bundel met tientjes. Misschien is *hij* wel de gek. Maar hij heeft hoe dan ook iets opmerkelijks gevonden. Het verklaart waarom Bartek het te druk had om boodschappen te doen. Jammer dat zijn reeks successen maar zo kort had geduurd. Gelukkig voor Harper. Hij houdt ook wel van een gokje.

Hij kijkt om zich heen naar de troep in de gang. Hij zou iets moeten doen voor het een brij wordt. Als hij terugkomt. Het is een aandrang, om naar buiten te gaan. Om te kijken of hij gelijk heeft.

Hij trekt de kleren aan die hij aantreft in de kast. Een paar zwarte schoenen. Spijkerbroek van een werkman. Een overhemd. Precies zijn maat. Hij werpt opnieuw een blik op de muur met voorwerpen, om zich ervan te vergewissen. De lucht rond het plastic paardje lijkt te schokken en trillen. Een van de meisjesnamen is duidelijker dan de rest. Hij gloeit bijna. Ze zal hem opwachten. Daarbuiten.

Beneden blijft hij bij de voordeur staan, en schudt met zijn rechterhand de zenuwen weg, als een bokser die zich opwarmt om een opstopper te verkopen. Hij heeft het voorwerp in gedachten. Hij heeft drie keer gecontroleerd of hij de sleutel in zijn zak heeft. Hij denkt dat hij er klaar voor is. Hij denkt dat hij weet hoe het werkt. Hij zal als meneer Bartek zijn. Conservatief. Listig. Hij zal niet al te ver gaan.

Hij grijpt naar het handvat. De deur zwaait open in een flits van licht die, scherp als een rotje in een donkere kelder, door de ingewanden van een kat scheurt.

En Harper stapt een andere tijd in.

Kirby 3 januari 1992

'Je zou weer een hond moeten nemen,' zegt haar moeder. Ze zit op de muur en kijkt uit over Lake Michigan en het bevroren strand. Haar adem condenseert in de lucht voor haar als tekstballonnetjes in een strip. Ze hadden nog meer sneeuw voorspeld, maar de lucht werkt niet mee.

'Neu,' zegt Kirby luchtig. 'Wat heb ik ooit aan honden gehad?' Doelloos pakt ze takjes op en breekt ze in steeds kleinere stukjes, totdat ze niet meer verder breken. Je kunt niets oneindig kleiner maken. Je kunt een atoom splitsen maar niet verdampen. Dingen blijven hangen. Ze klampen zich aan je vast, ook als het kapot is. Zoals Humpty Dumpty. Op een gegeven moment moet je de brokken lijmen. Of weglopen. Niet omkijken. De paarden van de koning uit het rijmpje konden de klere krijgen.

'O lieverd.' Het is de zucht in de stem van Rachel die ze niet kan uitstaan en die ervoor zorgt dat ze verdergaat, altijd maar verder.

'Ze zijn harig, stinken en springen de hele tijd omhoog om je gezicht te likken. Smerig!' Kirby trekt een vies gezicht. Ze komen altijd in dezelfde spiraal terecht. Die is verachtelijk en vertrouwd, maar op een bepaalde manier ook geruststellend.

Nadat het gebeurd was had ze een tijdje geprobeerd weg te rennen. Ze staakte haar studie – hoewel ze heel sympathiek aanboden dat ze met verlof kon gaan – verkocht haar auto, pakte haar spullen en vertrok. Ze kwam niet ver. Hoewel Californië net zo vreemd en buitenlands aanvoelde als Japan. Als iets uit een tv-programma, maar de lachband liep niet synchroon. Of zij was een buitenstaander: te duister en verknipt voor San Diego, of juist niet verknipt genoeg of op de verkeerde manier voor LA. Ze zou tragisch en broos moeten zijn, niet gebroken. Je moest jezelf snijden om de pijn vanbinnen eruit te laten. Iemand anders regelen om je open te snijden is vals spelen.

Ze had in beweging moeten blijven, naar Seattle of New York moeten gaan. Maar ze eindigde weer waar ze was begonnen. Misschien kwam het door al die verhuizingen als kind. Misschien heeft familie een bepaalde aantrekkingskracht. Misschien moest ze gewoon terugkeren naar de plaats van het misdrijf.

Er was een drukte van belang rondom de aanval. Het ziekenhuispersoneel wist niet waar ze alle bloemen moesten laten die ze kreeg, sommige van volkomen vreemdelingen. Hoewel de helft ervan rouwboeketten waren. Niemand verwachtte dat ze het zou redden en de kranten hadden het mis.

De eerste vijf weken waren gejaagd en vol mensen die van alles voor haar wilden doen. Maar bloemen verwelken en aandacht neemt af. Ze verliet de intensive care. Vervolgens mocht ze naar huis. Mensen pakten de draad van hun leven op en van haar werd verwacht dat ze hetzelfde zou doen, ware het niet dat ze zich niet kon omdraaien in bed zonder wakker te worden door een pijnscheut. Of ze was verlamd van angst, doodsbang dat ze iets had gescheurd als de pijnstillers opeens waren uitgewerkt wanneer ze de shampoo wilde pakken.

De wond raakte besmet. Ze moest voor drie weken terug. Haar buik puilde uit, alsof ze ging bevallen van een buitenaards wezen. 'Dat buikmonster is verdwaald,' grapte ze tegen de arts, de laatste in een reeks specialisten. 'Als in die film, *Alien*?' Niemand snapte haar grappen.

Onderweg raakte ze haar vrienden kwijt. De oude wisten niet wat ze moesten zeggen. Hele relaties vielen weg in de kloven van een ongemakkelijke stilte. Als ze niet sprakeloos waren door de verschrikkingen van haar verwondingen, kon ze altijd nog praten over de complicaties doordat er ontlasting in haar darmholte was gesijpeld. Het had haar niet moeten verbazen, de manier waarop gesprekken een andere kant op gingen. Mensen gingen over op een ander onderwerp, zwakten hun nieuwsgierigheid af en dachten dat ze deden wat goed was, terwijl ze in werkelijkheid vooral zou moeten praten. Om alles eruit te gooien, als het ware.

De nieuwe vrienden waren toeristen die haar aan kwamen gapen. Het was onverschillig, ze weet het, maar ontzettend makkelijk om iets door je vingers te laten glippen. Soms volstond het al om niet terug te bellen. Degenen die hardnekkiger waren moest ze meerdere keren laten zitten. Ze waren dan verbaasd, boos, gekwetst. Sommigen lieten schreeuwerige, of erger nog, verdrietige berichten achter op haar antwoordapparaat. Ten slotte trok ze gewoon de stekker eruit en gooide hem weg. Ze vermoedt dat het al met al een opluchting voor ze was. Bevriend zijn met haar was alsof je even wat zon ging pakken op een tropisch eiland, om gekidnapt te worden door terroristen. Wat echt voorkwam en waar ze ooit een reportage over had gezien. Ze las veel over trauma's. Verhalen van overlevenden.

Kirby deed haar vrienden een plezier. Soms zou ze willen dat ze dezelfde opties had voor een ontsnappingsplan. Maar ze zit hier vast, gegijzeld in haar hoofd. Kun je jezelf het stockholmsyndroom bezorgen?

'Dus wat denk je, ma?' Het ijs op het meer verschuift en kraakt muzikaal als een windorgel van gebroken glas.

'O, lieverd toch.'

'Ik kan je uiterlijk over tien maanden terugbetalen. Ik heb een schema bedacht.'

Ze haalt de map uit haar rugzak. Ze heeft de spreadsheet in een kopieerwinkel in elkaar gedraaid, in kleur en met een chic lettertype dat eruitziet alsof het een handschrift is. Haar moeder is immers ontwerpster. Rachel bekijkt het met gepaste zorgvuldigheid en leest de rijen alsof ze het portfolio van een kunstenaar bekijkt in plaats van een voorstel voor een begroting.

'Ik heb na mijn reizen het grootste deel van mijn creditcard afbetaald. Ik heb nog honderdvijftig te gaan plus duizend dollar van mijn studentenlening, dus het is goed te doen.' Haar school heeft haar, ook niet bepaald sympathiek, geen kwijtschelding van haar schuld verleend. Ze kletst maar wat, maar ze kan de spanning niet verdragen. 'En het is eigenlijk helemaal niet zoveel, voor een privédetective.' Normaal gesproken was het vijfenzeventig dollar per uur, maar hij zei dat hij het zou doen voor driehonderd dollar per dag, twaalfhonderd per week. Vierduizend voor een maand. Ze gaat uit van drie maanden, hoewel de detective tegen haar had gezegd dat hij haar na één maand kon laten weten of het de moeite waard was. Heel goedkoop om erachter te komen. Om die klootzak te vinden. Vooral nu de agenten niet meer met haar praten. Omdat het kennelijk niet gezond of constructief is om te veel interesse voor je eigen zaak te hebben.

'Het is heel interessant,' zegt Rachel beleefd terwijl ze de map dichtdoet en probeert terug te geven. Maar Kirby weigert hem aan te pakken. Haar handen hebben het te druk met het breken van takjes. Knak. Haar moeder legt de map tussen hen in op het muurtje. De sneeuw trekt onmiddellijk in het karton.

'Het vocht in huis wordt steeds erger,' zegt Rachel, waarmee ze het onderwerp afrondt.

'Dat is het probleem van je huisbaas, ma.'

'Je weet hoe Buchanan is,' zegt ze met een wrang lachje. 'Die komt nog niet als het huis instort.'

'Misschien moet je er een paar muren uit slaan en kijken wat er gebeurt.' Kirby kan de verbittering niet uit haar stem houden. Het is een inwendige barometer voor de mate waarin ze de onzin van haar moeder slikt.

'En ik verhuis mijn atelierruimte naar de keuken. Die heeft meer licht. Ik merk dat ik steeds meer licht nodig heb. Denk je dat ik rivierblindheid heb?'

'Ik heb al gezegd dat je dat medische handboek weg moest doen. Je kunt niet zelf een diagnose stellen.'

'De kans lijkt me klein. Ik ben niet in contact gekomen met rivierparasieten. Het zou natuurlijk dystrofie van Fuchs kunnen zijn.'

'Of je wordt gewoon ouder en daar moet je mee leren omgaan,' snauwt Kirby. Maar haar moeder ziet er zo verdrietig uit dat ze er meteen spijt van heeft. 'Ik kan je komen helpen om te verkassen. We kunnen in de kelder kijken, spullen vinden om te verkopen. Sommige dingen zijn vast een vermogen waard. Dat oude apparaat om prints te maken moet zo tweeduizend dollar waard zijn. Je zou waarschijnlijk een bak met geld binnenhalen. En je zou een paar maanden vrij kunnen nemen. Kun je eindelijk *Dode Eend* afmaken.' Het werk in uitvoering van haar moeder is – heel morbide – een verhaal over een avontuurlijk eendje dat de wereld over reist en dode dingen vraagt hoe het zo gekomen is dat ze dood zijn. Een voorbeeld:

- Hoe kwam u aan uw eind, meneer Prairiewolf?
- Toen die auto kwam, was 'k als versteend, Eend.
Ik keek niet goed uit toen ik overstak,
Nu lig ik op straat als een vormeloze prak.
Het is echt rot, en ik ben dan ook kapot.
Maar ik was verzot op mijn leven tot het slot.

Het eindigt altijd op dezelfde manier. Elk dier sterft op een gruwelijke manier, maar heeft hetzelfde antwoord, tot Eend zelf doodgaat en bedenkt dat hij er ook kapot van is, maar verzot op zijn leven tot het slot. Het is zo'n duister en pseudopsychologisch verhaal dat het in de kinderboekenwereld waarschijnlijk heel goed zou doen. Zoals dat onzinboek over de boom die zichzelf maar blijft opofferen tot hij eindigt als het vol graffiti gespoten hout van een bankje in een park. Kirby had altijd een hekel gehad aan dat verhaal.

Dat heeft niets te maken met wat haar is overkomen, volgens Rachel. Het gaat over Amerika en dat iedereen denkt dat je tegen de dood moet vechten, wat vreemd is voor een christelijk land dat gelooft in een leven na de dood.

Ze wil alleen maar laten zien dat het een normaal proces is. Het maakt niet uit hoe je aan je einde komt, het eindresultaat is altijd hetzelfde.

Dat zegt ze. Maar ze is eraan begonnen toen Kirby nog op de intensive care lag. En vervolgens verscheurde ze het, pagina's vol aandoenlijke maar gruwelijke illustraties, waarna ze opnieuw begon. Keer op keer verhalen over schattige dode dieren die ze nooit afmaakt. Niet dat een prentenboek voor kinderen lang hoeft te zijn.

'Ik neem aan dat het niet doorgaat?'

'Het lijkt me niet de beste manier om je tijd te besteden, lieverd.' Rachel klopt op haar hand. 'Het leven is om te leven. Doe iets nuttigs. Ga weer studeren.'

'Ja hoor. En dat is nuttig.'

'En trouwens,' zegt Rachel, met een dromerige blik op het meer, 'ik heb het geld niet.'

Het is onmogelijk om zich van haar moeder te ontdoen, denkt Kirby, en ze laat de verkruimelde takjes uit haar gevoelloze vingers op de sneeuw vallen. Ze is er toch al niet helemaal bij.

Mal 29 april 1988

Malcolm ziet de blanke man meteen. Niet dat een gebrek aan melanine ongebruikelijk is in deze contreien. Meestal rijden ze en stopt de auto net lang genoeg om te scoren. Maar er zijn er ook die komen lopen, van die fanaten die ver heen zijn met hun gele ogen en kippenhuid en handen die trillen als bejaarden, tot de vrouwelijke advocaat in haar dure pak, die uit het centrum komt om elke dinsdag geduldig met de anderen te wachten, en sinds kort ook op zaterdag. Wat dat betreft maakt de straat geen onderscheid. Maar na afloop blijven ze meestal niet hangen.

Deze man staat daar maar, op de treden van het verlaten logement, en kijkt om zich heen alsof hij de eigenaar is. Misschien is hij dat wel. Er gaan geruchten dat ze Cabrini op willen knappen, maar je moet wel een gestoorde klootzak zijn om zulke onzin in Englewood te proberen, met *deze* vervallen krotten.

Mal weet niet waarom ze nog de moeite nemen ze dicht te spijkeren. Alle buizen of koperen handgrepen en wat al niet aan victoriaanse spullen zijn allang verwijderd, en er leven hele generaties rattenfamilies boven op elkaar, opa en oma en papa en mama en baby rat. Dus alleen wanhopige junks gebruiken de huizen om er te spuiten. Die huizen zijn ruïnes. En in deze buurt wil dat iets zeggen.

Geen makelaar, schat hij in. Hij ziet de man op de stoep vol scheuren stappen. Zijn schoenen schuren over het vervaagde hinkelveld. Mal heeft zijn shot al gehad en de dope zit in zijn ingewanden en maalt die langzaam tot cement. Het maakt zijn dag draaglijker, dus hij heeft alle tijd van de wereld om naar een blanke man te kijken die zich vreemd gedraagt.

De armoedzaaier steekt het terrein over, loopt om de kapotte oude bank heen en langs de roestige paal waar vroeger een basket aan hing, tot kinderen die eraf trokken. Zelfsabotage, dat is het. Je eigen troep naar de klote helpen.

Ook geen politie, met die kleren. Ze zijn lelijk: een slobberige bruine broek en een ouderwets tweedjasje. Die kruk onder zijn arm wijst erop dat hij op de verkeerde plek een shot heeft gezet en op die manier schade heeft aangericht. Hij zal de wandelstok uit het ziekenhuis al wel naar een pandjeszaak hebben gebracht als hij met dat gammele geval is geëindigd. Of misschien is hij helemaal niet naar het ziekenhuis gegaan omdat hij iets te verbergen heeft. Er is absoluut iets met hem aan de hand.

Hij is interessant. Veelbelovend zelfs. Misschien is hij wel ondergedoken. Ex-maffia. Jezus, ex-vrouw! Prima plek ervoor. Misschien heeft hij wel wat geld verstopt in een van die oude rattennesten. Mal kijkt naar de rij met panden en denkt na. Hij zou eens rond kunnen snuffelen nu die bleekscheet zijn zaakjes regelt. Hem kostbare spullen uit handen nemen die hem misschien wel zorgen baren. Geen haan die ernaar kraait. Waarschijnlijk doe je hem een plezier.

Maar naar de huizen kijken en proberen te achterhalen uit welk ervan hij is gekomen, bezorgt Mal een vreemd gevoel. Het zou de hitte kunnen zijn die van het asfalt dampt en waardoor alles trilt. Niet echt rillingen, maar het komt in de buurt. Het zou wel zo verstandig zijn geweest om niet van Toneel Roberts te scoren. Die gozer had uit de pot gesnoept, wat betekent dat hij de rest vast versnijdt. Mals maag krimpt ineen alsof iemand zijn vuist erin heeft gestoken. Het herinnert hem eraan dat hij al veertien uur niet gegeten heeft en wijst erop dat de dope inderdaad versneden was. Intussen loopt meneer Veelbelovend de straat uit en wuift glimlachend de kinderen op de hoek weg die naar hem roepen. Hij besluit dat het een slecht idee is. Voor nu in elk geval. Hij kan beter wachten tot die blanke jongen terugkomt en dan kan hij er werk van maken. Op dit moment moet hij zijn behoefte doen.

Hij loopt hem een paar straten verderop weer tegen het lijf. Puur geluk. Hoewel het helpt dat de man naar een tv in de etalage van de drogist kijkt, zo gehypnotiseerd dat Mal bang is dat hij een toeval of zo heeft gehad. Merkt niet eens dat mensen om hem heen moeten lopen. Misschien is er wel groot nieuws. De Derde Wereldoorlog is uitgebroken. Hij gaat naast hem staan, zo onschuldig als maar kan.

Maar de man kijkt naar reclamespotjes. De ene na de andere. Pastasaus van Creamette. Oil of Olay. Michael Jordan die Wheaties eet. Alsof hij nog nooit iemand Wheaties heeft zien eten.

'Gaat het, man?' zegt hij. Hij wil hem niet nog een keer uit het oog verliezen, maar voelt zich nog niet sterk genoeg om hem op de schouder te tikken. De man draait zich met zo'n woeste lach om dat Mal bijna de moed verliest.

'Dit is geweldig,' zegt de man.

'Shit man, dan moet je Cheerios eens proberen. Maar je houdt het verkeer op. Maak eens wat ruimte.' Hij duwt hem voorzichtig weg voor een knul op rolschaatsen die op hen af komt scheuren. De man staart hem na.

'Een witte jongen met dreadlocks,' beaamt Mal, of dat denkt hij in elk geval. 'Dat spoort gewoon niet. En wat dacht je van die?' Hij doet alsof hij de man zachtjes port met zijn elleboog, maar raakt hem niet aan, om hem te wijzen op het meisje met tieten die God zelf naar beneden gestuurd moet hebben en die elkaar verdringen onder haar topje. Maar de man keurt haar amper een blik waardig.

Hij heeft het gevoel dat hij hem kwijtraakt. 'Niet je type, hè? Geeft niks, man.' En dan, omdat het gevoel alweer begint te knagen: 'Heb je misschien een dollar voor me?'

Het lijkt alsof de man hem voor het eerst ziet. Niet op de normale, vluchtige manier van blanke mannen. Alsof hij hem helemaal doorziet. 'Ja hoor,' zegt hij, en hij haalt een bundel bankbiljetten uit zijn jaszak die met een elastiekje bijeen worden gehouden. Hij haalt er eentje af, overhandigt hem en kijkt hem aan met de intensiteit van een groentje dat bakpoeder wil laten doorgaan voor het echte spul. Mal is al op zijn hoede voordat hij naar het biljet kijkt.

'Is dit godverdomme een grap of zo?' zegt hij met een afkeurende blik op het biljet van vijfduizend dollar. 'Wat moet ik hiermee?' Hij heeft zo zijn twijfels over de hele onderneming. Die gast is niet helemaal lekker.

'Is dit beter?' vraagt Harper. Hij gaat de biljetten langs en overhandigt hem een briefje van honderd. Mal heeft de neiging hem het plezier niet te gunnen, maar jezus, wie weet geeft hij hem er nog wel eentje als hij vindt waar hij naar op zoek is, wat dat dan ook is.

'Ja hoor, dit is prima.'

'Ligt de sloppenwijk nog steeds aan Grant Park?'

'Ik weet niet waar je het over hebt, man. Maar geef me er nog eentje en ik loop het hele park met je af, tot we het vinden.'

'Zeg maar hoe ik er moet komen.'

'Neem de groene lijn. Die brengt je helemaal naar het centrum,' zegt hij met een vinger naar de rails die tussen de gebouwen door zichtbaar zijn.

'Je hebt me goed geholpen,' zegt de man. Tot Mals ongenoegen steekt hij de bundel weer in zijn jas en begint weg te hobbelen.

'Hé, wacht even.' Op een sukkeldrafje haalt hij hem in. 'Je komt van buiten de stad, hè? Ik kan je rondleiden. Je de bezienswaardigheden laten zien. Een wip voor je regelen. Wat voor smaak je maar wilt, man. Je helpen, als je begrijpt wat ik bedoel.'

De man draait zich naar hem om, heel vriendelijk, alsof hij hem vertelt wat de weersverwachting is. 'Hou op, vriend, of ik snij je hier op straat aan stukken.'

Geen gettogebral. Nuchter. Alsof je je veters vastmaakt. Mal blijft stokstijf staan en laat hem gaan. Het kan hem godverdomme niet meer schelen. Lijpe gast. Hij kan maar beter uit de buurt blijven.

Hij ziet meneer Veelbelovend door de straat hinken en schudt zijn hoofd over het belachelijke nepbiljet. Dat zal hij bewaren als souvenir. En misschien gaat hij wel terug naar die vervallen huizen om rond te neuzen terwijl die vent weg is. Zijn maag knijpt samen bij de gedachte. Of misschien ook wel niet. Niet nu hij nog geld heeft. Hij gaat zichzelf trakteren. Mescaline. Niet meer van die goedkope troep. Misschien koopt hij zelfs iets voor zijn vriend Raddison, als hij hem ziet. Waarom niet? Hij is in een gulle bui.

Harper 29 april 1988

Het geluid stoort Harper nog het meest, hoewel hij wel erger heeft gehoord, ineengedoken in de zuigende zwarte modder van de loopgraven, doodsbang voor het hoge gejank dat voorafging aan de volgende ronde van artillerievuur, de doffe klappen van verre bommen, tanks die knarsten en doordenderden. De toekomst is niet zo luidruchtig als oorlog, maar het heeft een heel eigen meedogenloze woede.

De enorme dichtheid had hij niet verwacht. Huizen en gebouwen en mensen allemaal boven op elkaar gestouwd. En auto's. De stad heeft om hen heen een nieuwe vorm gekregen. Er zijn hele gebouwen opgetrokken om ze in te parkeren, laag op laag. Ze razen voorbij, te snel en te luidruchtig. Het spoor dat de hele wereld naar Chicago heeft gebracht is stil, gedempt door het brullen van de snelweg (een woord dat hij pas later leert kennen). De kolkende rivier van voertuigen blijft maar komen, hij kan zich niet voorstellen waarvandaan.

Al lopend vangt hij zo nu en dan een glimp op van de oude stad eronder. Beschilderde borden die vervaagd zijn. Een verlaten pand dat een blok met appartementen is geworden, ook dichtgespijkerd. Een overwoekerd terrein waar vroeger een pakhuis stond. Verval maar ook vernieuwing. Een reeks winkelpuien is verrezen waar een leeg terrein had gelegen.

De etalages zijn verbijsterend. De prijzen zijn absurd. Hij kuiert een supermarkt in en loopt weer naar buiten, onrustig door de witte paden en lichtgevende buizen en de overdaad aan eten in blik en dozen met kleurenfoto's waarop met schreeuwerige letters de inhoud staat vermeld. Hij wordt er misselijk van.

Het is allemaal vreemd, maar niet onvoorstelbaar. Alles extrapoleert. Als je een concertzaal kunt vangen in een grammofoon, kun je een bioscoop omvatten op een scherm in een winkelraam, iets wat zo gewoon is dat het geen toeschouwers trekt. Maar sommige dingen zijn een volkomen verrassing. Als betoverd staat hij bij de ronddraaiende en wapperende borstels van een wasstraat.

De mensen zijn nog steeds hetzelfde. Sjacheraars en junks, zoals de dakloze jongen met de uitpuilende ogen die hem verwarde met een gemakkelijk doelwit. Hij heeft hem van zich afgeschud, maar eerst mocht hij een paar vermoedens van Harper bevestigen over de jaartallen op het geld of waar hij is bevestigen. En wanneer. Zijn vingers gaan over de sleutel in zijn zak. Zijn weg terug. Als hij weer wil gaan.

Hij volgt het advies van de jongen op en neemt de Ravenswood El, die min of meer hetzelfde is als in 1931, alleen sneller en wilder. De trein dendert door de bochten zodat Harper de paal vast moet pakken en zelfs gaat zitten. De meeste passagiers mijden zijn blik. Sommigen wenden zich van hem af. Twee meisjes die gekleed zijn als hoeren lachen en wijzen naar hem. Het komt door zijn kleren, beseft hij. De anderen dragen fellere kleuren en stoffen die op de een of andere manier meer glimmen en smakelozer zijn, net als hun veterschoenen. Maar als hij door het rijtuig op ze af loopt, verdwijnt hun glimlach en bij de volgende halte stappen ze tegen elkaar prevelend uit. Hij heeft toch geen belangstelling voor ze.

Hij loopt de trap naar de straat op, en zijn kruk knalt tegen het metaal. Een gekleurde vrouw in uniform werpt hem een blik vol medelijden toe maar helpt hem niet.

Als hij onder de stalen bogen van de spoorweg staat ziet hij dat het neon van de Loop tien keer zo fel is. Moet je kijken, nee, hier, zegt dat flitsende licht. Overal is afleiding.

Het duurt maar even om erachter te komen hoe de lichten bij de oversteekplaats werken. Het groene mannetje en het rode. Signalen ontworpen voor kinderen. En is dat niet precies wat deze mensen zijn, met hun speelgoed en lawaai en haast?

Hij ziet dat de stad van kleur is veranderd, van vuile tinten wit en roomgeel naar tientallen tinten bruin. Als roest. Als stront. Hij loopt naar het park en ziet dat de sloppenwijk inderdaad weg is, er is niets meer van te zien.

Het uitzicht op de stad is vanaf deze plek ontmoedigend. Het profiel van de gebouwen tegen de lucht klopt niet, glimmende torens die zo hoog zijn dat de wolken ze zouden kunnen verslinden. Als een doorkijkje naar de hel.

De auto's en het gedrang van mensen doen hem denken aan kevers die zich een weg door een boom banen. Bomen die vol zitten met de wormstekige littekens gaan dood. Net als deze verderfelijke plek dood zal gaan, in zal storten als de klad erin komt. Misschien ziet hij hem wel vallen. Zou dat niet iets zijn?

Maar nu heeft hij een doel. Het voorwerp brandt in zijn gedachten. Hij weet waar hij heen moet, alsof hij al eerder deze kant op is geweest.

Hij neemt een andere trein en daalt af in de ingewanden van de stad. Het gekletter van de rails is luider in de tunnels. Kunstmatig licht scheert langs de ramen en snijdt de gezichten van mensen in onsamenhangende momenten.

De trein brengt hem uiteindelijk naar Hyde Park, waar de universiteit een hoekje van blozende rijkdom heeft gecreëerd, midden tussen de boerenpummels van de arbeidersklasse, die overwegend zwart zijn. Hij is gespannen bij het vooruitzicht.

Hij koopt koffie in het Griekse restaurantje op de hoek, zwart, drie suiker. Dan loopt hij langs de woningen totdat hij een bankje vindt waar hij kan zitten. Ze is hier ergens. Zoals de bedoeling is.

Hij knijpt zijn ogen tot spleetjes en houdt zijn hoofd schuin alsof hij van de zon geniet, zodat het niet lijkt alsof hij de gezichten bestudeert van alle meisjes die voorbijkomen. Glanzend haar en heldere ogen onder een dikke laag make-up en pluizige kapsels. Ze dragen hun privileges alsof het iets is wat ze 's ochtends tegelijk met hun sokken aantrekken. Het stompt ze af, denkt Harper.

En dan ziet hij haar. Ze stapt uit een hoekige witte auto met een deuk in het portier die amper drie meter van zijn bankje gestopt is. De schok van herkenning dringt door tot in zijn botten. Als liefde op het eerste gezicht.

Ze is klein. Chinees of Koreaans, in vlekkerige blauwwitte jeans met zwart haar dat omhooggekamd is als een suikerspin. Ze opent de kofferbak en tilt kartonnen dozen op de grond, terwijl haar moeder moeizaam uit de auto klautert en naar haar toe komt om te helpen. Maar ook al loopt ze te hannesen en lacht ze geërgerd om een doos die aan de onderkant openscheurt onder het gewicht van boeken, het is duidelijk dat ze tot een andere soort behoort dan de lege hulzen van meisjes die hij heeft gezien. Vol *leven*, leven dat knalt als een zweep.

Harper heeft zich wat zijn lustgevoelens betreft nooit beperkt tot een bepaald soort vrouw. Sommige mannen geven de voorkeur aan meisjes met wespentailles of rood haar of dikke billen waar je je vingers in kunt graven, maar hij heeft altijd gepakt wat hij kon, wanneer hij maar kon, en er meestal voor betaald. Het Huis eist meer. Het wil *potentieel* – het vuur in hun ogen opeisen en doven. Harper weet hoe hij dat moet doen. Hij zal een mes moeten kopen. Zo scherp als een bajonet.

Hij leunt naar achteren en begint een sjekkie te draaien, terwijl hij doet alsof hij naar de duiven kijkt die het opnemen tegen de meeuwen om een stuk van een boterham die uit een prullenbak is getrokken, elke vogel voor zich. Hij kijkt niet naar het meisje en haar moeder links van hem en een stukje achter hem als ze de dozen naar binnen dragen. Maar hij hoort alles, en als hij peinzend naar zijn schoenen staart terwijl hij blijft rollen, ziet hij ze vanuit zijn ooghoek.

'Oké, dat is de laatste,' zegt het meisje – Harpers meisje – als ze een halfopen doos tegen zich aan geklemd uit de kofferbak haalt. Dan ziet ze iets liggen en ze pakt een weerzinwekkende naakte pop er bij de enkel uit. 'Omma!'

'Wat is er?' vraagt haar moeder.

'Omma, ik zei dat je deze naar het Leger des Heils moest brengen. Wat moet ik met al die troep?'

'Je houdt van die pop,' zegt haar moeder op berispende toon. 'Je moet hem houden. Voor mijn kleinkinderen. Maar nu nog niet. Vind eerst maar een aardige jongen. Een dokter of een advocaat, aangezien je sociopathie gaat studeren.'

'Sociologie, Omma.'

'En dat is nog iets, die gevaarlijke plekken waar je heen moet. Je zoekt moeilijkheden.'

'Je overdrijft. Het gaat erom waar mensen wonen.'

'Natuurlijk. Gevaarlijke mensen, met geweren. Waarom bestudeer je geen operazangers? Of obers? Of dokters. Goede manier om een aardige dokter te vinden, lijkt me. Zijn die niet interessant genoeg voor je? In plaats van die woonprojecten?'

'Misschien moet ik de overeenkomsten tussen Koreaanse en Joodse moeders onderzoeken?' Afwezig haakt ze haar vingers in het lange blonde haar van de pop.

'Misschien moet ik je een draai om je oren geven omdat je een grote mond hebt tegen de vrouw die je heeft opgevoed! Als je oma je zo kon horen praten...'

'Sorry, Omma,' zegt het meisje schaapachtig. Ze kijkt naar de lokken van de pop die om haar vingers zijn gewikkeld. 'Weet je nog dat ik het haar van mijn barbie zwart probeerde te verven?'

'Met schoensmeer! Die moesten we weggooien.'

'Zit dat je niet dwars? De homogeniteit van idealen?'

Haar moeder wuift ongeduldig met haar hand. 'Die dure studiewoorden. Als dat je zo dwarszit, neem je maar zwarte barbies mee naar de kinderen met wie je aan die projecten werkt.'

Het meisje gooit de pop in de doos. Ze heeft besloten hem toch mee te nemen. 'Dat is geen slecht idee, Omma.'

'Maar gebruik geen schoensmeer!'

'Geen grappen maken.' Ze buigt zich over de doos in haar armen om de oudere vrouw op de wang te kussen. Haar moeder duwt haar weg, opgelaten door het openlijke vertoon van genegenheid.

'Gedraag je,' zegt ze als ze weer instapt. 'Studeer hard. Geen jongens. Of het moet een dokter zijn.'

'Of een advocaat. Begrepen. Dag Omma. Bedankt voor je hulp.'

Het meisje blijft maar zwaaien als de moeder wegrijdt, tot aan het park. Ze laat haar arm vallen als de moeder een gevaarlijke u-bocht maakt en helemaal terug komt rijden. Haar moeder draait haar raampje naar beneden.

'Ik zou het bijna vergeten,' zegt ze. 'Belangrijke dingen. Niet vergeten dat we vrijdag een etentje hebben. En drink je Hahn-Yahk. En bel je oma om haar te laten weten dat je helemaal over bent. Onthou je dat allemaal, Jin-Sook?'

'Ja, goed, begrepen. Dag Omma. Ik meen het. Ga nou maar. Alsjeblieft.'

Ze wacht tot de auto vertrekt. Als hij eenmaal de hoek om is, kijkt ze hulpeloos naar de doos in haar armen. Ze zet hem naast de prullenbak en gaat naar binnen.

Jin-Sook. Bij haar naam trekt er een vlaag van hitte door Harper heen. Hij zou haar nu te grazen kunnen nemen. Haar wurgen in de gang. Maar er zijn getuigen. En diep vanbinnen weet hij dat er regels zijn. Dit is niet het moment.

'Hé man,' zegt een rossige jongen, niet echt vriendelijk. Hij staat voor hem met de nonchalante overmoed die bij zijn omvang past. Hij draagt een t-shirt met een getal erop, en een broek die afgeknipt is bij de knie, waardoor er rafelige witte draden aan hangen. 'Blijf je hier de hele dag zitten?'

'Ik rook m'n sigaret en ben weg,' zegt Harper. Hij laat zijn hand in zijn kruis vallen om zijn halve erectie te verbergen.

'Je kunt maar beter opschieten. De bewakers hier houden niet van mensen die maar wat rondhangen.'

'Vrije stad,' zegt hij, hoewel hij geen idee heeft of dat wel zo is.

'Ja? Zorg maar dat je weg bent als ik terugkom.'

'Ik ga al.' Harper neemt een lange haal, als om het te bewijzen, zonder ook maar een centimeter van zijn plaats te komen. Het is genoeg om de jonge hengst gunstig te stemmen. Hij geeft een rukje met zijn hoofd ter bevestiging en kijkt nog één keer achterom, over zijn schouder, als hij naar de winkels kuiert. Harper laat de sigaret op de grond vallen en slentert verder alsof hij weggaat.

Maar hij blijft staan bij de prullenbak waar Jin-Sook de doos heeft laten staan.

Hij hurkt ernaast en graait door de wirwar van speelgoed. Hier is hij voor gekomen. Alle puzzelstukjes moeten op hun plek vallen. Hij volgt een kaart.

Hij vindt de pony met het gele haar als Jin-Sook (de naam zingt rond in zijn hoofd) het gebouw uit komt. Met een schuldige blik haast ze zich terug naar de doos.

'Hé, sorry, ik, eh, ben van gedachten veranderd,' begint ze zich te verontschuldigen, maar dan houdt ze verbaasd haar hoofd schuin. Van dichtbij kan hij zien dat ze een enkele oorbel draagt, een regen van blauwe en gele sterren aan zilveren kettinkjes. Door de beweging beven de sterren. 'Dat zijn mijn spullen,' zegt ze op beschuldigende toon.

'Dat weet ik.' Hij geeft haar een spottend saluut als hij weg begint te hinken op zijn kruk. 'Ik breng je wel iets anders.'

Dat doet hij ook, maar pas in 1993, als ze een gediplomeerd maatschappelijk werker voor de Chicago Housing Authority is. Ze zal het tweede dodelijke slachtoffer zijn. En de politie zal het geschenk dat hij achterlaat niet vinden. En niet opmerken dat hij een honkbalkaart heeft meegenomen.

Dan 10 februari 1992

De *Chicago Sun-Times* heeft een lelijk lettertype. Het gebouw waarin de krant gevestigd is, is ook lelijk, een plompe doorn in het oog aan de oever van de Chicago River, omringd door hoge torens. Het is er één doffe ellende. De bureaus zijn nog van die oude stalen gevallen uit de Tweede Wereldoorlog met een lager deel voor schrijfmachines, die aangesloten zijn op computers. In de luchtroosters zit verdampte inkt vastgekoekt van de drukpersen die het hele gebouw laten schudden als ze draaien. Eens in de zo veel tijd dient iemand een klacht in bij de arbeidsinspectie.

Men is trots op de lelijkheid. Vooral in vergelijking met de kolos van de *Tribune* aan de overkant met zijn neogotische torentjes en steunmuren, een soort kathedraal van het nieuws. De *Sun-Times* heeft een grote open redactie met alle bureaus tegen elkaar geschoven, om de stadsredacteur heen. Het is rommelig, het is luidruchtig. Mensen schreeuwen boven elkaar en de schelle politieradio uit. Er staan televisies aan, er zijn telefoons die rinkelen en faxapparaten die piepen terwijl ze nieuwe verhalen produceren. De *Tribune* heeft *hokjes*.

De *Sun-Times* is de krant voor de arbeidersklasse, de krant van politieagenten, de krant van vuilnismannen. De *Tribune* is de kwaliteitskrant voor miljonairs, professoren en de buitenwijken. Het is het zuiden versus het noorden, en de twee zullen elkaar nooit in de ogen kijken – tot het begin van het stagiaireseizoen, als zich rijke studenten met connecties aandienen.

'Hier zijn ze dan!' roept Matt Harrison op zangerige toon met een stel frisse jongelui die achter hem aan lopen als kleine eendjes achter hun moeder. 'Warm het kopieerapparaat maar op! Zorg dat je rommelige dossiers hebt! Bedenk vast wat je bij je koffie wilt!'

Dan Velasquez gromt en zakt dieper onderuit achter zijn computer, en negeert de eendjes die opgewonden kwaken nu ze op een echte redactie zijn. Hij zou hier niet eens moeten zijn. Hij heeft geen reden om naar kantoor te komen. Nooit.

Maar zijn uitgever wil hem spreken over plannen voor het komende seizoen, voordat hij naar Arizona vertrekt voor de voorjaarstraining. Alsof dat ook maar enig verschil maakt. Als je fan van de Cubs bent gaat het erom tegen alle verwachtingen in optimistisch te blijven. Je moet er echt in geloven. Misschien kan hij dat zeggen. Wegkomen met een paar echte artikelen. Hij zeurt al een tijdje bij Harrison dat hij een column wil schrijven in plaats van altijd maar verslagen. Dat is het echte schrijfwerk: opiniestukken. Je kunt sport (of, nou ja, films) gebruiken als allegorie voor de toestand in de wereld. Je kunt een waardevolle bijdrage leveren aan de culturele discussie. Dan vraagt zich af of hij een waardevolle bijdrage in zich heeft. Of op zijn minst een mening. Dat valt tegen.

'Yo, Velasquez, ik heb het tegen jou,' zegt Harrison. 'Wat wil je bij je koffie?'

'Wat?' Hij tuurt over zijn bril heen, een bifocale waarvan hij net zo in de war raakt als van de nieuwe tekstverwerker. Wat was er mis met Atex? Hij *hield* van Atex. Jezus, hij hield van zijn schrijfmachine van Olivetti. En van zijn oude bril, godverdomme.

'Voor je stagiaire.' Harrison steekt zijn handen uit naar een meisje dat net van de kleuterschool komt, met achterlijk kleuterschoolhaar dat alle kanten op steekt, een sjaal in allerlei kleuren om haar nek geslagen en bijbehorende wanten zonder vingers, een zwarte jas met meer ritsen dan praktisch kan zijn en het ergste: een ringetje door haar neus. Ze irriteert hem uit principe.

'O nee. Niks ervan. Ik doe niet aan stagiaires.'

'Ze vroeg om jou. Bij naam.'

'Des te meer reden om er niet aan te beginnen. Moet je haar nou zien, ze houdt niet eens van sport.'

'Het is me een waar genoegen om kennis met u te maken,' zegt het meisje. 'Ik ben Kirby.'

'Dat interesseert me niet, want dit is de laatste keer dat ik je spreek. Ik moet hier niet eens zijn. Doe maar alsof ik er niet ben.'

'Leuk geprobeerd, Velasquez,' zegt Harrison met een knipoog. 'Ze is helemaal van jou. Doe niks waar een rechter aan te pas moet komen.' Hij loopt weg om de andere stagiaires te bezorgen bij verslaggevers die betere papieren hebben en blijer met ze zijn.

'Sadist!' roept Dan hem na, waarna hij zich met tegenzin tot het meisje wendt. 'Geweldig. Welkom. Pak er dan maar een stoel bij. Ik neem aan dat je niet toevallig een mening hebt over de opstelling van de Cubs dit jaar?'

'Sorry, ik doe niet echt aan sport. Niks persoonlijks.'

'Dat verbaast me niks.' Velasquez kijkt naar de knipperende cursor op zijn scherm. Die tart hem. Met papier kon je nog droedelen of aantekeningen maken en het naar het hoofd van je redacteur gooien. Zijn computerscherm is onaantastbaar. Hetzelfde geldt voor het hoofd van zijn redacteur.

'Ik heb veel meer belangstelling voor criminaliteit.'

Langzaam draait hij zijn stoel naar haar toe. 'Is dat zo? Nou, ik heb slechts nieuws voor je: ik schrijf over honkbal.'

'Maar vroeger schreef u over moordzaken,' dringt het meisje aan.

'Ja, en vroeger kon ik roken en drinken en bacon eten en had ik godverdomme geen stent in m'n borst. Allemaal het resultaat van moordzaken. Vergeet het maar. Dat is geen plek voor een aardig hardcore punkmeisje als jij.'

'Ze hebben op moordzaken geen stageplaatsen.'

'En gelijk hebben ze. Zie je kinderen al rondrennen op een plaats delict? Jezus!'

'Dus u komt nog het meest in de buurt.' Ze haalt haar schouders op. 'U hebt over mijn moord geschreven.'

Hij is van zijn stuk gebracht, maar niet lang. 'Goed, meisje, als je echt over misdaad wilt schrijven, moet je eerst de terminologie onder de knie krijgen. Jij zou een 'poging tot moord' zijn geweest. Als in niet geslaagd. Snap je?'

'Zo voelt het niet aan.'

'*Qué cruz.*' Hij doet alsof hij aan zijn haren trekt. Niet dat hij nog veel heeft. 'Herinner me er nog eens aan welke van de vele moorden in Chicago jij zou moeten zijn?'

'Kirby Mazrachi,' antwoordt ze, en alles komt weer boven bij hem terwijl ze haar sjaal afdoet en de rauwe ribbeling langs haar keel onthult waar die maniak haar gesneden heeft en de halsslagader raakte maar niet heeft doorgesneden, als hij zich het verslag van de geneeskundige dienst goed herinnert.

'Met de hond,' zegt hij. Hij had de getuige geïnterviewd, een Cubaanse visser wiens handen gedurende het hele interview schudden, hoewel Dan cynisch bedacht dat hij zich wist te vermannen toen de mensen van het televisienieuws zich meldden.

Hij beschreef hoe hij haar uit het bos zag stommelen met bloed dat uit haar keel gutste en een sliert grijsroze darmen die onder de restanten van haar t-shirt van Black Flag uitstaken, met haar hond in haar armen. Iedereen was ervan overtuigd dat ze zou sterven. Sommige kranten schreven dat zelfs.

'Huh,' zegt hij, onder de indruk. 'Dus je wilt de zaak oplossen? De moordenaar voor het gerecht brengen? Wil je even in je dossier kijken?'

'Nee, ik wil de andere dossiers zien.'

Hij leunt naar achteren in zijn stoel, die vervaarlijk kraakt. Hij is héél erg onder de indruk. En geïntrigeerd.

'Ik weet het goedgemaakt, meisje. Bel jij Jim Lefebvre voor een quote over de geruchten dat ze Bell uit de line-up van de Cubs gaan schoppen, dan zie ik wel wat ik aan die *andere dossiers* kan doen.'

Harper 28 december 1931

Chicago Star

Gloeimeisje gevangen in dodelijke dans
Door Edwin Swanson

CHICAGO, IL. Ten tijde van dit schrijven kamt de politie de stad uit op zoek naar de moordenaar van Miss Jeanette Klara, ook wel bekend als het Gloeimeisje. De kleine Franse danseres verwierf een zekere bekendheid in de stad door ongekleed rond te dartelen achter waaiers van veren, doorschijnende sluiers, bovenmaatse ballonnen en andere nietigheden. Ze werd gevonden in de vroege uren van zondagochtend, op gruwelijke wijze om het leven gebracht in een steegje achter Kansas Joe's, een van de vele specialistische theaters die amusement verzorgen voor klanten met bedenkelijke smaak.

Haar vroegtijdige dood zou echter een zegen kunnen zijn, vergeleken bij het onvermijdelijke alternatief van een dood die langzaam en pijnlijk zou zijn geweest. Miss Klara werd in de gaten gehouden door artsen die vermoedden dat ze het slachtoffer was geworden van radiumvergiftiging door de poeder waardoor ze oplichtte als een vuurvliegje en waarmee ze zich voor elk optreden insmeerde.

'Ik ben het beu om over *les filles* met het radium te horen,' zei ze in een interview met de pers dat ze vorige maand gaf in haar ziekenhuisbed. Op luchtige wijze wuifde ze het verhaal weg waarop ze al tientallen keren onthaald was, over de jonge vrouwen die vergiftigd waren door radioactieve stoffen terwijl ze in een fabriek in New Jersey lichtgevende wijzers op klokken schilderden. Vijf jonge vrouwen, die kapotgemaakt waren door de radiatie die eerst hun bloed infecteerde en vervolgens hun botten, daagden US Radium voor $1.250.000 voor het gerecht. Met elk van hen werd een schikking getroffen van $10.000 en een jaarlijks pensioen van $600. Maar

71

ze stierven, een voor een, en van geen van de vrouwen is bekend of ze van mening was dat het genoeg was om voor te sterven.

'On-zien,' snoof Miss Klara, en ze tikte met een rode nagel tegen haar parelwitte tanden. 'Zien mijn tanden eruit alsof ze uitvallen? *Alors*, ik ga niet dood. Ik ben niet eens *malade*.'

Ze wilde wel toegeven dat ze 'kleine blaartjes' op haar armen en benen kreeg, en zei tegen haar dienstmeisje dat ze na elk optreden moest opschieten met haar bad, vanwege het gevoel dat haar huid 'in brand stond'.

Maar ze wilde niet over 'zulke dingen' praten toen ik haar opzocht in haar privékamer vol boeketten van winterbloemen, blijkbaar van haar aanbidders. Ze had betaald voor de beste medische zorg (en volgens hardnekkige geruchten in het ziekenhuis ook voor enkele boeketten) met geld dat ze verdiend had door op het podium de shimmy te dansen.

In plaats daarvan liet ze me een paar ragfijne vlindervleugels zien waarop ze pailletten had genaaid en die beschilderd waren met radium als onderdeel van een nieuw kostuum en een nieuwe dans waaraan ze werkte.

Om haar te begrijpen moet je haar soort kennen. De ambitie van elke artiest is om een specialiteit in het leven te roepen, iets waar de hordes van navolgers niet omheen kunnen, of waarover ze op zijn minst zeggen dat jij de eerste was. Voor Miss Klara was het Gloeimeisje worden een manier om boven de middelmatigheid uit te rijzen dat zelfs de lenigste en meest eenstemmige dansers in verlegenheid brengt. 'En straks word ik de Gloeivlinder,' zei ze.

Ze klaagde dat ze geen geliefde had. 'Ze horen de verhalen over de verf en denken dat ik ze ga vergiftigen. Schrijf *s'il vous plaît* in uw krant dat ik slechts bedwelmend ben, niet giftig.'

Ondanks de waarschuwingen van artsen dat de straling was doorgedrongen tot in haar bloed en haar botten en dat ze wellicht een been zou verliezen, zei de *petite provocatrice*, die voordat ze Amerika veroverde heeft opgetreden in Folies Bergère in Parijs en (met iets meer kleding) in de Windmill in Londen, dat ze zou 'dansen tot de dag waarop ik sterf'.

Haar woorden bleken jammerlijk profetisch. Het Gloeimeisje dartelde voor het laatst in Kansas Joe's tijdens een toegift op zaterdagavond. Een van de laatste dingen die dit onfortuinlijke meisje deed was Ben Staples haar traditionele laatste kus toewerpen. Hij was de portier van de club die bij de achterdeur al te enthousiaste fans op afstand hield.

Haar lichaam werd in de vroege uren van zondagochtend gevonden door een machinenaaister, Tammy Hirst, die na een nachtdienst op weg naar huis was en zei dat ze een merkwaardige gloed uit het steegje had zien komen. Toen ze het verminkte lijk van de kleine danseres zag, die onder haar jas nog haar verf droeg, was Miss Hirst naar het dichtstbijzijnde politiebureau gesneld, waar ze huilend meedeelde waar het lichaam lag.

Er waren tal van getuigen die hem die avond in de bar hadden gezien. Maar het verbaast Harper niet hoe wispelturig mensen zijn. Het was voornamelijk volk uit de hoge burgerij dat op stap was in de achterbuurten. Ze hadden een verveelde agent bij zich die buiten diensttijd wat bijverdiende door voor oppas te spelen, ze de bezienswaardigheden te tonen, ze te laten proeven van zonde en losbandigheid in de duistere wijken. Grappig dat dat de kranten niet haalde.

Het was gemakkelijk voor hem om niet op te vallen in die menigte, maar hij liet de kruk buiten. Hij merkte dat het een goed rekwisiet was om de aandacht mee af te leiden. De blik van mensen gleed ervan weg. Ze onderschatten hem. Maar in de bar zou het een detail zijn dat in het geheugen bleef hangen.

Hij stond achteraan en dronk langzaam van wat onder de Volstead-wet door moest gaan voor gin, geserveerd in een porseleinen theekopje zodat de bar zijn onschuld vol kon houden als de politie binnenviel.

De rijkelui zaten in groepjes voor het podium, opgewonden dat ze in het gezelschap van het gepeupel waren, zolang ze maar niet te dichtbij kwamen, of zonder uitdrukkelijke toestemming. Daar was de agent voor. Ze joelden en riepen dat de show moest beginnen en werden alleen maar agressiever toen in plaats van *Miss Jeanette Klara, Stralend Wonder Van De Nacht, Helderste Ster Aan Het Firmament, Lichtgevende Bron Van Genot, Alleen Deze Week*, een klein Chinees meisje in een bescheiden geborduurde pyjama uit de coulissen stapte en in kleermakerszit op de rand van het podium ging zitten, achter een houten snaarinstrument. Maar toen de lichten werden gedimd, deden zelfs de meest dronken en luidruchtige mannen van het chique gezelschap er het zwijgen toe.

Het meisje begon aan de snaren van het instrument te plukken, en creëerde zo een tokkelende oosterse melodie, zo vreemd dat het sinister werd. Achter de spiralen van witte stof die kunstig tot op het podium hingen gleed een schaduw vandaan, van top tot teen in het zwart gehuld, als een Arabier. Haar ogen glinsterden kortstondig doordat ze het licht van buiten vingen toen de gedrongen portier met tegenzin een laatkomer binnenliet. Koel en wild als die van een dier dat verrast wordt door koplampen, dacht Harper, zoals toen hij en Everett voor zonsopgang naar Yankton reden om in de Red Baby materieel voor de boerderij te kopen.

De helft van het publiek merkt helemaal niet dat er nog andere mensen zijn als het Gloeimeisje na een onmerkbare verandering in de muziek langzaam één lange handschoen naar beneden schuift, en een gloeiende arm zonder lichaam onthult. De toeschouwers happen naar adem en één vrouw vooraan gilt van opwinding. De agent schrikt ervan en rekt zijn hals uit om te kijken of iemand zich ongepast gedraagt.

De arm ontplooit zich en de hand aan het einde kronkelt en draait in een sensuele dans. Hij verdwijnt plagerig in het zwarte gewaad en toont heel even een meisjesachtige schouder, de welving van een buik, een flits van gestifte lippen, fel als een vuurvlieg. Daarna trekt hij de andere handschoen uit en gooit die in het publiek. Nu zijn er twee gloeiende armen die bloot bij de elleboog buigen en het publiek wenken: *Kom dichterbij*. Ze gehoorzamen als kinderen en verdringen zich voor het podium. De handschoen gooien ze in de lucht en hij gaat van hand tot hand. De handschoen komt vlak bij Harpers voeten terecht – een rimpelig geval, met vegen radiumverf als ingewanden.

'Hé, geen souvenirs,' zegt de potige portier, en rukt hem uit zijn handen. 'Inleveren. Die is van Miss Klara.'

Op het podium kruipen de handen naar de sluier en maken die los, waardoor krullen naar beneden tuimelen en er een scherp gezichtje met een hartvormige mond zichtbaar wordt, en grote blauwe ogen onder knipperende wimpers, de puntjes in verf gedoopt zodat die ook gloeien. Een mooi, onthoofd hoofd dat griezelig boven het podium zweeft.

Miss Klara wiegt met haar heupen, draait haar armen boven haar hoofd en voert de spanning op tot de muziek even afneemt. Ze slaat met de cimbaaltjes tussen haar vingers en verwijdert nog een kledingstuk, als een vlinder die zich uit de plooien van een zwarte cocon wurmt. De beweging doet hem echter meer denken aan een slang die zich uit zijn huid kronkelt.

Eronder draagt ze sierlijke vleugels, en een kostuum waarop in insectachtige vormen kraaltjes zijn genaaid. Ze fladdert met haar vingers, knippert met grote ogen en laat zich kronkelend tussen de spiralen stof vallen, als een stervende mot. Als ze weer tevoorschijn komt, heeft ze haar armen in de mouwen van de stof gehuld en wervelt ze ermee in de rondte. Boven de bar komt flikkerend een projector tot leven die wazige silhouetten van vlinders op de dunne stof werpen. Jeanette verandert van een neervallend en duikend schepsel in een werveling van denkbeeldige insecten. Het doet hem denken aan de pest en besmetting. Hij laat zijn vingers over het knipmes in zijn zak gaan.

'*Merci! Merci!*' zegt ze met haar kleinemeisjesstem als het voorbij is. Ze staat op het podium en draagt alleen nog de verf en hoge hakken, haar armen over haar borst gekruist, alsof de toeschouwers nog niet gezien hebben wat er te zien was. Ze werpt het publiek een dankbare kus toe en toont zo haar roze tepels, die met instemmend gejuich worden begroet. Ze zet grote ogen op en giechelt koket. Snel slaat ze haar arm er met geveinsde zedigheid weer voor en huppelt het podium af, waarbij ze haar hielen omhoogschopt. Even later keert ze terug en draait rond op het podium, haar armen wijd in de lucht, de kin omhoog en ogen die glinsteren. Ze eist dat ze naar haar kijken, het er eens goed van nemen.

Het had hem slechts een penny aan toffees gekost, het doosje een beetje gehavend omdat het de hele avond onder zijn jas heeft gezeten. De portier is afgeleid door een societydame die bij de voordeur overvloedig overgeeft, terwijl haar man en zijn vrienden fluiten en joelen.

Hij wacht haar op als ze uit de achterdeur van de club komt, haar koffer met rekwisieten achter zich aan slepend. Ze is ineengedoken tegen de kou in een dikke jas die dichtgeknoopt is over het glinsterende kostuum. Op haar gezicht zijn door de gloeiverf heen, die ze er slechts vluchtig af heeft geveegd, vegen zweet zichtbaar. In het licht ervan zijn haar gelaatstrekken scherp afgetekend en haar wangen hol. Ze ziet er gespannen en uitgeput uit, met niets meer van de bezieling die ze op het podium heeft gehad, en even twijfelt Harper. Maar dan ziet ze de traktatie die hij voor haar meegenomen heeft en door een broze honger klaart haar gezicht op. Zo bloot is ze nog nooit geweest, denkt Harper.

'Voor mij?' zegt ze, zo gecharmeerd dat ze het Franse accent even vergeet. Ze herstelt zich snel. 'O, *merci*, dat is *très* lief. Hebt u de show gezien? Hoe vond u het?'

'Het was niet mijn smaak,' antwoordt hij, en hij ziet nog net de teleurstelling opflakkeren voordat de pijn en verrassing het overnemen. Het stelt niet veel voor om haar stuk te maken. En als ze al schreeuwt – hij weet het niet zeker, omdat de wereld zich heeft versmald, alsof hij door de lens van een rarekiek kijkt – komt er niemand aan rennen.

Als hij vervolgens bukt om zijn mes af te vegen aan haar jas, zijn handen trillend van opwinding, merkt hij dat zich al kleine blaartjes hebben gevormd op de zachte huid onder haar ogen en rond haar mond, haar polsen en dijen. Onthou dat, houdt hij zich voor terwijl het zoemt in zijn hoofd. Alle details. Alles.

Hij laat het geld achter, het sneue stapeltje met al haar verdiensten in biljetten van één en twee dollar, maar de vlindervleugels neemt hij mee, in een onderjurk gewikkeld, waarna hij weghinkt om zijn kruk te halen, die hij heeft verstopt achter de vuilnisbakken.

Terug in het Huis staat hij boven geruime tijd onder de douche en hij wast zijn handen keer op keer, tot ze roze en rauw zijn, bang voor besmetting. De jas laat hij in een vol bad liggen, dankbaar dat het bloed in de duisternis niet zichtbaar is.

Vervolgens hangt hij de vleugels aan de bedstijl. Waar de vleugels al aan de bedstijl hingen.

Tekens en symbolen. Net als het knipperende groene mannetje dat je toestemming geeft om over te steken.

Pluk de dag.

Kirby 2 maart 1992

De assen van corruptie draaien op glazuur van donuts. Dat kost het Kirby in elk geval om toegang te krijgen tot bestanden die ze eigenlijk niet in zou moeten kijken.

Ze heeft de microfiches van de Chicago Library al stukgelezen en heeft de machine al door twintig jaar aan kranten laten ratelen, elke spoel afzonderlijk verpakt en gecatalogiseerd in lades.

Maar het archief van de *Sun-Times* gaat verder terug en wordt bemand door mensen met een gave om informatie te vinden die bijna geheimzinnig is. Marissa, met haar kattenbril en ruisende rokken en heimelijke liefde voor de Grateful Dead, Donna, die koste wat kost oogcontact mijdt, en Anwar Chetty, beter bekend als Chet, die sliertig zwart haar heeft dat voor zijn gezicht hangt, een zilveren ring draagt in de vorm van een vogelschedel, die de helft van zijn hand beslaat, een garderobe heeft die volledig bestaat uit tinten zwart en altijd een stripboek bij de hand heeft.

Het zijn allemaal buitenbeentjes, maar ze kan het beste opschieten met Chet, omdat hij zo volkomen ongeschikt is voor zijn ambities. Hij is klein en een beetje mollig en zijn Indiase huidkleur zal nooit zo wit zijn als bijna verplicht is in de popcultuurkliek waarvoor hij gekozen heeft. Onwillekeurig vraagt ze zich af hoe zwaar de gay goth scene moet zijn.

'Dit gaat niet over sport.' Chet zegt wat voor de hand ligt, met beide ellebogen op de balie.

'Ja, maar donuts…' zegt Kirby. Ze opent de doos en draait die naar hem toe. 'En het mocht van Dan.'

'Het zal wel,' zegt hij, en hij kiest er eentje uit. 'Ik doe het voor de uitdaging. Niet tegen Marissa zeggen dat ik die met chocola heb genomen.'

Hij gaat naar achteren en keert een paar minuten later terug met knipsels in bruine enveloppen. 'Zoals gevraagd. Alle verhalen van Dan. Elke moord-op-een-vrouw-in-de-afgelopen-dertig-jaar-waarbij-een-mes-kwam-kijken gaat iets langer duren.'

'Ik wacht wel,' zegt Kirby.

'Ik bedoel dat het wel een paar dagen duurt. Dat is nogal wat. Maar ik heb het meest voor de hand liggende eruit gehaald. Hier.'

'Dank je, Chet.' Ze schuift de doos met donuts naar hem toe en hij neemt er nog een. Hij heeft hem verdiend. Ze neemt de knipsels mee en verdwijnt in een van de vergaderruimtes. Er staat niets gepland op het whiteboard bij de deur, dus ze gaat ervan uit dat ze even privacy heeft om haar buit door te nemen. En een halfuur heeft ze die ook, tot Harrison binnen komt lopen en haar in kleermakerszit midden op het bureau ziet zitten, met overal knipsels om zich heen.

'Hoi,' zegt de redacteur, niet onder de indruk. 'Voeten van tafel, stagiaire. Ik vind het vervelend om te zeggen, maar Dan is er vandaag niet.'

'Dat weet ik,' zegt ze. 'Hij vroeg me of ik wilde komen om iets voor hem op te zoeken.'

'Laat hij je research doen? Daar zijn stagiaires niet voor.'

'Ik dacht dat ik de schimmel van deze dossiers kon schrapen om te gebruiken in het koffiezetapparaat. Erger dan het spul in de kantine kan het niet zijn.'

'Welkom in de betoverende wereld van de schrijvende pers. En wat wil die ouwe blaaskaak dat je voor hem bij elkaar scharrelt?' Hij kijkt naar de dossiers en enveloppen die om haar heen liggen. 'Serveerster in Danny's dood aangetroffen', 'Moeder doodgestoken, dochter getuige', 'Link met bende bij moord op studente', 'Gruwelijke vondst in haven'.

'Beetje morbide, vind je niet?' Hij fronst zijn wenkbrauwen. 'Niet echt jouw afdeling. Of honkbal moet heel erg anders gespeeld worden dan ik me herinner.'

Kirby geeft geen krimp. 'Het heeft te maken met een stuk over dat sport een nuttige uitlaatklep is voor jongeren in de achterbuurten die anders wellicht aan de drugs gaan of zich aansluiten bij een gang.'

'Uhuh,' zegt Harrison. 'En ook wat van Dans vroegere werk, zie ik.' Hij tikt op het verhaal dat 'Doofpot over schietpartij agent' heet.

Dat brengt haar enigszins in verlegenheid. Dan rekende er waarschijnlijk niet op dat ze het verhaal op zou duikelen over hoe hij het verbruid heeft bij de politie. De politie blijkt het maar niks te vinden als je erover schrijft dat een van hen per ongeluk zijn wapen had leeggeschoten in het gezicht van een hoer terwijl hij stijf staat van de coke. Chet zei dat de agent met vervroegd pensioen is gegaan. De banden van Dan werden elke keer dat hij bij het politiebureau parkeerde doorgesneden. Kirby is blij dat ze niet de enige is met het vermogen het hele politiekorps van Chicago van zich te vervreemden.

'Dit was niet wat hem genekt heeft, hoor.' Harrison gaat op de tafel naast haar zitten. Wat hij eerder heeft gezegd is hij vergeten. 'En zelfs het martelverhaal niet.'

'Daar heeft Chet me niks over gegeven.'

'Omdat hij het nooit ingediend heeft. Heeft in 1988 drie maanden onderzoek gedaan. Heftig. Moordverdachten leggen glasheldere bekentenissen af, alleen komen ze allemaal uit een verhoorkamer van Ernstige Misdrijven, met brandwonden van elektrische schokken rond hun genitaliën. *Naar verluidt.* Wat trouwens de twee belangrijkste woorden in de woordenschat van een journalist zijn.'

'Dat zal ik onthouden.'

'Verdachten een beetje aftuigen is een oude traditie. De agenten staan onder druk om met resultaten te komen. En het is tuig, denken ze. Moeten toch *ergens* schuldig aan zijn. Het lijkt erop dat het departement een oogje dicht gaat knijpen. Maar Dan houdt vol, en probeert verder te komen dan "naar verluidt". En hé, wat denk je? Hij maakt vorderingen, krijgt voor elkaar dat een fatsoenlijke agent wil praten, on the record en alles. En dan begint 's avonds laat zijn telefoon over te gaan. Om te beginnen stilte. Wat voor de meeste mensen genoeg zou zijn. Maar Dan is koppig. Hij moet te hóren krijgen dat hij moet stoppen. Als dat niet werkt, gaan ze over op doodsbedreigingen. Maar niet tegen hem, tegen zijn vrouw.'

'Ik wist niet dat hij getrouwd was.'

'Nou, niet meer. Het had niks met de telefoontjes te maken. *Naar verluidt.* Dan wil het niet loslaten, maar ze bedreigen niet alleen hem. Een van de verdachten die zegt dat hij geëlektrocuteerd en geslagen is verandert van gedachten. Hij zegt nu dat hij high was. Het maatje van Dan bij de politie heeft niet alleen een vrouw, hij heeft ook kinderen, en hij kan de gedachte dat ze iets overkomt niet verdragen. Alle deuren worden voor Dans neus dichtgeslagen en zonder geloofwaardige bronnen kunnen we niet met een verhaal komen. Hij wil het verhaal niet laten vallen, maar er zit niks anders op. En dan gaat zijn vrouw alsnog bij hem weg en hij krijgt dat gedoe met zijn hart. Stress. Teleurstelling. Ik probeerde hem ander werk te geven toen hij uit het ziekenhuis kwam, maar hij wilde op moordzaken blijven. Grappig genoeg was jij volgens mij de laatste druppel.'

'Hij had niet moeten opgeven,' zegt Kirby, en ze zijn allebei verbaasd over de felheid in haar stem.

'Hij heeft het niet opgegeven, hij was opgebrand. Gerechtigheid is een hoogdravend begrip. Het is een prima theorie, maar de echte wereld draait om praktische zaken. Als je die elke dag ziet…' Hij haalt zijn schouders op.

'Klap je weer uit de school, Harrison?' Victoria, de fotoredacteur, leunt met haar armen over elkaar tegen de deurpost. Ze draagt haar gebruikelijke uniform: een mannenoverhemd, een spijkerbroek en hoge hakken, een beetje casual, een beetje krijg-lekker-de-klere.

De hoofdredacteur laat schuldbewust zijn schouders hangen. 'Je kent me, Vicky.'

'Mensen tot tranen toe vervelen met je lange verhalen en diepe inzichten? O ja.' Maar de glinstering in haar ogen zegt iets anders en Kirby beseft opeens waarom de rolgordijnen hier niet zomaar neergelaten zijn.

'Maar we waren hier klaar, toch, stagiaire?'

'Ja, ik ga al,' zegt Kirby. 'Ik neem deze spullen wel mee.' Ze begint de dossiers bij elkaar te graaien. 'Sorry,' mompelt ze, wat waarschijnlijk het domste is wat ze kan zeggen, omdat ze zo toegeeft dat er een reden is om zich te verontschuldigen.

Victoria fronst haar wenkbrauwen. 'Geeft niet, hoor, ik heb een berg lay-outs om na te kijken. Het kan straks ook wel.' Nonchalant maar vlug loopt ze weg, en ze kijken haar allebei na.

Harrison snuift. 'Je weet dat je eerst bij mij moet pitchen voordat je al die moeite doet om een verhaal te researchen.'

'Oké. Kan dit dan mijn pitch zijn?'

'Zet het in de koelkast. We hebben het er nog wel over als je iets meer ervaring hebt. En tot die tijd: weet je wat het op een na belangrijkste woord in de journalistiek is? Discretie. Waarmee ik bedoel: mondje dicht tegen Dan over wat ik gezegd heb.'

En over dat je het met de fotoredacteur doet, denkt ze.

'Ik moet ervandoor. Ga zo door, werkbijtje.' Hij snelt weg, ongetwijfeld in de hoop Victoria in te halen.

'Doe ik,' zegt Kirby zachtjes terwijl ze een stel dossiers in haar rugzak schuift.

Harper wanneer dan ook

Hij speelt het in gedachten opnieuw af, liggend op de matras in de grote slaapkamer waar hij zijn hand uit kan steken en langs de krullen van pailletten kan gaan terwijl hij aan zijn pik trekt en aan het vleugje teleurstelling op haar gezicht denkt.

Het is genoeg om het Huis tevreden te stellen. Voor nu. De voorwerpen zijn stil. De zware druk in zijn hoofd heeft zich teruggetrokken. Hij heeft de tijd om zich aan te passen en op verkenning uit te gaan. En zich te ontdoen van het lichaam van die Pool die nog steeds in de gang ligt te rotten.

Hij probeert andere dagen, en zorgt er goed voor dat niemand hem ziet komen of gaan na die keer met de dakloze jongen en zijn uitpuilende ogen. De stad is elke keer anders. Hele wijken verrijzen en vallen weg, zetten een mooi gezicht op dat ze vervolgens weer af doen om de ziekte te onthullen. De stad vertoont symptomen van verval: lelijke markeringen op de muren, gebroken ramen, vuilnis die stolt. Soms kan hij het traject volgen, soms wordt het landschap volkomen onherkenbaar en moet hij zich heroriënteren bij het meer en bepaalde kenmerken die hij heeft onthouden. De zwarte torenspits, de twee geschulpte torens, de lussen en bochten van de rivier.

Zelfs als hij maar wat rondkuiert, loopt hij alsof hij een doel heeft. Hij koopt eten in broodjeszaken en fastfoodrestaurants, waar hij anoniem kan zijn. Hij praat nauwelijks om maar geen enkele indruk achter te laten. Hij is vriendelijk maar niet opdringerig. Hij bestudeert mensen aandachtig en maakt zich toepasselijk gedrag eigen. Alleen als hij moet eten of naar het toilet moet, gaat hij een gesprek aan, en dan slechts lang genoeg om te krijgen wat hij wil.

Datums zijn belangrijk. Hij zorgt ervoor dat hij zijn geld controleert. Kranten zijn het makkelijkst om als maatstaf te gebruiken, maar voor wie oplet zijn er meer aanwijzingen. Het aantal auto's dat de straten vult. Bordjes voor straatnamen die veranderd zijn van geel met zwarte letters in groen. De overdaad. De manier waarop vreemdelingen elkaar op straat begroeten, hoe hartelijk of afwerend ze zijn, hoezeer ze op zichzelf zijn.

In 1964 brengt hij twee hele dagen door op de luchthaven. Hij slaapt op de plastic stoeltjes in het openbare gedeelte en ziet vliegtuigen opstijgen en landen, metalen monsters die mensen en koffers verzwelgen en weer uitspugen.

In 1972 kan hij zijn nieuwsgierigheid niet bedwingen en maakt hij een praatje met een bouwvakker die even pauze neemt van het werk aan het skelet van de Sears Tower. En als die een jaar later klaar is gaat hij terug en neemt de lift naar de top. Bij het uitzicht voelt hij zich als een god.

Hij verkent de grenzen. Hij hoeft maar aan een tijd te denken en de deur komt erop uit, hoewel hij niet altijd weet of zijn gedachten van hem zelf zijn of dat het Huis voor hem beslist.

Teruggaan bezorgt hem een ongemakkelijk gevoel. Hij is bang dat hij vast komt te zitten in het verleden. En hij kan toch niet verder dan 1929. Het verst dat hij in de toekomst kan komen is 1993, als de buurt volledig te gronde is gegaan, met overal lege huizen en niemand om hem lastig te vallen. Misschien is het Openbaringen, de wereld die ten onder gaat in een poel van vuur en zwavel. Dat zou hij graag willen zien.

Het is in elk geval het einde van de rit voor meneer Bartek. Harper besluit dat het het veiligst is om de man zo ver mogelijk van zijn eigen levenstijd te houden. Zich van hem ontdoen is een moeizaam proces. Hij bindt een touw om het lichaam, onder de oksels en tussen de benen. De ingewanden die vloeibaar worden beginnen door de kleding te sijpelen, en als hij, zwaar op zijn kruk leunend, het lichaam naar de voordeur sleept, laat het op de vloerplanken een slakkenspoor achter.

Harper concentreert zich op ver vooruit en stapt naar buiten, vlak voor de zonsopgang van een zomerdag in 1993. Het is nog donker en de vogels laten nog niet van zich horen, hoewel er ergens een hond blaft, een fel *hak-hak-hak* dat de stilte doorbreekt. Harper blijft evengoed een lange minuut op de veranda staan om ervoor te zorgen dat er niemand in de buurt is, en sjort het lichaam slordig de treden af.

Hij heeft er nog twintig minuten zweten en hijgen voor nodig om het naar een afvalcontainer te slepen die hij twee straten verderop in een steegje had zien staan. Maar als hij het zware metalen deksel omhoogslaat, ligt er al een lijk in. Het gezicht is gezwollen en paars door wurging en de roze tong steekt tussen de tanden. De ogen zijn bloeddoorlopen en troebel, maar de bos haar herkent hij direct. De dokter uit het Mercy-ziekenhuis. Dit zou een verrassing voor hem moeten zijn. Maar er zijn grenzen aan zijn verbeelding. Het lichaam van de man is hier omdat het hier hoort te zijn, en dat is genoeg.

Hij hijst Bartek boven op de dokter en trekt wat vuilnis over ze heen. Ze zullen elkaar gezelschap houden als maaienvoer.

Hij keert altijd terug naar huis. Het Huis voelt aan als niemandsland, maar als hij naar buiten stapt en aan zijn eigen tijd denkt, merkt hij dat de dagen gewoon zijn verstreken.

Hij mist per ongeluk de oudejaarsavond van 1932, maar de dag erna trakteert hij zichzelf op een steak in een restaurant. Op weg naar huis stuit hij op een jong gekleurd meisje en ervaart de onmiskenbare lichtflits van herkenning en onvermijdelijkheid. Het is er eentje van hem.

Het meisje en haar broertje spelen met een speelgoedvrachtwagen die in elkaar is geschroefd van tandwielen en mechanische onderdelen.

'Dat is niet echt speelgoed voor een meisje, lieverd,' zegt hij, en hij hurkt naast haar, wat niet meevalt met een kruk. 'Wil je niet liever een pop hebben?'

'Mijn vader heeft me geholpen om hem te maken,' en ze neemt hem op om te zien of hij die informatie waard is. 'Hij kan heel goed knutselen.'

'Dat geloof ik graag. Hoe heet je, lieverd?'

'Je moet niet met een blanke praten, Zie,' sist de jongen.

'Dat geeft niet, we kunnen die formaliteiten ook wel achterwege laten,' zegt Harper sussend. 'En trouwens, ik praatte eerst tegen haar, toch? Dat is toch heel beleefd, jongen?'

Hij wil haar om de vrachtwagen vragen. Hij wil hem wanhopig graag hebben – iets waarmee hij zich haar kan herinneren, ook al is het niet een van de voorwerpen in de Kamer. Hij staat op het punt te zeggen dat hij ervoor wil betalen, maar voordat hij de woorden over zijn lippen kan krijgen, komt uit een van de aangrenzende huizen een buurvrouw naar buiten. Ze heeft een aardappelschilmesje in haar hand en de hordeur slaat achter haar dicht. Ze kijkt Harper nijdig aan. 'Zora Ellis! James! Naar binnen komen.'

'Ik zei het toch,' zegt de jongen, even zelfvoldaan als verbolgen. Het meisje komt overeind met de vrachtwagen en slaat het stof van haar rok.

'Nou, tot snel, lieverd,' zegt Harper.

'Ik denk het niet, meneer. Dat zou mijn vader niet leuk vinden.'

'Ik zou je vader niet boos willen maken. Doe hem de groeten maar van me.'

Hij loopt fluitend weg, met zijn handen in zijn zakken om het beven tegen te gaan. Het doet er niet toe. Hij vindt haar wel weer. Hij heeft alle tijd van de wereld.

Maar hij is zo vol van haar, Zora-Zora-Zora, dat hij een fout maakt en in het Huis weer op dat verdomde lijk in de gang stuit, het bloed nat op de vloerplanken en de kalkoen nog bevroren. Geschrokken staart hij ernaar. En dan duikt hij de drempel weer over, onder de houten X van de planken door, en hij trekt de deur dicht.

Met stuntelige vingers steekt hij de sleutel weer in het slot. Hij concentreert zich op de datum van die dag. 2 Januari 1932. Als hij de deur met zijn kruk openduwt, is meneer Bartek tot zijn opluchting verdwenen. Hocus, pocus, weg. Een verdwijntruc.

Het was een misstap, als de naald van een grammofoon die een groef op de plaat overslaat. Het was logisch dat hij weer terug-getrokken werd naar deze dag. Het begin van alles. Hij concentreerde zich niet. Hij zou beter bij de les moeten blijven.

Maar hij voelt nog steeds de aandrang. En nu hij is teruggekeerd naar de juiste dag, voelt hij de voorwerpen gonzen als een wespennest. Hij laat het knipmes in zijn zak vallen. Hij gaat op zoek naar Jin-Sook. Om de belofte die hij haar gedaan heeft na te komen.

Ze is het type meisje dat tot grote hoogten wil stijgen. Hij zal vleugels voor haar meenemen.

Dan 2 maart 1992

Wat Dan eigenlijk zou moeten doen is zijn koffers pakken voor Arizona. De voorjaarstraining begint morgen en hij neemt de vroege vlucht omdat die het goedkoopst is, maar eerlijk gezegd is de gedachte om zijn vrijgezellenkoffertje in te pakken te deprimerend.

Hij gaat net zitten om naar de herhaling van de hoogtepunten van de Olympische Spelen te kijken als zijn deurbel dat zacht piepende geluid van elektriciteit laat horen. Nog iets om te repareren. Alsof hij niet al de batterijen voor de afstandsbediening moet verwisselen voor die van de tv. Hij hijst zich van de bank en doet de deur open. Aan de andere kant van de hor staat Kirby met drie flesjes bier in haar handen.

'Ha Dan, mag ik binnenkomen?'

'O, heb ik een keuze?'

'Alsjeblieft? Het is ijskoud buiten. Ik heb bier meegenomen.'

'Ik drink niet, of was je dat vergeten?'

'Het is alcoholvrij. Of je moet willen dat ik naar de winkel ren om wortelstaafjes te halen.'

'Nee, dat is wel goed,' zegt hij, hoewel het optimistisch is om Miller Sharps alcoholvrije brouwsel 'bier' te noemen. Hij schuift de hordeur open. 'Als je maar niet verwacht dat ik opruim.'

'Dat zou ik nooit doen,' zegt ze, en ze schiet onder zijn arm door. 'Hé, leuk huis.'

Dan snuift.

'Nou ja, leuk dat je een huis hebt dan.'

'Woon jij bij je moeder?' Hij heeft zijn huiswerk gedaan, haar verhaal en zijn aantekeningen opgeduikeld om zich weer op de hoogte stellen van de smeuïge details. Op het uitgetikte transcript van het gesprek met de moeder, Rachel, had hij geschreven:

Mooie vrouw! Afgeleid. (afleidend.) Bleef maar naar de hond vra-
gen. Manieren om de pijn een plek te geven?

Zijn favoriete citaat uit het gesprek met haar was: 'We doen dit
onszelf aan. De maatschappij is een vergiftigde tredmolen.' Natuurlijk had de redactiechef dat er meteen uit gesloopt.

'Ik heb een appartement in Wicker Park,' zegt Kirby. 'Beetje
veel herrie tussen de bandjes en de crackverslaafden, maar het bevalt me wel. Om mensen om me heen te hebben.'

'Een groep is veiliger, ja. Maar waarom zeg je dat dan, leuk dat
je een huis hebt?'

'Om het gesprek op gang te houden, denk ik. Omdat sommige
mensen geen huis hebben.'

'Ben je het liefst alleen?'

'Ik ben niet zo goed met mensen. En ik heb nachtmerries.'

'Dat kan ik me voorstellen.'

'Dat kun je niet.'

Dan haalt instemmend zijn schouders op. Dat viel niet te ont-
kennen. 'Wat heb je van onze vrienden in de bibliotheek gekregen?'

'Een hele stapel spullen.' Ze houdt een biertje voor zichzelf en
overhandigt hem de andere twee. Ze gaat met het flesje onder
haar oksel zitten zodat ze haar grote zwarte laarzen uit kan wur-
men. Met haar sokken nestelt ze zich op de bank, wat Dan op de
een of andere manier heel vrijpostig vindt.

Ze schuift de rommel op zijn salontafel opzij – rekeningen, nog
meer rekeningen, een brief van *Reader's Digest* dat hij een prijs
had gewonnen, met dat gouden vlakje dat je open moest krassen
(*U hebt al gewonnen!*) en, heel gênant, een nummer van *Hustler*,
dat hij in een opwelling gekocht had toen hij zich eenzaam en geil
voelde, en wat destijds de minst beschamende keuze had geleken.
Maar ze lijkt het niet te zien. Of is te beleefd om er iets over te zeggen. Of ze heeft medelijden met hem. God.

Ze haalt een map uit haar tas en legt de knipsels op de tafel.
Originelen, ziet Dan, en hij vraagt zich af hoe ze die in godsnaam
langs Harrison heeft gesmokkeld. Hij zet zijn bril op om beter te

kunnen zien. Genoeg gruwelijke moorden met messen. Stuk voor stuk deprimerende verhalen die hij vroeger schreef. Hij wordt er moe van.

'En, wat denk je ervan?'

'*Ay bendito*, meid,' zegt hij, en pakt een paar knipsels op. 'Kijk eens naar je slachtofferprofiel. Dat gaat alle kanten op. Je hebt een zwarte prostituee die in een speeltuin is gedumpt tot aan een huisvrouw die neergestoken is op haar oprit, waarbij het duidelijk om haar auto ging. En deze, 1957? Meen je dat? Het is niet eens dezelfde methode. Haar hoofd werd gevonden in een ton. En volgens je verklaring was jouw man begin dertig. Hier kun je niks mee.'

'Nog niet.' Ze haalt onbewogen haar schouders op. 'Ruim beginnen en schrappen maar. Seriemoordenaars hebben een type. Ik probeer erachter te komen wat dat van hem was. Bundy hield van studentes. Lang haar, scheiding in het midden, een broek.'

'Ik denk dat we Bundy uit kunnen sluiten,' zegt Dan, en de woorden zijn zijn mond al uit voordat hij bedenkt hoe lomp dat klinkt.

'Bzzzt.' Kirby maakt het geluid van een elektrische stoel, met een strak gezicht, waardoor het nog misplaatster en grappiger is. Hij vindt het schokkend. Hoe makkelijk ze erover kunnen praten, stomme grappen kunnen maken. Niet dat hij en de agenten niet aan galgenhumor deden toen hij om de andere week over gruwelijke misdaden schreef. Kikkers in kokend water. Je went overal aan. Maar dat was niet persoonlijk.

'Oké, oké, hilarisch. Laten we aannemen dat jouw man niet voor de gebruikelijke makkelijke doelwitten als prostituees, junks, weglopers en dakloze mannen gaat. Wie heeft er nog meer iets met je gemeen?'

'Julia Madrigal. Dezelfde leeftijdsgroep, begin twintig. Student. Afgelegen bosrijke omgeving.'

'Opgelost. Haar moordenaars zitten weg te rotten in Cook County. Anders nog?'

'O alsjeblieft, dat geloof je toch niet?'

'Weet je zeker dat je het niet wilt geloven omdat Julia's moordenaars zwart zijn en de man die jou te grazen heeft genomen wit was?' vraagt Dan.

'Wat? Nee, ik geloof het niet omdat de agenten incompetent zijn en onder druk staan. Ze komt uit een brave middenklassefamilie. Het was een excuus om de zaak af te ronden.'

'En hoe zit het met de methode? Als dit dezelfde moordenaar was, waarom heeft hij dan jouw ingewanden niet gebruikt om het bos mee te versieren? Worden die jongens gaandeweg niet steeds gewelddadiger? Zoals die gestoorde kannibaal die ze net in Milwaukee hebben opgepakt?'

'Dahmer? Tuurlijk. Het draait allemaal om escalatie. Ze gaan steeds uitvoeriger te werk omdat de roes afneemt. Je moet de inzet voortdurend verhogen.' Ze staat op en loopt met haar flesje zwaaiend op en neer, achtenhalve passen door zijn woonkamer en weer terug. 'En dat zou hij ook gedaan hebben, Dan, met mij. Dat weet ik zeker, als er niet iets tussengekomen was. Hij is een klassieke combinatie: zowel ongeorganiseerd als georganiseerd en paranoïde.'

'Je hebt je ingelezen.'

'Dat moest ik wel. Ik kan niet genoeg geld bij elkaar schrapen om een privédetective in te huren. En ik ben ook veel meer gemotiveerd, denk ik. Goed: ongeorganiseerde moordenaars zijn onstuimig. Maak ze af zodra je de kans krijgt. Dat houdt in dat ze sneller betrapt worden. De georganiseerde jongens hebben zich voorbereid. Ze hebben een plan. Ze hebben spullen bij zich om hun slachtoffers vast te binden. Ze doen meer moeite om de lichamen te verwijderen, maar ze vinden het leuk om psychologische spelletjes te spelen. Zij zijn degenen die naar kranten schrijven om op te scheppen, zoals de Zodiac met zijn cryptogrammen. Dan heb je nog de doorgedraaide freaks die denken dat ze bezeten zijn of zo, zoals BTK – die trouwens nog steeds rondloopt. Zijn brieven gaan alle kanten op. Hij schiet heen en weer van opschepperij over zijn misdaden naar vreselijke spijt en de duivel in zijn hoofd die hem ertoe aan heeft gezet.'

'Goed, miss FBI. Ik heb een moeilijke vraag voor je. Weet je zeker dat het een seriemoordenaar is? Ik bedoel de man die…' Hij valt stil en gebaart met zijn bier in haar richting, waarbij hij onbewust de beweging maakt van een poging om iemands buik open te rijten, tot hij beseft wat hij doet en het flesje aan zijn lippen zet. God, wat zou hij graag willen dat er alcohol in zat, al was het maar twee procent. 'Dat was absoluut een zieke klootzak. Maar het kan ook willekeurig, opportunistisch geweld zijn geweest. Is dat niet de heersende theorie? High van de PCP?'

In zijn vrijwel onleesbare steno staat het minder omzichtig in het verslag van het gesprek met inspecteur Diggs: 'Waarschijnlijk drugsgerelateerd.' 'Slachtoffer had niet alleen moeten zijn.' Jezus, alsof dat een uitnodiging was om neergestoken te worden.

'Interview je me nu, Dan?' Ze steekt haar biertje in de lucht en neemt een langzame slok. Hij merkt dat in tegenstelling tot het flauwe aftreksel dat hij drinkt, dat van haar het echte werk is. 'Want dat heb je destijds niet gedaan.'

'Hé, je lag in het ziekenhuis. Vrijwel in coma. Ze zouden me niet bij je in de buurt hebben gelaten.' Dat is maar voor een deel waar. Hij had zijn charmes kunnen inzetten om binnen te komen, zoals hij al tientallen keren had gedaan. De verpleegster bij de balie had overgehaald kunnen worden om een oogje toe te knijpen, als hij maar lang genoeg met haar geflirt had, omdat mensen het gevoel willen hebben dat ze gewild zijn. Maar hij was er helemaal klaar mee geweest – hij was op, al zou het nog een jaar duren voor de echte burn-out kwam.

Hij vond de hele zaak deprimerend. De insinuaties van inspecteur Diggs, de moeder die opschrok uit haar verdoving en hem midden in de nacht begon te bellen omdat de agenten de dader niet konden vinden en ze dacht dat hij misschien de antwoorden had, en hem begon uit te schelden toen hij die niet had. Ze dacht dat het persoonlijk voor hem was, net als voor haar. Maar het was het zoveelste verknipte verhaal over de verknipte teringzooi die mensen elkaar aandoen, en er viel haar niks uit te leggen. En hij kon niet tegen haar zeggen dat hij haar alleen zijn nummer had gegeven omdat hij haar lekker had gevonden.

Toen Kirby uit de intensive care kwam, was hij dan ook helemaal klaar met de zaak en hij wilde geen vervolgverhaal schrijven. En ja, hij besefte dat er een hond bij betrokken was geweest, bedankt meneer Matthew Harrison, en dat was een goeie invalshoek omdat iedereen van honden houdt, vooral dappere die hun bazin proberen te redden, waardoor dit verhaal een combinatie van *Lassie* en *The Texas Massacre* werd, maar er was geen nieuwe informatie of aanwijzing, en de politie deed niks om de zieke klootzak te vinden die haar dit had aangedaan en die nog steeds rondliep en wachtte tot hij het iemand anders kon aandoen. Dus die hond kon de klere krijgen en het hele verhaal kon de klere krijgen.

Wat inhield dat Harrison Richie stuurde voor het vervolgverhaal, maar toen had de moeder besloten dat alle journalisten eikels waren, en ze weigerde met iemand te praten. Dan moest boeten en werd op pad gestuurd om over een reeks schietpartijen in K-Town te schrijven, een schoolvoorbeeld van achterlijk gangstergedoe.

En dit jaar is het aantal moorden nog hoger. Dat maakt hem nog blijer dat hij niet in moordzaken is blijven hangen. Sport is in theorie nog veeleisender, met al het reizen, maar het geeft hem een excuus om weg te gaan en er niet bij stil te staan dat hij opgesloten zit in een eenzaam appartement. Slijmen bij managers is min of meer hetzelfde als slijmen bij politieagenten, en honkbal is niet zo eentonig als moord.

'Dat is zo'n gemakkelijke uitweg,' klaagt Kirby, en hij is weer bij de les. 'Drugs. Hij was niet aan de drugs. Of geen drugs die ik ken.'

'Ben je een expert?'

'Heb je mijn moeder ontmoet? Jij zou ook aan de drugs zijn gegaan. Hoewel ik er nooit zo goed in was.'

'Het werkt niet, wat je doet. De aandacht afleiden met humor. Het maakt me alleen maar duidelijk dat er iets is waar je de aandacht van wilt afleiden.'

'Na jaren over moordzaken te hebben geschreven had hij een

scherp oog voor menselijkheid en was hij een ware levensfilo-soof,' dreunt ze op alsof ze een filmtrailer inspreekt, twee octaven lager.

'Doe je het nog steeds,' zegt Dan. Zijn wangen voelen warm aan. Ze doet iets met hem op een manier die hem razend maakt. Als toen hij net van de universiteit kwam en met die ouwe taart Lois aan de societyrubriek werkte. Zij vond het zo vervelend om hem op haar afdeling te hebben dat ze alleen in de derde persoon over hem praatte. Als in: 'Gemma, zeg eens tegen *die jongen* dat dat niet de manier is waarop we huwelijksaankondigingen schrijven.'

'Ik had als tiener een moeilijke periode. Ik ging naar de kerk, methodisten, wat mijn moeder gek maakte, want het zou in elk geval de sjoel geweest moeten zijn, toch? Als ik thuiskwam liep ik over van vroomheid en vergevingsgezindheid en ik spoelde haar hasj door het toilet, en dan hadden we drie uur lang gillend ruzie en zij stormde de deur uit en kwam de volgende dag pas terug. Het was zo erg dat ik bij dominee Todd en zijn vrouw ging wonen. Ze probeerden een rehabilitatiecentrum voor probleemjongeren van de grond te krijgen.'

'Laat me raden: hij probeerde zijn hand in je broek te steken?'

'Jezus, hé.' Ze schudde haar hoofd. 'Niet elke kerkleider is automatisch een kinderlokker. Het waren lieve mensen. Ze waren gewoon niet mijn soort mensen. Veel te serieus. Het was prima dat ze de wereld wilden veranderen, maar ik wilde niet hun proefproject worden. En je weet wel, nou ja, problemen met vaders.'

'Tuurlijk.'

'Daar is religie op gebaseerd, echt waar. Proberen te voldoen aan de verwachtingen van de Grote Hemelse Vader.'

'Wie is hier nou de amateurfilosoof?'

'Theoloog, alsjeblieft. Wat ik bedoel is dat het niet werkte. Ik dacht dat ik stabiliteit zocht, maar dat bleek ongelooflijk saai. Dus ging ik totaal de andere kant op.'

'Je ging het bij de verkeerde mensen zoeken.'

'Ik wás de verkeerde mensen.' Ze grijnst.

'Dat krijg je van punkmuziek.' Hij toost haar met het bijna lege flesje.

'Absoluut. Ik heb veel mensen aan de drugs gezien. Deze vent was dat niet.' Ze zwijgt. Maar Dan kent deze stilte. Het is het glas dat op het randje van het bureau zweeft en vecht tegen de zwaartekracht. En zwaartekracht wint het elke keer weer.

'Er is nog iets anders. Het staat in het proces-verbaal, maar niet in de krant.'

Bingo, denkt Dan. 'Dat doen ze wel vaker. Belangrijke details weglaten zodat ze de gekken kunnen scheiden van de echte tips.' Hij drinkt het laatste restje uit zijn flesje. Hij kan haar niet aankijken, bang voor wat ze gaat zeggen, met een heftig schuldgevoel dat hij de vervolgverhalen nooit heeft gelezen.

'Hij gooide iets naar me toe. Nadat hij… Een aansteker, zwart met zilver, soort van vintage art nouveau. Hij was gegraveerd. "WR".'

'Zegt dat je iets?'

'Nee. De politie heeft het afgevinkt met mogelijke verdachten en slachtoffers.'

'Vingerafdrukken?'

'Tuurlijk. Ze kwamen overeen met een man van negentig. Waarschijnlijk de oorspronkelijke eigenaar.'

'Of een afgeleefde heler, als zijn vingerafdrukken geregistreerd waren.'

'Ze konden hem niet opsporen. En voordat je het vraagt: ik heb het telefoonboek al doorgenomen. Er zijn geen antiekhandelaren of pandjeshuizen in Chicago en omstreken met de letters WR.'

'En dat is het enige wat ze erover weten?'

'Ik beschreef hem aan een verzamelaar op een roadshow, en hij zei dat het waarschijnlijk een Ronson Princess De-Light was. Niet de zeldzaamste aansteker die er is, maar misschien een paar honderd dollar waard. Hij liet me er eentje zien die erop leek, uit ongeveer dezelfde periode, 1930, 1940. Bood hem voor tweehonderdvijftig dollar te koop aan.'

'Tweehonderdvijftig dollar? Ik heb het verkeerde vak gekozen.

Maar ik heb wel over vreemdere dingen gehoord die een moordenaar heeft achtergelaten.'

'De wurger van Boston bond zijn meisjes vast met nylonkousen. De Night Stalker liet pentagrammen achter.'

'Je weet veel te veel over dit soort dingen. Het is niet goed voor je om te lang in de hoofden van die mensen te gaan zitten.'

'Het is de enige manier om hem uit dat van mij te krijgen. Vraag me maar iets. Gemiddelde beginleeftijd is vierentwintig tot dertig, hoewel ze blijven moorden zolang ze ermee wegkomen. Het zijn meestal blanke mannen. Gebrek aan empathie, dat zich uit als asociaal gedrag of extreem egoïstische charme. Geschiedenis van geweld, inbraken, dieren martelen, rommelige jeugd, seksuele frustraties. Wat niet wil zeggen dat ze geen deel uitmaken van de maatschappij. Een paar van hen vervulden een prominente functie in hun gemeenschap en waren zelfs getrouwd en hadden kinderen.'

'Als buren die enorm geschokt zijn, hoewel ze lachend over het hek stonden te zwaaien terwijl die aardige buurman een kuil voor zijn martelkelder groef.' Dan heeft een speciaal hoekje van haat gereserveerd voor types die zeggen dat het hun zaken niet zijn. Hij heeft te veel gevallen van huiselijk geweld gezien. En daarvan is elk geval er een te veel.

Ze houdt op met ijsberen en gaat naast hem op de bank zitten, waardoor de veren zich kreunend beklagen. Ze steekt haar hand uit naar het laatste biertje en beseft dan dat het alcoholvrij is. Dan pakt ze het alsnog. 'Delen?'

'Nee, dank je.'

'Hij zei dat het een souvenir was. Hij had het natuurlijk niet over mij. Iemand die dood is heeft geen reet aan een souvenir. Hij bedoelde voor de families en de politie of de maatschappij in het algemeen. Het is zijn manier om "krijg lekker de klere" tegen de wereld te zeggen. Omdat hij denkt dat we hem nooit te pakken krijgen.'

Voor het eerst zit er een splinter in de manier waarop ze het zegt, waardoor Dan extra voorzichtig is met wat hij erna gaat zeggen. Hij probeert er niet bij stil te staan hoe vreemd het is om hierover te praten terwijl op de stille televisie skiërs van het uiteinde van de schans springen.

'Ik ga dit gewoon zeggen, oké?' probeert hij, omdat hij vindt dat het moet. 'Het is niet jouw taak om moordenaars te vangen, meid.'

'Moet ik het loslaten?' Ze trekt de zwart-witte doek weg die ze om haar hals heeft gebonden en toont het litteken langs haar keel. 'Echt, Dan?'

'Nee.' Hij zegt het gewoon. Want hoe zou je dat kunnen? Hoe zou ook maar iemand dat kunnen? Zet je eroverheen. Pak de draad op, zeggen mensen. Maar er wordt godverdomme elke dag al genoeg van dit soort shit aanvaard en het wordt tijd dat ze door die bullshit heen prikken.

Hij probeert het gesprek weer op het goede spoor te brengen. 'Goed, dus dat is een van de dingen waar je naar zoekt als je die knipsels doorneemt. Antieke aanstekers.'

'Nou,' zegt ze, en ze doet net of dat moment van kwetsbaarheid niet heeft plaatsgevonden, 'technisch gezien is hij niet antiek, omdat hij minder dan honderd jaar oud is. Hij is vintage.'

'Doe niet zo bijdehand,' bromt Dan, opgelucht dat hij weer op veilig terrein is.

'Zeg me niet dat het geen goeie kop is.'

'De Vintage Killer? Tering, dat is briljant.'

'Ja toch?'

'O nee. Ook al help ik je toevallig, ik ga die beerput niet opentrekken. Ik schrijf over sport.'

'Dat heb ik altijd een interessante uitdrukking gevonden. Het is inderdaad een smerige zaak.'

'Nou, succes ermee. Over negen uur vlieg ik voor een paar weken naar Arizona om mannen ballen weg te zien slaan. Maar jij gaat het volgende doen: blijf oude verhalen doorspitten. Probeer de lui van de knipseldienst op specifiekere termen te laten zoeken. Ongebruikelijke voorwerpen op het lichaam, dingen die niet op hun plaats lijken – dat klinkt goed. Hebben ze iets vergelijkbaars bij Madrigal gevonden?'

'Ik heb er nog niks over gelezen. Ik heb geprobeerd de ouders te bereiken, maar die zijn verhuisd en hebben een nieuw telefoonnummer.'

'Goed. De zaak is gesloten, dus de dossiers zijn openbaar. Je moet naar de rechtbank gaan en die bekijken. Probeer haar vrienden te spreken, getuigen, misschien kun je de officier van justitie opsporen.'

'Oké.'

'En je gaat een advertentie in de krant plaatsen.'

'Vrijgezelle blanke seriemoordenaar gezocht voor een leuke tijd en levenslang? Ik weet zeker dat hij gaat reageren.'

'Doe niet zo recalcitrant.'

'Woord van de dag!' zegt ze plagerig.

'De advertentie is voor familie en vrienden van het slachtoffer. Als de agenten niet opletten, doet de familie dat wel.'

'Dat is allemaal geweldig, Dan. Dank je wel.'

'En denk maar niet dat je niet het werk van stagiaires hoeft te doen. Ik verwacht dat je bijgewerkte statistieken van spelers naar m'n hotelkamer faxt. En ik verwacht dat je leert hoe honkbal in elkaar steekt.'

'Makkelijk zat. Bal. Knuppels. Doelen.'

'Oef.'

'Grapje. Nou ja, vreemder dan dit kan het niet zijn.'

In een aangename stilte kijken ze naar een man in een blauwe jumpsuit en met een helm op die op planken van carbon een bijna verticale helling af raast en zich strekt als hij na de curve de lucht in schiet.

'Wie verzint er zoiets?' zegt Kirby. Ze heeft gelijk, denkt Dan. De waardigheid en absurditeit van menselijke inspanningen.

Zora 28 januari 1943

De schepen verrijzen in stalen bouwwerken boven de prairies, klaar om uit hun ligplaatsen te zeilen en weg te varen over de bevroren korenvelden. Waar ze daadwerkelijk heen gaan is de rivier de Illinois af, de Mississippi op, langs New Orleans en naar de Atlantische Oceaan, over de zee puffend naar vijandige stranden aan de andere kant van de wereld, waar de grote deuren in de boeg krakend opengaan en de valreep als een ophaalbrug wordt neergelaten om in de ijskoude branding en de vuurlinie mannen en tanks te lossen.

Ze bouwen ze goed, de Chicago Bridge & Iron Company, met hetzelfde oog voor detail als bij de watertorens vóór de oorlog, maar ze persen ze er zo snel uit dat ze niet de moeite nemen ze een naam te geven. Zeven schepen per maand met in hun romp ruimte voor negenendertig Stewart Light-tanks en twintig Shermans. De scheepswerf draait vierentwintig uur per dag, kletterende, knarsende bedrijvigheid, en landingsschepen voor tanks varen net zo snel uit als ze geproduceerd kunnen worden. Ze werken de hele nacht door: mannen en vrouwen, Grieken, Polen en Ieren, maar slechts een handjevol zwarten. De Jim Crow-wetten zijn nog springlevend in Seneca.

Ze laten vandaag een van de schepen te water. Een vrouwelijke hoogwaardigheidsbekleder van de USO met een sierlijk hoedje slaat een fles champagne tegen de boeg van LST 271, de mast plat op het dek. Iedereen joelt en fluit en stampt met zijn voeten terwijl 5.500 ton zijwaarts van de helling schuift, omdat de Illinois zo smal is. Hij raakt de rivier aan de linkerzijde en individuele slierten water schieten als kanonskogels omhoog en vormen samen een monsterlijke golf, waardoor de LST vreselijk heen en weer schommelt in het water en uiteindelijk recht komt te liggen.

Het is eigenlijk de tweede keer dat de LST 271 te water wordt gelaten, aangezien hij op weg naar de Mississippi aan de grond was geraakt en terug moest worden gesleept om gerepareerd te worden. Maar het maakte niet uit. Elke reden voor een feestje werd aangegrepen. Je kunt het moreel van zo'n beetje alles opvijzelen als er na afloop maar gedronken en gedanst kan worden.

Zora Ellis Jordan behoort niet tot de werkploeg die 'het schip verlaten heeft' zodat de nachtploeg feest kan gaan vieren. Niet met vier kinderen die moeten eten en een echtgenoot die nooit meer terugkomt uit de oorlog: zijn schip was door een onderzeeër die aan was komen sluipen uit het water geblazen. De marine had zijn papieren als aandenken teruggestuurd, samen met zijn jaargeld. Ze hadden hem geen medaille gegeven omdat hij zwart was, maar er was wel een brief van de regering waarin die haar diepste medeleven betuigde en hem prees om zijn moed in de jaren dat hij zijn land als scheepsmonteur had gediend.

Ze had hiervoor in een wasserette in Channahon gewerkt, maar toen een vrouw een mannenoverhemd bracht met brandvlekken rond de kraag, had ze gevraagd hoe die ontstaan waren. Toen ze solliciteerde, kon ze kiezen: lasser of puinruimer. Ze vroeg wat beter betaalde.

'Geldbelust, hè?' zei de baas. Maar Harry was dood en de condoleancebrief had niet uit de doeken gedaan hoe ze Harry's kinderen helemaal alleen moest voeden en hun school moest betalen.

Hij dacht dat ze het nog geen week vol zou houden. 'Dat doen de andere kleurlingen ook niet.' Maar ze is sterker dan zij. Misschien komt het doordat ze een vrouw is. Vuile blikken en lelijke woorden laten haar koud, ze zijn niks vergeleken bij de lege plek naast haar in het bed.

Maar er is geen officiële huisvesting voor kleurlingen, laat staan gekleurde gezinnen, en ze huurt een klein huisje, twee kamers met buiten een latrine, op een boerderij drie kilometer verderop aan de rand van Seneca. Het uur heen en het uur terug dat het haar elke dag kost is de moeite waard om haar kinderen te kunnen zien.

Ze weet dat het in Chicago makkelijker zou zijn. Haar broer, die epilepsie heeft, werkt voor de post. Hij zegt dat hij een baantje voor haar zou kunnen regelen. Zijn vrouw zou kunnen helpen met de kinderen. Maar het is te pijnlijk. Overal in de stad zijn herinneringen aan Harry. Tussen de zee van witte gezichten hier vangt ze in elk geval nooit een glimp op van haar dode echtgenoot en rent ze niet achter hem aan om hem in te halen, hem bij de arm te pakken, waarna hij zich omdraait en een vreemdeling blijkt te zijn. Ze weet dat ze zichzelf kwelt. Ze weet dat het dwaze trots is. Nou en? Het is ballast – het enige wat haar overeind houdt.

Ze verdient 1,20 dollar per uur en daarbovenop nog eens vijf cent voor overwerk. Dus tegen de tijd dat het schip te water is gelaten en er een nieuwe romp de ligplaats van 217 op wordt gesleept, is Zora alweer op het dek van een ander schip, met haar helm op en haar vonkende brander, en vlakbij zit de kleine Blanche Farringdon gehurkt die haar gedwee nieuwe staven aanreikt als ze daarom vraagt.

Ze bouwen de schepen in verschillende fases, verschillende ploegen met verschillende specialiteiten die hun werk doen en het schip overdragen aan de volgende ploeg. Ze werkt het liefst bovendeks. Ze raakte claustrofobisch toen ze diep in het schip moest lassen, zoals een grondplaat voor de bedrading of de afsluitkranen die opengedraaid werden om de ballasttank vol te laten lopen met water om het schip met de platte bodem te verzwaren zodat het de oceaan kon oversteken. Het voelde alsof ze gehurkt zat in de borst van een reusachtig metalen insect. Ze had een paar maanden geleden haar diploma bovenhands lassen gehaald. Dat betaalt beter en ze kan in de openlucht werken, maar belangrijker nog: het houdt in dat ze de geschutskoepels kan lassen waarmee dat nazituig aan repen wordt gescheurd.

Het sneeuwt, grote poederige vlokken die op de dikke overalls van de mannen blijven liggen en langzaam smelten, waarna ze kleine vochtige plekjes achterlaten die er ten slotte in trekken, op dezelfde manier waarop de vonken van de lasbrander erdoorheen schroeien. Het masker beschermt haar gezicht, maar haar nek en borst zijn bezaaid met brandwondjes. Ze heeft in elk geval haar werk om haar warm te houden. Blanche zit belachelijk te trillen, zelfs met de extra branders die om haar heen hangen.

'Dat is gevaarlijk,' snauwt Zora. Ze is boos op Leonore, Robert en Anita omdat ze zijn gaan dansen en hen met zijn tweeën hebben achtergelaten.

'Kan me niet schelen,' zegt Blanche chagrijnig. Haar wangen zijn rood van de kou. Het zit nog steeds niet helemaal lekker tussen hen. Blanche heeft de nacht ervoor geprobeerd haar te kussen in de keet waar ze hun kleding hebben hangen. Ze was op haar tenen gaan staan en had haar mond op die van Zora gedrukt toen die haar helm af had gedaan. Het was eigenlijk niet veel meer dan een zedig kusje op de lippen, maar de bedoeling was duidelijk.

Ze waardeert de intentie. Blanche is een mooi meisje, ook al is ze mager en bleek met een zwakke kin, en heeft ze een keer haar haar in brand laten vliegen omdat ze ijdel was. Daarna had ze het in een staart gebonden, hoewel ze naar haar werk nog steeds make-up draagt en die eraf zweet. Maar al had ze naast diensten van negen uur en de zorg voor haar kinderen tijd gehad, Zora zit zo gewoon niet in elkaar.

Het is verleidelijk. Natuurlijk. Sinds Harry was vertrokken met de koopvaardijvloot had niemand haar meer gekust. Maar armen als een worstelaar door het bouwen van schepen maken nog geen lesbienne van Zora, net zomin als het landelijk tekort aan mannen.

Blanche is nog maar een kind. Amper achttien. En wit. Ze weet niet wat ze doet en trouwens, hoe zou Zora het uit moeten leggen aan Harry? Ze praat elke ochtend met hem tijdens de lange wandeling, over de kinderen, over de slopende arbeid van schepen bouwen, wat niet alleen nuttig werk is, het houdt haar bezig, zodat ze hem minder erg mist. Hoewel 'erg' de pijnlijke leegte niet beschrijft die ze met zich meesleept.

Blanche dribbelt over het dek om een dikke kabel terug te slepen naar Zora. Ze laat hem met een doffe klap voor haar voeten vallen en zegt heel vlug 'Ik hou van je' in haar oor. Zora doet net of ze haar niet hoort. De helm is er dik genoeg voor. Ze kan het niet verdragen.

De volgende vijf uur werken ze in stilte, en communiceren slechts als het echt nodig is: geef me dit aan, kun je dat voor me pakken, Blanche die het anker vasthoudt zodat Zora er een naad op kan aanbrengen en vervolgens met de hamer de slak eraf slaat. Haar slagen zijn klunzig vandaag, het ritme klopt niet.

Eindelijk klinkt de fluit die hen uit hun gedeelde lijdensweg verlost. Blanche snelt de ladder af en Zora klautert achter haar aan, langzamer, met haar helm en de werklaarzen voor mannen die ze volpropt met krantenpapier zodat ze haar voeten met maat 38 erin kan krijgen sinds die keer dat ze zag hoe de voeten van een vrouw met instappers verbrijzeld werden door een vallend krat.

Zora springt naar beneden op het droogdok en loopt tussen de drukte van de ploegwisseling door. Muziek schalt uit de luidsprekers aan palen naast de schijnwerpers, vrolijke radiohits om de sfeer erin te houden. Bing Crosby gaat over in de Mills Brothers en Judy Garland. Tegen de tijd dat ze haar spullen heeft opgeborgen en tussen de schepen in verschillende stadia van montage loopt en de loopgraven die aangelegd zijn voor de kranen op rupsbanden, klinkt Al Dexter uit de luidsprekers. 'Pistol-packin' Mama'. Harten en pistolen. Leg ze neer, mama. Het was nooit haar bedoeling geweest kleine Blanche te misleiden.

De menigte dunt uit als de vrouwen naar de auto lopen waarin ze meerijden of naar de goedkope plekken waar ze kunnen slapen, de houten bedden net zo hoog boven elkaar als de stapelbedden die ze in de slaapruimte van de schepen lassen.

Ze loopt naar het noorden, naar Main Street die door Seneca loopt, dat is uitgegroeid van een klein stadje zonder bioscoop of school tot een bruisend werkkamp van elfduizend mensen. Oorlog is goed voor de handel. De officiële woonruimte voor arbeiders bevindt zich bij de middelbare school, maar dat geldt niet voor haar soort.

Haar laarzen knerpen op het grind als ze over de dikke dwarsbalken van de Rock Island-lijn heen stapt die geholpen heeft het westen te ontwikkelen, met hoop die meegevoerd werd in elke wagon vol migranten: witte, Mexicaanse, Chinese maar vooral zwarte mensen. Je wilde als de gesmeerde bliksem weg uit het zuiden, je sprong op een trein naar Charm City en de banen die aangeboden werden in de *Chicago Defender*, of soms, zoals haar vader, *bij* de *Chicago Defender*, waar hij zesendertig jaar als lino-typist had gewerkt. De spoorweg voert nu geprefabriceerde on-derdelen aan. En haar vader ligt al twee lange jaren in de grond.

Ze steekt Highway 6 over, griezelig stil op dit tijdstip van de nacht, en de steile heuvel op die langs de Mount Hope-begraaf-plaats naar de boerderij loopt. Ze *zou* nog verder weg kunnen wo-nen, maar niet veel. Ze is halverwege de helling als de man uit de schaduwen van de boom stapt, leunend op een kruk.

'Goedenavond, mevrouw, mag ik een stukje met u oplopen?' zegt Harper.

'O nee,' zegt ze, en ze schudt haar hoofd naar de witte man die hier niets te zoeken heeft. Het is een bijverschijnsel van haar werk dat ze 'saboteur' denkt voordat ze 'verkrachter' denkt. 'Nee, be-dankt meneer. Ik heb een lange dag achter de rug en ik ga naar huis, naar mijn kinderen En trouwens, het is al ochtend.' Dat is waar. Het is even na zessen, hoewel het nog donker en stervens-koud is.

'Kom op, miss Zora. Weet je niet meer wie ik ben? Ik zei dat ik je weer zou zien.'

Stokstijf blijft ze staan. Ongelooflijk, ze heeft geen zin in deze onzin. 'Ik ben moe en ik heb overal pijn. Ik heb negen uur ge-werkt, ik heb vier kinderen die thuis op me wachten, en ik krijg de kriebels van die praatjes van u. Ik stel voor dat u weghinkt en me in godsnaam met rust laat, of ik sla u neer.'

'Dat kun je niet,' zegt hij. 'Je straalt. Ik heb je nodig.' Hij lacht als een heilige of een gek en dat stelt haar vreemd genoeg – en on-terecht – op haar gemak.

'Ik ben niet in de stemming voor complimenten, meneer, en ook niet om bekeerd te worden, mocht u zo'n jehova-type zijn,' zegt ze. Zelfs in daglicht zou ze hem niet herkend hebben als de man die twaalf jaar eerder bij het stoepje voor hun huizenblok was blijven dralen. Hoewel de berisping van haar vader die avond, dat ze voorzichtig moest zijn, haar zo bang en opstandig maakte dat die haar nog jaren is bijgebleven. Het leverde haar ooit een draai om de oren door een witte man op omdat ze had staan staren. Maar ze had er al heel lang niet aan gedacht, en het is donker en de uitputting is doorgedrongen tot in haar botten. Haar spieren doen pijn, haar hart is bedroefd. Ze heeft hier geen tijd voor.

De vermoeidheid valt weg als ze hem vanuit haar ooghoek het mes uit zijn tweedjasje ziet trekken. Ze draait zich verbaasd om en biedt hem de volmaakte opening om het lemmet in haar buik te drijven. Ze hapt naar adem en klapt dubbel. Hij trekt hem eruit en haar benen zakken als slordig laswerk neer.

'Nee!' roept ze woedend, op hem en haar lichaam dat haar verraadt. Ze grijpt zijn riem en trekt hem naar beneden. Het kost hem moeite om het mes weer te heffen en ze stompt hem zo hard tegen de zijkant van zijn hoofd dat ze zijn kaak ontwricht en drie van haar vingers breekt, de knokkels krakend als maïs die knapt op het fornuis.

'Vuiwe thut!' schreeuwt hij met verminkte medeklinkers. Zijn kaak zwelt al op als een sinaasappel. Ze grijpt een handvol haar, ramt zijn gezicht in het grind, en probeert boven op hem te komen.

In paniek steekt hij haar onder haar oksel. Het is een onhandige uithaal, niet diep genoeg om haar hart te raken, maar ze schreeuwt het uit en maakt zich instinctief los en grijpt naar haar middel. Hij grijpt zijn kans en rolt op haar. Met zijn knieën drukt hij haar schouders neer. Zora mag dan de bouw van een worstelaar hebben, ze heeft nooit in de ring gestaan.

'Ik heb kinderen,' zegt ze, huilend van de pijn door de wond in haar zij. Hij heeft een long geraakt en er borrelt bloed op haar lippen.

Ze is nog nooit zo bang geweest. Zelfs niet toen ze vier jaar was en de hele stad oorlog met zichzelf voerde tijdens de rassenrellen, en haar vader wegrende met haar onder zijn jas tegen zich aan gedrukt omdat ze zwarte mensen uit de trams trokken en op straat doodsloegen.

Zelfs niet toen ze dacht dat Martin, die zo klein was en vijf weken te vroeg was gekomen, dood zou gaan, en ze zichzelf met hem opsloot in haar kamer en iedereen wegstuurde. Ze had het op de enige manier doorstaan die ze kon, van minuut tot minuut, vier maanden lang, tot ze hem erdoorheen had gesleept.

'Ze worden nu net wakker,' hijgt ze door de pijn heen. 'Nella maakt ontbijt voor de kleintjes… kleedt ze aan om naar school te gaan… hoewel Martin het zelf probeert te doen – met zijn schoenen aan de verkeerde voeten.' Ze slaagt erin half snikkend te hoesten. Ze weet dat ze hysterisch is en raaskalt. 'En de tweeling… die hebben een geheim leven, die twee.' Ze lijkt haar gedachten niet te kunnen bedwingen. 'Het is te veel verantwoordelijkheid voor Nella in haar eentje… Het zal haar niet lukken… Ik ben nog maar… achtentwintig… Ik moet ze zien opgroeien. Alstublieft…'

Harper schudt zwijgend zijn hoofd en brengt het mes naar beneden.

Hij steekt de honkbalkaart in de zak van haar overall. Jackie Robinson, buitenvelder van de Brooklyn Dodgers. Onlangs afgepakt van Jin-Sook Au. Stralende sterren die door de tijd heen met elkaar verbonden zijn. Een constellatie van moorden.

Hij ruilt hem in voor de metalen Cooper Black 'Z' uit een oude letterbak die ze als een talisman bij zich droeg. Haar vader had hem meegenomen van zijn werk bij de *Defender*. 'Strijd de goede strijd,' had hij tegen de kinderen gezegd, en hij had elk van hen een letter gegeven. Aan de onderkant waren de woorden Barnhart Brothers & Spindler geperst. Ter ziele nu. 'Maar je kunt de vooruitgang niet tegenhouden,' had haar vader gezegd.

Voor Zora is de oorlog voorbij. De vooruitgang zal zonder haar doorzetten.

Kirby 13 april 1992

'Hé, stagiaire.' Matt Harrison staat voor het bureau met een oudere man in een blauw pak, als iemands hippe grootvader.

'Hé, redacteur.' Kirby schuift nonchalant een map over de brief die ze bezig is te schrijven aan de advocaat van de tieners die Julia Madrigals vermoord zouden hebben. Gezamenlijke verdediging, wat meteen iets duidelijk maakt – dat ze elkaar niet hebben verlinkt in een poging strafvermindering te krijgen.

Ze heeft een bureau van de cultuurredactie ingepikt omdat Dan zo vaak weg is dat hij niet echt een bureau heeft, laat staan eentje dat hij kan delen. Omdat de Cubs gewonnen hebben is het de bedoeling dat ze zo veel mogelijk informatie verzamelt over Sammy Sosa en Greg Maddux.

'Wil je een *echt* verhaal schrijven?' vraagt Matt. Hij is in een opvallend goed humeur en wiebelt op en neer. Ze wist dat ze zich niet bij hem in de kijker had moeten plaatsen. Verdomme.

'Denk je dat ik er klaar voor ben?' zegt ze op een manier die betekent: dat hangt ervan af.

'Heb je over de overstroming vanochtend gehoord?'

'De halve Loop die geëvacueerd wordt kun je moeilijk missen.'

'Ze schatten dat de schade in de miljarden loopt. Er gaan verhalen over vissen in de kelder van de Merchandise Mart. We noemen het de Grote Overstroming van Chicago, net als destijds de Grote Brand van Chicago.'

'Historische grapjes voor ingewijden. Leuk hoor. Ze hebben per ongeluk door een oude kolentunnel geboord, toch?'

'De hele rivier kwam binnengutsen. Als je dat gelooft. Maar meneer Brown hier,' zegt hij met een knikje naar de onberispelijk geklede oude man, 'denkt daar anders over en ik hoop dat jij hem er een paar vragen over wilt stellen. Als je tijd hebt.'

'Serieus?'

'Normaal gesproken zou ik niet willen dat je over iets anders schrijft dan waarvoor je aangenomen bent, maar dit is één grote, kletsnatte puinhoop en het valt niet mee om aandacht te besteden aan alle invalshoeken van het verhaal.'

'Tuurlijk.' Kirby haalt haar schouders op.

'Goed zo. Gaat u zitten, meneer Brown.' Hij trekt een stoel naar hem toe en blijft met zijn armen over elkaar bij het bureau staan. 'Let maar niet op mij. Ik hou toezicht.'

'Wacht even, ik pak een pen.' Kirby graait in de la van het bureau.

'Ik hoop niet dat je mijn tijd gaat verdoen.' De oude man kijkt kwaad op naar Matt. Hij heeft heel dunne wenkbrauwen, nauwelijks zichtbaar, waardoor hij er kwetsbaarder uitziet. Zijn handen trillen een beetje. Parkinson of gewoon ouderdom. Hij moet in de tachtig zijn. Ze vraagt zich af of hij zich speciaal netjes heeft aangekleed voordat hij hierheen was gekomen.

'Helemaal niet.' Kirby haalt een balpen tevoorschijn en houdt hem boven de blocnote. 'Ik ben er klaar voor. Zullen we beginnen met wat u gezien heeft? Waar was u toen ze door de tunnel braken?'

'Dat heb ik niet gezien.'

'Goed. Vertelt u me dan maar waarom u hier bent. Het bedrijf dat de brug gaat repareren? Ik heb gehoord dat burgemeester Daley het heeft aanbesteed aan de laagste bieder.'

'Je let wel degelijk op,' zegt Matt.

'Je hoeft niet zo verbaasd te klinken,' snauwt Kirby, met net genoeg van een glimlach in haar stem om die lieve meneer Brown niet te laten schrikken.

'Daar weet ik niks van,' zegt de oude man met trillende stem.

'Interviewen voor beginners. Je kunt hem misschien maar beter aan het woord laten,' raadt Matt aan. 'Leert Velasquez je dan niks?'

'Neem me niet kwalijk. Vertelt u me maar wat u wilde zeggen. Ik luister.'

Meneer Brown kijkt op naar Matt voor bevestiging, en hij knikt kortaf om duidelijk te maken dat het wel goed is. De oude man bijt op zijn lip en slaakt een diepe zucht. Hij buigt over het bureau en fluistert: 'Buitenaardse wezens.'

In de seconde die Kirby nodig heeft om dat te laten bezinken, beseft ze hoe stil de rest van de redactie de hele tijd al is.

'Volgens mij kom je er wel uit,' zegt Matt met een grijns, en hij loopt weg. Hij laat haar achter met de gekke oude man, die zo hard knikt dat zijn hele hoofd trilt op de stengel van zijn nek.

'O ja. Ze vinden het maar niks als wij in de rivier gaan graven. Ze leven daar beneden. Ze bestaan natuurlijk voornamelijk uit waterstof.'

'Natuurlijk.' Achter haar rug steekt Kirby haar middelvinger op naar de rest van de redactie, die van hun stoel vallen in hun pogingen niet hardop te lachen.

'Als de buitenaardse wezens er niet geweest waren, waren we nooit in staat geweest de stroom van de rivier om te keren. Techniek, zeggen ze, maar geloof dat maar niet, meisje. We hebben het met ze op een akkoordje gegooid. Maar we moeten ze niet tarten. Als ze de rivier de andere kant op kunnen laten stromen en zo de stad onder water kunnen laten lopen, vraag je je af wat ze nog meer kunnen.'

'Dat vraag ik me inderdaad af.'

'Nou, schrijf op,' zegt meneer Brown ongeduldig, en opnieuw moet iedereen moeite doen niet in lachen uit te barsten.

De bar is een donker hol. Het ruikt er naar muffe sigaretten en achterhaalde openingszinnen.

'Dat was een rotstreek,' zegt Kirby, en ze stoot de witte bal zo hard als ze kan weg. Beproefde tactiek als de ballen er niet fatsoenlijk bij liggen. 'Ik had echt werk te doen!'

Matt had voorgesteld om met een paar collega's een potje te gaan poolen als hun dienst erop zat. Het waren uiteindelijk zij, Victoria, Matt en Chet, omdat Emma verslag was gaan doen van de daadwerkelijke overstroming.

'Dat hoort bij de ontgroening, stagiaire.' Matt leunt tegen de toog en drinkt een wodka lime, met een half oog op CNN op de tv in de hoek. Het is de bedoeling dat hij met Chet speelt, maar hij laat zijn beurt steeds voorbijgaan.

'Brown is een van de vaste klanten,' legt Victoria uit. 'Hij komt altijd opdraven als er een verhaal over water speelt. Maar we hebben een heel stel. Wat is de verzamelnaam voor mensen die krankzinnig zijn?'

'Een roedel gekken?' oppert Kirby.

'Er is een dakloze vrouw die elke oktober schrijfblokjes omwikkeld met elastieken en vol onleesbare poëzie komt brengen. Een helderziende die opbelt en zijn hulp aanbiedt bij elk verhaal over een moord én bij elk zoekgeraakt huisdier in de advertenties. Godzijdank heb ik alleen maar te maken met vervalste foto's van kinderporno.'

'Heel veel zeikerds over sport.' Matt maakt zich lang genoeg los van het nieuws om een bijdrage te leveren. 'Heb je die nog niet af moeten houden? Die Dan van jou weigert de telefoon op te nemen als hij op kantoor is. Ze bellen om te klagen over waardeloze scheidsrechters. Waardeloze spelers. Waardeloze velden. Alles is waardeloos.'

'Mijn favoriet is de racistische vrouw die ons koekjes komt brengen,' zegt Chet.

'Waarom houdt niemand ze tegen?'

'Ik zal je een verhaal vertellen, stagiaire,' zegt Matt. Op de tv begint het nieuws opnieuw. Alsof een kwartier aan headlines de hele wereld opsomt.

'Nou zullen we het krijgen, hoor.' Victoria rolt vol genegenheid met haar ogen.

Matt negeert haar. 'Ben je weleens bij de *Tribune* geweest?'

'Ik ben er weleens langs geweest, ja,' zegt Kirby. Ze tikt de witte bal aan de zijkant en hij schiet over de tafel en verspreidt het groepje bij de pocket in de linkerhoek.

'Hier. Je jaagt ze alleen maar de tafel rond,' zegt Victoria. Ze corrigeert Kirby's greep. 'Nu over de keu leunen en hem in een rechte lijn leggen en als je dat gedaan hebt adem je rustig uit terwijl je stoot.'

'Bedankt, professor Pool.' Maar deze keer schiet ze de witte bal in een soepele baan naar bal 14, die in de hoekpocket verdwijnt. Grijnzend komt Kirby overeind.

'Goed zo,' zegt Victoria. 'En nu moet je je concentreren op de egale ballen.'

Het kwartje valt. 'Wij zijn de egale ballen. Verdomme.' Beschaamd laat ze haar hoofd zakken en ze overhandigt haar partner de keu.

'Luistert er wel iemand naar mijn verhaal?' zegt Matt op klagerige toon.

'Ja!' roepen ze in koor.

'Goed. Nou. Als je naar Trib Tower gaat, zie je dat ze stukken oeroud steen in de buitenmuur hebben gemetseld. Een stuk van de Grote Piramide, de Berlijnse Muur, de Alamo, de Britse parlementsgebouwen, een brok Antarctisch gesteente, er zit zelfs een stuk van de maan in. Heb je het gezien?'

'Waarom zijn die er nog niet uit gewrikt en gestolen?' zegt Kirby, en ze gaat opzij als Chet haar bijna aanstoot met zijn keu die hij naar achteren trekt.

'Dat weet ik niet. Daar gaat het niet om.'

'Het gaat erom dat het een symbool is,' zegt Chet, en zijn bal blijft op de tafel. 'Voor het wereldwijde bereik en de kracht van de schrijvende pers. Het is een romantisch ideaal, want dat was voor het laatst het geval in de tijd van Charles Dickens. Of sinds we televisie hebben.'

Kirby staart langs de keu en dwingt de bal naar de plek waar ze hem wil hebben. Daar gaat hij niet heen. Geërgerd komt ze overeind. 'Hoe zijn ze aan een stuk van de piramide gekomen? Komt dat niet neer op het illegaal binnensmokkelen van een artefact? Waarom was dat geen internationaal diplomatiek schandaal?'

'Daar gaat het ook niet om!' Matt zwaait met zijn glas, en Kirby beseft dat hij aardig dronken is. 'Waar het om gáát is dat de *Tribune* toeristen trekt. En *wij* trekken gekken.'

'Dat komt doordat zij beveiliging hebben. Je moet je aanmelden bij de receptie. Lui die naar ons komen kunnen zo de lift uit en naar de redactie lopen.'

'We zijn de krant van het volk, Anwar. We moeten toegankelijk zijn. Dat is het principe.'

'Je bent dronken, Harrison.' Victoria leidt de nieuwsredacteur naar een tafeltje. 'Kom, ik haal een cola voor je. Laat de jongelui met rust.'

Chet zwaait met zijn keu naar het onderbroken spel. 'Wil je verder spelen?'

'Nee, ik ben er te slecht in. Zullen we even een frisse neus gaan halen? Ik stik bijna in die rook.'

Ze staan ongemakkelijk op de stoeprand. De laatste zakenlieden verlaten de Loop en gaan naar huis via de omweg waartoe de overstroming hun gedwongen heeft. Chet frunnikt aan zijn vogelschedelring, opeens verlegen.

'Nou ja, je leert ze dus herkennen. De gekken. Wat je ook doet, vermijd oogcontact en als je de fout maakt een gesprek aan te gaan, moet je ze zo snel mogelijk bij iemand anders lozen.'

'Dat zal ik onthouden,' zegt Kirby.

'Rook je?' vraagt Chet hoopvol.

'Nee, daarom moest ik naar buiten. Ik kan het niet meer. Mijn buik doet te veel pijn als ik hoest.'

'O. Ja, dat heb ik gelezen. Ik bedoel dat ik over je zaak heb gelezen.'

'Dat dacht ik al.'

'Ik werk nou eenmaal op documentatie.'

'Ja.' Ze vraagt het zo nonchalant mogelijk en probeert de hoop er niet doorheen te laten schemeren. 'Nog iets ontdekt wat ik nog niet wist?'

'Nee, ik geloof het niet.' Hij lacht nerveus. 'Ik bedoel, je was erbij.'

Ze hoort het vleugje eerbied in zijn stem en voelt de vertrouwde wanhoop.

'Ja, natuurlijk,' zegt ze opgewekt. Ze weet dat ze niet meewerkt, maar het maakt haar nijdig dat hij onder de indruk is van wat er met haar is gebeurd. Zo geweldig is het niet, wil ze zeggen. Er worden godverdomme aan de lopende band meisjes vermoord.

'Maar ik zat te denken,' zegt hij in een machteloze poging de kloof te overbruggen. Te laat, denkt Kirby.

'Ja?'

Hij gaat halsoverkop verder. 'Er is een graphic novel die je zou moeten lezen. Hij gaat over een meisje dat iets vreselijks meemaakt, en in haar hoofd creëert ze een hele magische droomwereld, en er is een dakloze man die haar als een superheld beschermt, en dieren als geesten. Het is geweldig. Echt geweldig.'

'Klinkt... goed.' Ze had gedacht dat het hem minder zou doen. Maar dat is haar probleem, niet dat van hem. Ze had het van een kilometer afstand aan moeten zien komen.

'Ik dacht dat je het wel interessant zou vinden.' Hij ziet er mismoedig uit. 'Of nuttig. Het klinkt echt dom nu ik het zo zeg.'

'Misschien kun je het me lenen als je er klaar mee bent,' zegt ze op een manier die duidelijk maakt: *alsjeblieft niet. Vergeet het alsjeblieft en breng het nooit meer ter sprake want mijn leven is godverdomme geen stripboek.* Ze verandert van onderwerp om hen te redden van het zuigende gat van gêne dat zich tussen hen opent. 'En, Victoria en Matt?'

'O god!' Hij klaart op. 'Aan en uit, al jaren. Slechtst bewaarde geheim aller tijden.'

Kirby probeert enthousiasme op te brengen voor kantoorroddels, maar het kan haar eerlijk gezegd geen reet schelen. Ze zou hem naar zijn liefdesleven kunnen vragen, maar dat zou alleen maar leiden tot vragen over dat van haar. De laatste jongen was iemand geweest met wie ze het vak wetenschapsfilosofie had gevolgd, scherp en slim en op een interessante manier knap. Maar in bed bleek hij onverdraaglijk teder te zijn. Hij kuste haar littekens alsof hij ze met behulp van zijn tong weg kon toveren. 'Hé, ik ben hier,' had ze moeten zeggen nadat ze had moeten verduren dat hij haar hele buik had gezoend en langzaam over elke centimeter littekenweefsel was gegaan. 'Of een beetje verder naar beneden. Jij mag het zeggen, schatje.' Het sprak voor zich dat het niet lang duurde.

'Het is leuk zoals ze doen alsof,' weet ze nu uit te brengen, waardoor er alleen maar weer een ongemakkelijke stilte valt.

'O.' Chet steekt zijn hand in de zak van zijn spijkerbroek. 'Is dit van jou?' Hij overhandigt een advertentie die uit de krant van zaterdag is geknipt.

Gezocht: info over moorden op vrouwen in Chicago en omstreken 1970-1992 waarbij op lichaam opvallend voorwerp is achtergelaten.

Alle reacties vertrouwelijk behandeld.

Post naar KM, postbus 786, Wicker Park, 60622

Ze heeft hem natuurlijk in de *Sun-Times* geplaatst, maar ook in alle andere kranten en de plaatselijke sufferdjes. Daarnaast heeft ze flyers op mededelingenborden in supermarkten, vrouwencentra en headshops van Evanston tot Skokie gehangen.

'Ja, dat was Dans idee.'

'Cool,' zegt hij.

'Wat?' Kirby ergert zich.

'Als je maar voorzichtig bent.'

'Ja, goed, oké. Ik moet gaan.'

'Ja, ik ook,' zegt Chet. Het is duidelijk voor hen allebei een opluchting. 'Moeten we nog afscheid van ze nemen?'

'Ze redden zich wel. Welke kant ga jij op?'

'Rode lijn.'

'Ik moet de andere kant op.' Dat is niet waar. Maar ze moet er niet aan denken te proberen het gesprek op weg naar het station op gang te houden. Ze zou nu toch wel afgeleerd moeten hebben om te proberen een band met iemand te kweken.

Harper 4 januari 1932

'Heb je gehoord wat er met het Gloeimeisje is gebeurd?' vraagt het varkensverpleegstertje. Deze keer heeft ze hem haar voornaam verteld, alsof het een geschenk met een strik eromheen was. Etta Kappel. Een beetje geld in je zak verandert de hele zaak. Je wordt bijvoorbeeld meegetroond langs zalen die voller zitten gepakt dan vee voor een slachthuis, naar een eigen kamer met een linoleum vloer en een dressoir met een spiegel en uitzicht op de binnenplaats. Dit is iets wat rijke mensen weten: met geld gaan alle deuren open. Voor vijf dollar per nacht word je behandeld als een keizer in het paleis van de zieken.

'Mmmmnghff,' zegt Harper, en hij gebaart ongeduldig naar de morfine in het glazen flesje op het schoteltje naast het bed, dat vijfenveertig graden naar boven is gezet zodat hij rechtop kan zitten.

'Midden in de nacht vermoord,' zegt ze opgewonden en theatraal fluisterend, en ze duwt de rubberen slang zijn keel in, tussen de draden door waarmee zijn tanden bij elkaar worden gehouden en die rechtstreeks in zijn kaak zijn geschroefd, zodat hij zich onmogelijk zal kunnen scheren.

'Nggghkk.'

'O, niet zeuren. Je hebt geluk dat hij alleen ontwricht is. Maar toch. Die danseres heeft het over zichzelf afgeroepen. Kleine sloerie.' Ze tikt met haar nagel tegen het flesje om eventuele belletjes te verdrijven, snijdt het glazen uitsteeksel er met een scalpel af en trekt de vloeistof omhoog in de spuit.

'Ben jij ooit naar een dergelijke voorstelling geweest?' vraagt ze achteloos.

Harper schudt zijn hoofd. De verandering van haar toon interesseert hem. Hij kent haar soort. Hoog te paard, zodat ze alles beter kunnen zien. Hij zakt terug in het bed als het medicijn begint te werken.

Het had twee dagen gekost om hier terug te komen. Hij had zich verstopt in schuren, aan ijspegels gezogen, smerig van het roet van de scheepswerven, tot hij erin geslaagd was op een trein van Seneca naar Chicago te springen, tussen de zwervers en landlopers die in elk geval niets zouden zeggen over zijn paarse, uitpuilende gezicht.

De bedrading rond zijn tanden zal hem beperken in zijn vermogen de meisjes te vinden. Hij moet kunnen praten. Hij zal zich gedeisd moeten houden. Hij zal de manier waarop hij de zaken aanpakt opnieuw moeten beoordelen.

Hij laat zich niet meer te grazen nemen. Hij zal een manier moeten bedenken om ze te beteugelen.

De pijn is in elk geval bijna weg, verdronken in morfine. Maar die verdomde verpleegster is nog steeds druk bezig bij zijn bed, voorzover hij kan inschatten om geen enkele reden. Hij snapt niet waarom ze blijft rondhangen. Hij wou dat ze wegging. Vermoeid gebaart hij naar haar. 'Wt?'

'Ik zorg ervoor dat je goed ligt. Roep me maar als je nog iets nodig hebt, goed? Vraag maar naar Etta.' Ze knijpt onder het laken in zijn dij en stevent de kamer uit.

Knor, knor, denkt hij als de verdovende middelen hem meesleuren en in zijn geheel doorslikken.

Ze houden hem drie dagen voor observatie in het ziekenhuis. Observatie van zijn portemonnee, vermoedt hij. In bed liggen bezorgt hem jeuk van ongeduld, dus zodra hij terugkomt in het Huis gaat hij weer weg, ondanks zijn dichtgebonden kaak. Hij laat zich nooit meer overrompelen.

Hij gaat terug om over de moord te lezen, waar uitgebreid over geschreven wordt, tot duidelijk wordt dat het gewoon een moord was, en geen oorlogsdaad. De enige krant die daadwerkelijk een overlijdensbericht plaatst, is de *Defender*, die ook de gegevens over haar begrafenis publiceert. Die vindt niet plaats op de begraafplaats waar hij haar heeft vermoord, die is alleen voor blanke lui, maar op Burr Oak in Chicago. Hij kan de verleiding niet weerstaan erheen te gaan. Hij houdt zich afzijdig, de enige blanke man. Als iemand hem vraagt waarom hij er is, wat niet te vermijden was, mompelt hij om de bedrading heen: 'Kn aar', en de dwazen vullen de rest snel aan.

'Werkte u met haar? Komt u haar de laatste eer bewijzen? Helemaal uit Seneca?' Ze lijken onder de indruk.

'Ik wou dat er meer mensen als u waren, meneer,' zegt een vrouw met een hoed op en ze duwen hem zachtjes naar voren, tot hij neerkijkt op de kist die twee meter lager in het gat ligt en bedekt is met lelies.

De kinderen zijn gemakkelijk te herkennen: de tweeling van drie speelt een spelletje tussen de grafstenen en ze begrijpen het allemaal niet echt, tot een familielid ze een draai om de oren geeft en ze huilend mee terug sleurt naar het graf. Daarnaast zijn er nog een meisje van twaalf dat hem kwaad aankijkt, alsof ze het wéét, en haar kleine broertje, die haar hand vasthoudt, te geschokt om te huilen, hoewel hij steeds diep en bevend inademt.

Harper gooit zijn handvol aarde op de kist. *Ik heb je dit aangedaan,* denkt hij, en door de draden om zijn tanden ziet het eruit alsof hij ook niets aan die vreselijke grijns kan doen.

Het genot haar in de grond te zien liggen en niemand die iets vermoedt houdt hem op de been. Het opnieuw beleven maakt de pijn in zijn kaak bijna goed. Maar uiteindelijk wordt hij rusteloos. Hij kan niet te lang in het Huis blijven. De voorwerpen beginnen weer te zoemen en drijven hem naar buiten. Hij moet een nieuwe vinden. En *het vinden* kan toch zeker wel gebeuren zonder zijn charme aan te wenden?

Hij gaat voorbij de oorlog, die vermoeiend is, met de rantsoenen en de angst op de gezichten van mensen, naar 1950. Hij houdt zich voor dat hij alleen maar rondkijkt, maar hij wéét dat een van zijn meisjes hier is. Dat weet hij altijd.

Het is dezelfde kramp in zijn maag die hem naar het Huis heeft gebracht. Dat scherpe gevoel als hij een plek bereikt waar hij hoort te zijn – en een van de talismannen uit de Kamer herkent. Het is een spel. Om ze in verschillende plekken en tijden te vinden. Ze spelen mee, in afwachting van het lot dat hij voor ze uitschrijft.

Zoals zij. Ze zit op het terras van een café in Old Town met een schetsboek, een glas wijn en een sigaret. Ze draagt een strakke trui met een speels patroon van steigerende paarden. Ze glimlacht flauw bij zichzelf terwijl ze aan het tekenen is, haar zwarte haar dat naar voren valt, vluchtige indrukken van gezichten, andere klanten of mensen die voorbijlopen. Karikaturen die ze in een paar seconden schetst, maar ze zijn knap, ziet hij als hij vlug even over haar schouder kijkt.

Hij grijpt zijn kans als ze haar wenkbrauwen fronst en de schets uitscheurt, verfrommelt en laat vallen, dicht genoeg bij het trottoir om te kunnen doen alsof hij het in het voorbijgaan ziet gebeuren. Hij bukt om hem te pakken en vouwt de prop open.

'O, niet doen,' zegt ze half lachend en opgelaten, alsof ze betrapt is met haar rok die in haar panty is blijven hangen, maar ze doet er geschrokken het zwijgen toe als ze het metaal rond zijn gezicht ziet.

Het is een rake tekening, grappig. Ze heeft de ijdele hoogmoed van de mooie vrouw met de brokaten mantel die zich naar de overkant van de straat rept goed weergegeven, met een v'tje voor de scherpe kin en bijbehorende puntige borstjes en een hondje dat net zo hoekig is. Harper legt de schets op het tafeltje voor haar. Er zit een veegje inkt op haar neus waar ze die afwezig heeft gewreven.

'Hbt dt ltn vlln.'

'Ja, bedankt,' zegt ze, en ze komt half overeind. 'Wacht, mag ik u tekenen? Alstublieft?'

Harper schudt zijn hoofd en loopt al weg. Hij heeft de zwart met zilveren art-decoaansteker op haar tafeltje zien liggen, en weet niet zeker of hij zich kan beheersen. *Willie Rose.*

Het is nog geen tijd.

Dan 9 mei 1992

Hij is al aan haar gewend. En dan gaat het niet alleen over de handige toegang tot de irritante feitjes die hij anders zelf zou moeten opzoeken terwijl hij onderweg is, of de mogelijkheid telefoontjes voor een korte reactie uit te besteden. Het gaat erover haar om zich heen te hebben.

Hij neemt haar op zondag mee uit lunchen in de Billy Goat, zodat ze 'aan het sfeertje' kan wennen voordat hij haar bij een echte wedstrijd meeneemt naar de perstribune. Er zijn grote tv-schermen en sportmemorabilia, stoeltjes van groen en oranje kunststof en oude stamgasten, onder wie journalisten. De drank is redelijk geprijsd en het eten is goed, ook al begint het een beetje toeristisch te worden, sinds die sketch in *Saturday Night Live* met John Belushi over een *cheezborger*, die ze gezien blijkt te hebben.

'Ja, maar het was allang berucht,' zegt hij. 'Dit maakte deel uit van de geschiedenis van de Cubs. In 1945 probeerde de eigenaar van deze tent een echte geit mee te nemen naar de wedstrijd op Wrigley Field. Hij kocht een kaartje voor de geit en alles, maar hij werd eruit geknikkerd omdat meneer Wrigley het beest vond stinken. Hij was zo kwaad dat hij plechtig beloofde dat de Cubs nooit de World Series zouden winnen. En dat is ook nooit gelukt.'

'Dus het is niet alleen omdat ze ruk zijn?'

'Dat is precies wat je op de perstribune niet kunt zeggen.'

'Ik voel me net de Eliza Doolittle van honkbal.'

'Wie?'

'*My Fair Lady?* Je geeft me een make-over zodat ik toonbaar ben.'

'Dan heb ik nog heel wat werk te doen.'

'Je kunt zelf ook nog wel wat tact gebruiken.'

'O, echt?'

'Dat hele ik-ben-sjofel-maar-net-niet-knap werkt op zich wel, maar je hebt betere kleren nodig.'

'Wacht, even voor de duidelijkheid. Flirt je nou met me of beledig je me? En dat moet jij nodig zeggen, meid. Je hele garderobe bestaat uit T-shirts van bandjes waar niemand ooit van gehoord heeft.'

'*Jij* hebt er nog nooit van gehoord. Ik zou je een keer moeten bijscholen. Je meenemen naar een optreden.'

'Dat zit er niet in.'

'O, en over school gesproken, denk je dat je deze essays voor me kunt doorlezen voordat de wedstrijd begint en ik op moet letten?'

'Wil je dat ik je huiswerk voor je doe? Hier?'

'Ik heb het al gedaan. Ik wil alleen maar dat je voor bureauredacteur speelt. Probeer jij anders maar eens stage te lopen en te studeren én een seriemoordenaar op te sporen.'

'Hoe gaat het daarmee?'

'Het schiet niet op. Nog geen reacties op de advertentie. Maar ik heb wel een afspraak met de advocaat van de verdachten in de zaak over Madrigal.'

'Je zou met de officier van justitie gaan praten.'

'Die hing op. Volgens mij denkt hij dat ik de zaak wil laten heropenen.'

'Dat wil je ook. Om de een of andere halfgare theorie.'

'Laat hem nog even sudderen. Goed, kun je deze essays lezen terwijl ik wat te drinken haal?'

'Je buit me uit,' mompelt hij halfslachtig, maar hij pakt toch zijn bril.

De essays gaan alle kanten op: van de vraag of er zoiets bestaat als vrije wil (kennelijk niet, wat toch een teleurstelling voor hem is) tot de geschiedenis van erotica in de populaire cultuur. Kirby laat zich weer op haar stoel vallen met een cola light voor hem en een biertje voor haar, en ziet dat hij zijn wenkbrauwen optrekt over de inhoud.

'Het was dat of "propagandafilms van de twintigste eeuw", en ik heb *Bugs Bunny vs. the Nazis* al gezien, wat een meesterwerk uit die tijd is.'

'Je hoeft je keuzes niet te verdedigen, maar het is duidelijk dat wie dit vak ook geeft alleen maar probeert zijn leerlingen het bed in te krijgen.'

'Nou, het is een vrouw en nee, ze is geen lesbienne. Alhoewel, nu ik eraan terugdenk, ze had het er een keer over dat ze als bijbaantje de catering voor orgies verzorgt.'

Hij haat het dat ze hem zo makkelijk kan laten blozen.

'Oké, hou je mond maar. We moeten het over je enthousiaste gebruik van komma's hebben. Je kunt hem niet zomaar overal in steken.'

'Dat zei mijn professor genderstudies ook al.'

'Dat negeer ik. Je moet je de geheimen van de interpunctie eigen maken. En zorg dat je die formele schoolse stijl kwijtraakt. Al die onzin over dingen die in een context geplaatst moeten worden binnen de beperkingen van het postmoderne kader.'

'Weet je, dat schoolse krijg je vanzelf op een universiteit.'

'Absoluut, maar het gaat je nekken als je straks verhalen voor de krant moet schrijven. Hou het simpel. Zeg wat je bedoelt. Verder is het prima. Sommige ideeën zijn een beetje achterhaald, maar je krijgt vanzelf originele ideeën.' Hij kijkt haar over zijn bril aan. 'En ik zeg het toch maar: hoe leuk ik het ook vind om te lezen over seksfilms uit de jaren twintig tot aan blaxploitationporno, misschien kun je dit toch maar beter bespreken in een studiegroepje met andere studenten.'

'Ja, nee,' zegt ze smalend. 'Het is al erg genoeg om naar college te gaan.'

'Doe niet zo gek. Ik weet zeker dat je...'

Ze onderbreekt hem. 'Als je wilt gaan zeggen dat ik heus wel vrienden zou kunnen maken, als ik mijn best maar doe: laat maar zitten, oké? Het is net alsof je zo'n uitgewoonde ster bent die aan de drank en drugs is, maar dan zonder de limo's en gratis designerkleding. Elke dag staart iedereen me aan. Iedereen weet het. Iedereen heeft het erover.'

'Ik weet zeker dat dat niet waar is.'

'Ik kan iets geweldigs, en dat is wolken van stilte om me heen vormen. Het lijkt wel magie. Ik loop door een gesprek heen en dat valt helemaal stil. En het gaat weer verder zodra ik weg ben. Iets zachter.'

'Dat slijt wel. Ze zijn jong en weten niet beter. Je bent een buitenissigheid.'

'Ik ben grotesk. Er is een verschil. Ik had het niet moeten overleven. En als dat dan toch echt nodig was, had ik anders moeten zijn. Als de tragische jonkvrouwen die mijn kloterige moeder altijd schildert.'

'Je bent geen verlegen Ophelia, dat is duidelijk.' En als ze een wenkbrauw optrekt: 'Hé, ik heb ook gestudeerd, hoor. Maar ik verdeed mijn tijd niet door cola light te drinken met middelmatige sportjournalisten.'

'Ik verdoe mijn tijd niet. Het is een waardevol onderdeel van mijn stage, waar ik straks studiepunten voor krijg.'

'En je vergat eraan toe te voegen dat ik niet middelmatig ben.'

'Uhuh.'

'Goed,' zegt Dan vrolijk. 'Nu onze middag ellendig van start is gegaan: zullen we een potje honkbal gaan kijken?'

De bar is afgeladen en de fans dragen verschillende kleuren, 'net als gangs', fluistert Kirby tijdens het volkslied. 'Crips en Bloods.'

'Sst,' zegt hij.

Hij merkt dat hij het leuk vindt om haar het spelletje uit te leggen, niet alleen in algemene termen, maar de nuances.

'Bedankt. Mijn persoonlijke commentator.' Ze rolt met haar ogen.

De hele bar springt brullend overeind, de helft van verrukking, de andere van teleurstelling. Het bier dat iemand morst mist Kirby's schoenen maar net.

'En dat is een homerun.' Dan geeft haar een por in haar zij en wijst op het scherm. 'Geen *doelpunt*.'

Ze slaat speels op zijn arm, maar niet zachtzinnig, met haar knokkels voor zich uit, en zonder er al te lang bij stil te staan slaat hij haar ongeveer net zo hard terug. Met gelijke munt betalen, hebben zijn zussen hem geleerd. Die konden flink uithalen. En prikkeldraad maken. Hem op de grond worstelen en aan zijn haar trekken. Liefdevol geweld. Voor als een omhelzing niet genoeg is. Als dat geen tekst voor op een zoetsappige kaart is.

'Au, eikel!' Ze zet grote ogen op. 'Dat deed pijn.'

'O shit, sorry Kirby,' zegt hij paniekerig. 'Dat was niet de bedoeling. Ik dacht niet na.' Jezus, lekker dan, Velasquez, het meisje slaan dat de gruwelijkste aanval die hij ooit heeft meegemaakt heeft overleefd. Straks gaat hij nog oude vrouwtjes in elkaar slaan en puppy's een schop verkopen.

'Het zal wel. Ik ben niet van suiker hoor.' Ze snuift, maar ze staart aandachtig naar het scherm dat boven de bar hangt – naar de MilkBoy-reclame die tijdens de wedstrijd al twee keer langs is gekomen. Hij beseft dat ze niet van streek is over het speelse gevecht, maar over zijn reactie.

En het is zo makkelijk. Hij steekt zijn hand uit en tikt met zijn knokkels twee keer op haar knie. 'Dus je bent een taaie, hè?'

Ze werpt hem van opzij een glimlach toe, een en al schalksheid. 'Je zou je kunstgebit erop stukbijten.'

'Zo, wat een slappe grappen zeg,' zegt hij grijnzend.

'Niet zo slap als die klap van je,' antwoordt ze.

'*Net-niet* knap?' Hij schudt zijn hoofd.

Willie 15 oktober 1954

De eerste kernreactor bereikte in 1942 zijn kritisch vermogen onder het overwoekerde voetbalstadion van de Universiteit Chicago. Het was een wonder der wetenschap! Maar het duurde niet lang voordat het verdraaid werd tot een wonder der propaganda.

Angst ettert in de verbeelding. Daar kan angst ook niets aan doen. Zo zit hij nu eenmaal in elkaar. Nachtmerries planten zich voort. Bondgenoten worden vijanden. Overal bevinden zich gezagsondermijnende elementen. Paranoia rechtvaardigt elke vervolging, en privacy is een luxe als de communisten de bom hebben.

Willie Rose maakt de fout te denken dat het iets uit Hollywood is. Walt Disney die voor de filmvereniging ter verdediging van de Amerikaanse idealen verklaart dat communistische striptekenaars van Mickey Mouse een marxistische rat willen maken! Belachelijk. Natuurlijk heeft ze over de verwoeste carrières gehoord en over mensen die op een zwarte lijst terechtkwamen omdat ze geen trouw hadden gezworen aan de Verenigde Staten van Amerika en alles waar die voor staan. Maar ze is geen Arthur Miller. En trouwens ook geen Ethel Rosenberg.

Dus het is een schok als ze woensdag aankomt op haar werk bij Crake & Mendelson, op de derde verdieping van het Fishergebouw, en de twee stripboekjes als een beschuldiging op haar tekentafel ziet liggen.

Vechten tegen Amerikanen. Niet lachen, ze zijn niet grappig! POISON IVAN en HOTSKY TROTSKI. Een superheld gehuld in de Amerikaanse vlag met een goudkleurige jongen als sidekick staan op het punt de strijd aan te gaan met de rare roze mutanten die uit de tunnel onder hen komen kruipen. Op de omslag van het andere boekje worstelt een knappe geheim agent met een dame in een rode jurk die met een pistool zwaait, terwijl een Russische soldaat met een dikke baard doodbloedt op het tapijt. Boven de open haard hangt een sneeuwlandschap met een gestreepte rode hemel en door het raam zijn de opvallende silhouetten van minaretten zichtbaar. *De geheime missies van admiraal Zacharias: Gevaar! Intrige! Mysterie! Actie!* De vrouw heeft wel iets van haar, hetzelfde gitzwarte haar. Niet erg subtiel. Lachwekkend. Hoewel het dat niet is.

Ze gaat op haar draaistoel met het losse wieltje zitten dat vervaarlijk opzij leunt, en bladert met ernstige blik door de boekjes. Ze draait zich half om en fluit naar de reus met het weelderige haar in het blauwe overhemd met de witte kraag die bij de waterkoeler naar haar staat te kijken. Een lummel van twee meter. Dezelfde vent die tegen haar gezegd heeft dat ze alleen maar een vrouwelijke architect in dienst hadden genomen zodat die ook de telefoon kon opnemen. Aantal keer dat ze de telefoon heeft opgenomen sinds ze hier acht maanden geleden is begonnen: nul komma nul.

'Hé Stewie, die grappige boekjes van je zijn niet grappig.' Ze laat ze dramatisch met twee handen in de prullenmand bij haar voeten vallen, alsof ze een ton wegen. De spanning waarvan ze niet eens wist dat die er was wordt doorbroken, en een paar jongens gniffelen. Die goeie ouwe Willie. George doet alsof hij Steve twee klappen tegen zijn kaak verkoopt. Knock-out. De lummel steekt zijn handen in de lucht alsof hij verslagen is en iedereen gaat weer min of meer aan het werk.

Verbeeldt ze het zich of ligt niet alles op zijn plek op haar bureau? Haar .25 fijnschrijver ligt rechts van haar tekenhaak en de rekenliniaal, maar ze laat ze meestal aan de andere kant liggen omdat ze linkshandig is.

Godsamme, ze is niet eens een socialist, laat staan lid van de Communistische Partij. Maar ze is artistiek, en dat is tegenwoordig al erg genoeg. Want kunstenaars gaan met allerlei mensen om. Zoals negers en linkse radicalen en mensen met meningen.

Dat ze William Burroughs onbegrijpelijk vindt, net als de heisa over de *Chicago Review* die het gewaagd heeft zijn overdreven pornografie te publiceren, doet er niet toe. Ze is nooit echt een lezer geweest. Maar ze heeft vrienden in de kunstenaarskolonie op 57th Street – schrijvers, schilders en beeldhouwers. Ze heeft haar schetsen verkocht op de kunstmarkt. Vrouwelijke naakten. Vriendinnen die voor haar poseren. Met sommigen is ze intiemer dan de anderen. Dat maakt haar verdomme nog geen rooie. Ook al zijn er dingen waarvan ze liever niet wil dat ze aan het licht komen. Wat de meeste mensen betreft is het toch allemaal hetzelfde. Socialistenvrienden. Subversieve elementen. Homo's.

Om te voorkomen dat haar handen gaan beven, rommelt ze wat aan de kartonnen maquette voor de nieuwe bungalows in Wood Hill waar ze mee bezig is. Ze heeft al vijftig schetsen gemaakt, maar ze ziet ze makkelijker voor zich in drie dimensies. Gebaseerd op de vijf meest veelbelovende ideeën heeft ze er al vijf gemaakt, variaties op de oorspronkelijke schets die George haar heeft gegeven. Het valt niet mee om een originele gedachte te hebben als je specifiek aan het werk bent gezet door de directeur van het bedrijf. Je kunt het wiel niet opnieuw uitvinden. Je kunt er wel je eigen draai aan geven.

Het zijn woningen voor de arbeidersklasse, onderdeel van een kleingeestig project dat overduidelijk gebaseerd is op Park Forest en zijn zelfvoorzienende centrum met een bank en een winkelcentrum. Hij laat alles door haar ontwerpen, tot aan de kastjes en verlichting toe. Ze zal niet de presentatie houden, maar hij zegt dat ze verder toezicht kan houden op de daadwerkelijke bouw. Dat is alleen maar omdat de rest van het kantoor bezeten is van kantoorgebouwen voor het overheidsproject waarnaar ze meedingen en waar iedereen heel geheimzinnig over doet.

Wood Hill is niet haar persoonlijke smaak. Ze zou haar appartement in Old Town nooit opgeven, de drukte en levendigheid van de stad, of het gemak waarmee ze een mooi meisje mee naar boven kan smokkelen, maar het schenkt haar voldoening om deze utopische modelwoningen te ontwerpen. In een ideale wereld zou ze willen dat ze iets meer modulair waren, in de stijl van de Kecks, zodat je een beetje kon variëren en ze anders kon maken,

met een ritme tussen de ruimtes binnen en buiten. Ze heeft onlangs boeken over Marokko bekeken, en ze denkt dat een afgesloten centrale binnenplaats met de barre winters in Chicago heel
goed zou kunnen werken.

Ze kon het niet laten en heeft al een schets in waterverf gemaakt
van haar favoriete ontwerpen. Er woont een gelukkig gezin in,
papa en mama (en het is haar schuld dat die man er een beetje
artistiekerig uitziet, met hoge jukbeenderen) met twee kinderen
en een hond en op de oprit een Cadillac. Het ziet er gezellig en
ongecompliceerd uit.

Toen ze hier begon, vond ze het maar niets dat ze wijzigingen
moest aanbrengen aan die kant-en-klare huizen. Maar Willie is
een vrouw die in het reine is gekomen met haar ambities. Ze heeft
geprobeerd in de club van Frank Lloyd Wright te komen en werd
afgewezen. (Het gerucht ging dat hij blut was en nooit meer een
gebouw zou afronden, dus pech voor hem.) En ze zou nooit een
Mies van der Rohe worden. Wat waarschijnlijk maar beter was,
want Chicago heeft al een overvloed aan aspirant-Van der Rohes.
Zoals de Drie Blinde Miezen. Die beschrijving was niet van haar.
Die Wright was een grappige, bittere oude man.

Ze had graag openbare gebouwen willen ontwerpen. Een museum of een ziekenhuis, maar ze moest al vechten voor deze baan
zoals ze gevochten had voor een plek aan het MIT. Crake & Mendelson was de enige firma die haar voor een tweede gesprek vroeg,
en ze haalde alles uit de kast. Ze had haar strakste kokerrok gedragen, zich gewapend met haar brutaalste humor en een portfolio
waarmee ze aantoonde dat ze meer voorstelde, ook al namen ze
haar aan om die andere redenen. Je grijpt de voordelen die de na-
tuur en kunstgrepen je verschaffen.

Dit laatste gedoe is haar eigen schuld. Ze had te hoog opgegeven over hoe nieuwbouwprojecten in de buitenwijken de levens
van arbeidersgezinnen zouden veranderen. Ze vindt het fijn dat
ze gemeenschappen bouwen rondom de plekken waar mensen
werken, dat blauwe boorden de dromen van witte boorden kunnen hebben en uit de stad kunnen verhuizen waar tien gezinnen

in een appartement voor één gezin zitten gepropt. Ze ziet nu in dat het misschien over kan komen alsof ze pro arbeiders en pro vakbond is. Pro communisten. Ze had haar grote mond erover moeten houden.

Angst vergiftigt haar, net als te veel koffie. Het is de manier waarop Stewart haar voortdurend een gekwetste blik toewerpt. Ze beseft dat ze een vreselijke vergissing heeft begaan. Hij zal de eerste zijn die haar tegen de muur zet. Want dat doen mensen nu. Buren die tussen gordijnen door gluren, leraren die kinderen in hun klas verraden, collega's die verklaringen afleggen over subversieve elementen achter het bureau naast hen.

Het komt omdat ze hem vernederd heeft toen ze de eerste week iets gingen drinken en hij een beetje aangeschoten raakte en achter haar aan kwam naar het damestoilet. Hij probeerde haar te kussen met die dunne droge lippen en had haar tegen de wastafel met de vergulde kranen en zwarte tegels gedrukt terwijl hij haar rok omhoog probeerde te schuiven en tegelijkertijd in zijn broek graaide. De sierlijke art-nouveauspiegels hadden hun onhandige geklungel eindeloos weerspiegeld. Ze probeerde hem van zich af te duwen en toen hij geen duimbreed was geweken had ze in haar tas gegraaid die op de wastafel stond omdat ze haar lippenstift had bijgewerkt toen hij binnen was gekomen, en greep haar zwart met zilveren art-decoaansteker – het cadeau dat ze voor zichzelf had gekocht toen ze de baan had gekregen.

Stewart schreeuwde het uit en deinsde naar achteren. Hij zoog aan de blaar die al opkwam op het knobbelige bot aan de zijkant van zijn pols. Ze vertelde het niet aan de andere jongens. Ze had dan wel een vlotte babbel, soms wist ze wanneer ze haar mond moest houden. Iemand moet hem naar buiten hebben zien komen, brandend van verontwaardiging, want het verhaal deed al snel de ronde. Sindsdien moest hij niets van haar hebben.

Ze werkt door tijdens de lunch, zodat ze hem op weg naar buiten niet tegen hoeft te komen, hoewel haar maag gromt als een tijger. Pas als Stewart naar een bespreking met Martin gaat, grijpt ze haar tas en loopt naar de deur.

'Je gaat nu toch niet lunchen?' zegt George met een minzame blik op zijn horloge.

'Ik ben zo snel dat ik weer achter mijn bureau zit voordat je me weg ziet gaan,' zegt ze.

'Net als Flash Gordon?' zegt hij. En daar heb je het. Zo goed als een bekentenis.

'Ja, precies,' zegt ze, hoewel ze dat stomme stripverhaal nooit gelezen heeft. Ze geeft hem een dikke, ondeugende knipoog en loopt opzichtig de deur uit, over de glinsterende mozaïektegels die eruitzien als visschubben, naar de lift met de barokke gouden deuren.

'Hoe gaat het, miss Rose?' zegt de portier bij de receptie als ze eruit komt, en zijn ronde kale hoofd glimt en glanst net zo als de armaturen.

'Prima, Lawrence,' antwoordt ze. 'En met jou?'

'Ik heb de griep, mevrouw. Ik ga straks misschien even naar de drogist. U ziet bleek. Ik hoop niet dat u hem ook te pakken heeft, het is een erge.'

Als ze eenmaal uit het Fisher-gebouw is, leunt ze tegen de boog van de deuropening en ze voelt de sierlijk gebeeldhouwde draak-vis tegen haar rug drukken. Haar hart bonkt in haar borst alsof het zich een weg naar buiten wil slaan.

Ze wil naar huis en wegkruipen in haar onopgemaakte bed. (De lakens ruiken nog naar Sasha's kut van woensdagavond.) Haar poezen zouden dolblij zijn dat ze 's middags thuis was. En ze heeft nog steeds een halve fles merlot in de koelkast. Maar hoe zou dat eruitzien, er midden op de dag tussenuit knijpen? Vooral voor *George*.

Doe in godsnaam normaal, denkt ze. Beheers je. Mensen staren haar al aan en, erger nog, ze kijken vriendelijk. Ze loopt weg voor-dat het bemoeizuchtige oude vrouwtje met rimpels langs haar hals naar haar toe kan komen om te vragen of het wel gaat. Doel-bewust loopt ze de straat op en gaat op weg naar een bar een paar straten verderop, waar de kans klein is dat ze een collega tegen het lijf loopt.

Het is een kroeg in een kelder, waar je door de raampjes alleen schoenen voorbij ziet komen. De barman kijkt verrast als hij haar binnen ziet komen. Hij is net aan het werk en haalt de gehavende stoelen van de even gehavende tafeltjes. 'We zijn nog niet open...'

'Whisky sour. Geen ijs.'

'Het spijt me, miss...'

Ze legt een briefje van twintig op de bar. Hij haalt zijn schouders op, draait zich om naar het groepje flessen en begint haar drankje te mixen, omslachtiger dan nodig is, denkt Willie. 'Kom je uit Chicago?' vraagt hij met tegenzin.

Ze tikt met het briefje op de bar. 'Ik kom uit de stad waar nog meer geld vandaan komt als je je mond houdt en mijn drankje maakt.' In de dunne reep van een spiegel achter de bar ziet ze de weerspiegeling van benen die voorbijkomen. Zwarte gaatjesschoenen. Lichtbruine bandschoentjes. Een meisje met enkelsokjes en veterschoenen. Er schuifelt een man op krukken voorbij. Het brengt een herinnering boven maar als ze zich omdraait is hij alweer weg. En wat dan nog? Ze krijgt in elk geval een drankje geserveerd.

Willie slaat het achterover en bestelt er nog een. Bij de derde is ze klaar om terug te gaan. Ze schuift het briefje van twintig over de toog.

'Hé, en die andere dan?'

'Leuk geprobeerd, jongen,' zegt ze, en ze zwemt in een aangename zweverigheid terug naar kantoor. Als ze de ingang van het gebouw bereikt, gaat de lichthoofdigheid over in misselijkheid. Het is een drukkend gevoel, alsof er pal boven haar een onweersbui aanzwelt. Ze voelt de luchtdruk bij elke stap stijgen, en het kost haar al haar wilskracht een vrolijk gezicht te trekken als ze de deur van het kantoor opent.

God, hoe had ze zich zo kunnen vergissen over wie haar vijanden waren. Stewart kijkt haar bezorgd aan, niet met minachting. Misschien weet hij wel dat hij die avond te ver was gegaan. Ze beseft dat hij sindsdien altijd een gentleman is geweest. Martin is geïrriteerd dat ze er niet was toen hij haar zocht. En George...

George grijnst en trekt zijn wenkbrauwen op. Alsof hij wil zeggen: *waar was je al die tijd?* En ook: *ik hou je in de gaten.*

De tekeningen op het velijnpapier zijn wazig. Bozig dept ze de muren van de keuken met haar radeerpoeder. Er klopt niets van en ze moeten worden aangepast.

'Gaat het?' vraagt George en hij legt iets te vrijpostig een hand op haar schouder. 'Je lijkt een beetje van slag. Misschien moet je naar huis gaan.'

'Ik voel me pico bello, dank je.' Ze kan niet eens een gevat antwoord bedenken. Snoezige, harige, onschuldige George. Ze denkt aan de avond waarop ze allebei waren achtergebleven om aan het project van Hart te werken en hij de fles whisky tevoorschijn had gehaald die Martin op zijn kamer had staan, en ze tot twee uur 's ochtends hadden zitten praten. Wat had ze gezegd? Ze pijnigt haar hersens om het zich te herinneren. Ze had over kunst en haar jeugd in Wisconsin gepraat en waarom ze architect had willen worden, haar favoriete gebouwen, de gebouwen die zij had willen ontwerpen. De hoge torens van Adler en Sullivan en gebeeldhouwde details. Waardoor ze op Pullman was gekomen en hoe de arbeiders die in zijn huizen woonden gedwongen waren zich aan allerlei betuttelende regeltjes te houden. En hij had amper een woord gezegd, haar maar laten wauwelen. Laat haar de verdenkingen maar op zich laden.

Ze voelt zich verlamd. Ze zou kunnen wachten tot het voorbij was. Aan haar bureau blijven zitten tot iedereen naar huis was gegaan en dan proberen alles op een rijtje te krijgen. Ze zou terug kunnen gaan naar de bar. Of rechtstreeks naar huis om alles wat afwijkend of gezagsondermijnend was te vernietigen.

De klok slaat vijf en haar collega's vertrekken één voor één. Stewart is een van de eersten. George een van de laatsten. Hij blijft rondhangen, alsof hij haar opwacht.

'Ga je mee of moet ik de sleutels voor je achterlaten?' Zijn tanden zijn te groot voor zijn mond, ziet ze nu pas. Grote platen van wit email.

'Ga maar. Ik blijf tot ik dit kreng af heb.'

Hij fronst zijn wenkbrauwen. 'Je werkt daar de hele dag al aan.'

Ze kan het niet meer uitstaan. 'Ik weet dat jij het was. Die strip-boekjes. Het is stom en het is niet eerlijk.' Tot haar grote woede schieten haar ogen vol. Ze houdt ze wijd open en weigert te knipperen.

'Die dingen gaan al dagen het kantoor rond. Waarom wind je je er zo over op?'

'O,' zegt ze. De omvang van haar vergissing beneemt haar de adem.

'Slecht geweten?' Hij knijpt in haar schouder en zwaait zijn koffertje over zijn arm. 'Maak je geen zorgen, Willie. Ik weet dat je geen rooie bent.'

'Dank je, George. Ik…'

'Hoogstens roze.' Hij lacht niet. Hij legt de sleutels op haar bureau. 'Ik wil dat er niets tussen de firma en het overheidsproject komt. Het kan me niet schelen wat je in je vrije tijd doet, als je maar geen rommel achterlaat. Oké?' Hij strekt zijn vingers als een pistool en wijst naar haar en glipt dan de deur uit.

Willie blijft verbijsterd achter. Je kunt je radicale tijdschriften begraven en je perverse schetsen verscheuren en je lakens verbranden, maar hoe wis je uit wie je bent?

Ze schrikt zich een ongeluk als er op de deur wordt geroffeld. Ze ziet het profiel van een man door het geribbelde glas waarop de naam van het bedrijf is aangebracht. Ze schaamt zich als haar eerste gedachte *FBI!* is. Dat is belachelijk. Het moet een van de jongens zijn die waarschijnlijk iets vergeten is. Ze kijkt het kantoor rond en ziet Abes jasje op de rug van zijn stoel hangen. Het is Abe maar. Waarschijnlijk zit zijn portemonnee erin, met zijn buspas. Ze pakt hem van de stoel. Ze kan zelf eigenlijk ook wel naar huis.

Ze doet de deur open en ziet dat het niet Abe is die daar staat, maar een vreselijk magere man die op een kruk leunt. Aan weerszijden van de draden die tussen zijn tanden zitten en in zijn kaak zijn geschroefd trekt hij zijn mondhoeken omhoog in iets wat een glimlach moet voorstellen. Vol walging deinst ze naar achteren en probeert de deur weer dicht te doen, maar hij steekt de rubberen voet van zijn kruk ertussen en ramt hem weer open. De deur slaat met een knal tegen haar voorhoofd en er schiet een barst in het glas. Ze valt met haar rug tegen de stalen rand van een van de zware Knoll-bureaus en glijdt op de vloer. Als ze Stewies bureau kan bereiken, kan ze de grote lamp naar hem toe gooien…

Maar ze kan niet overeind komen. Er is iets mis met haar benen. Ze jammert als hij naar binnen komt hinken, met een grimas rond de draden in zijn mond, en de deur zachtjes achter zich dichttrekt.

Dan 1 juni 1992

Dan en Kirby maken gebruik van de voorrechten voor journalisten: ze zitten in de dug-out en kijken uit over het veld, dat ongelooflijk groen afsteekt tegen het warme rood van de aarde en de frisse witte lijnen die eroverheen lopen en de klimop die omhoogkruipt langs de bakstenen. De vriendelijke omgeving is nog leeg, hoewel het feest op de daken rond het stadion al begonnen is.

De andere verslaggevers installeren zich al op de perstribune die hoog boven de grijze plastic stoeltjes van het stadion zweeft. De verkopers hebben hun rolluiken omhooggedraaid. De geur van hotdogs kringelt de lucht in. Het is een van Dans lievelingsmomenten, als de hele plek gevuld is met mogelijkheden. Hij zou nog gelukkiger zijn als hij zich niet een beetje ergerde aan Kirby.

'Ik ben meer dan je toegang tot de afdeling Documentatie van de *Sun-Times*. Je moet ook echt werk doen,' snauwt hij. 'Vooral als je die studiepunten wilt.'

'Ik was aan het werk!' Ze gloeit van verontwaardiging. Ze draagt een of ander onbegrijpelijk punkerig topje met een hoge coltrui die haar litteken aan het zicht onttrekt, als de soutane van een priester waarvan de mouwen zijn afgesneden. Wat niet echt past bij de sporttruien met een overhemd eronder op de perstribune. Hij was er zenuwachtig over geweest haar daar mee naartoe te nemen. En nu blijkt dat hij daar een goede reden voor had. Hij probeert zich niet af te laten leiden door de blonde haartjes op haar blote armen.

'Ik heb je een lijst met vragen gegeven. Het enige wat jij hoefde te doen was die doorlezen en er een vraagteken aan toevoegen. In plaats daarvan krijg ik van Kevin en de jongens te horen dat, terwijl ik me uit de naad werk om een bruikbare quote van Lefebvre te krijgen, jij in de kleedkamer van de Padres een potje zit te kaarten en een beetje flirt.'

'Ik heb al je vragen gesteld! En tóén heb ik een potje poker gespeeld. Dat heet de basis leggen. Volgens mijn docenten is dat een goed journalistiek principe. Het was niet eens mijn idee. Sandberg gaf me kaarten. Ik heb twintig dollar gewonnen.'

'Denk je echt dat je ermee wegkomt het schattige naïeve meisje te spelen? Dat je daarmee je hele leven van alles kunt flikken?'

'Ik denk dat ik ermee wegkom geïnteresseerd en interessant te zijn. Ik denk dat nieuwsgierigheid het wint van onwetendheid. Ik denk dat het helpt om littekens te vergelijken.'

Dan grijnst, een beetje maar. 'Dat heb ik gehoord. Heeft Sammy Sosa je echt zijn kont laten zien?'

'Wauw. Over sensatiepraatjes gesproken. Van wie heb je dat? Het was zijn onderrug, vlak boven zijn heup. En trouwens, ze lopen toch bloot rond als ze pal voor je ogen onder de douche gaan. Hij had een grote blauwe plek omdat hij tegen een van die stalen vuilnisemmers was gelopen. Hij had hem niet gezien. Hij nam afscheid van een vriend en draaide zich half om en knal! Hij zei dat hij soms onhandig is.'

'Huh. Als hij de bal laat vallen, gaat dat citaat er meteen in.'

'Ik heb het zelfs voor je opgeschreven. En ik heb nog iets wat interessant was. We hadden het over reizen en de hele tijd weg van huis zijn. Ik vertelde ze dat grappige verhaal over die keer dat ik op de bank van een meisje sliep dat ik had ontmoet in een videotheek in LA en ze een triootje met haar vriend erbij wilde en dat ik om vier uur 's nachts op straat stond en rondliep tot de zon opkwam. Het was echt prachtig om de hele stad tot leven te zien komen.'

'Dat verhaal ken ik niet.'

'Dat was het. Nou ja, ik zei dat het goed was om terug te komen naar Chicago, en ik vroeg Greg Maddux hoe hij het vond om hier te zijn, en hij deed een beetje raar.'

'Hoezo raar?'

Kirby raadpleegt haar notitieboekje. 'Ik heb het opgeschreven toen ik naar buiten kwam. Hij zei: "Waarom zou ik ergens anders heen willen? De mensen zijn zo vriendelijk. Niet alleen de fans, maar de taxichauffeurs, hotelportiers, mensen op straat. In andere steden doen mensen alsof ze je een plezier doen." En toen knipoogde hij en begon hij me over zijn favoriete scheldwoorden te vertellen.'

'Ben je er niet op ingegaan?'

'Hij stuurde er zelf op aan. Ik stond het toe. Ik dacht dat het een goed stuk zou opleveren, het Chitown van een honkballer. Top vijf-tips, restaurants, parken, clubs, kroegen, wat dan ook. En toen kwam Lefebvre weer binnen en werd ik eruit gegooid zodat ze zich konden voorbereiden op de wedstrijd, en ik bedacht dat het vreemd was om dat uit het niets te zeggen.'

'Ik geef toe dat het eigenaardig is.'

'Denk je dat hij van plan is om te verhuizen?'

'Of hij denkt erover na. Mad Dog is een controlfreak. Hij zoekt de grenzen op. Hij speelde duidelijk een spelletje met je. Wat betekent dat we het in de gaten moeten houden.'

'Best wel rottig voor de Cubs als hij ervandoor wil.'

'Nee, ik snap het wel. Je moet naar de club gaan waar je kunt honkballen zoals jij dat wilt. Hij is hot.'

'O, echt? Ik wist niet dat je er zo eentje was.'

'Je weet best wat ik bedoel, recalcitrant meisje.'

'Ja.' Ze tikt met haar schouder tegen hem aan. Haar haar is zo warm van de zon dat hij het dwars door zijn shirt heen kan voelen, alsof ze hem verbrand heeft.

'Heb je nog iets?' zegt hij. Hij schuift opzij en probeert ongedwongen over te komen. En denkt: doe niet zo belachelijk, Velasquez. Hoe oud ben je nou, vijftien?

'Geef me een kans,' zegt ze. 'Er komen nog wel meer potjes poker.'

'Jij liever dan ik. Ik ben een vreselijke bluffer.' Echt vreselijk. 'Kom op, we moeten naar boven.'

'Kunnen we niet daarvandaan kijken?' Kirby wijst naar het groene scorebord dat boven de tribune langs het middenveld hangt. Hij dacht hetzelfde. Het is prachtig. Echt Amerikaanse kunst, met de strakke witte letters en raampjes die opengaan tussen de latten waar de nummers in gaan.

'Dat wil Jan en alleman wel, maar het zit er niet in. Dat is een van de laatste borden waar de score nog met de hand aan wordt gehangen. Daar zijn ze heel zuinig op. Niemand komt erin.'

'Maar jij bent er wel in geweest.'

'Dat voorrecht heb ik verdiend.'

'Bullshit. Hoe heb je het voor elkaar gekregen?'

'Ik heb een profiel geschreven over de man die de score bijhoudt. Hij doet het al tientallen jaren. Hij is legendarisch.'

'Denk je dat hij me er eentje laat omdraaien?'

'Ik denk dat je weinig tot geen kans maakt. En trouwens, ik weet nu hoe jij in elkaar zit. Je wilt er alleen maar heen omdat niemand anders dat mag.'

'Volgens mij is het eigenlijk een geheime club waar de machtigste mannen en vrouwen van Amerika de toekomst van het land bepalen, met cocktails en strippers, terwijl eronder een onschuldig potje honkbal wordt gespeeld.'

'Het is een kaal kamertje met een toegetakelde vloer, en het wordt er achterlijk heet.'

'Tuurlijk. Dat is echt iets wat iemand zou zeggen die de geheimen van de club probeert te beschermen.'

'Goed, ik zal proberen je er een keer mee naartoe te nemen. Maar pas na je inwijding en als je de geheime handdruk onder de knie hebt.'

'Beloof je dat?'

'Ik zweer het op de man daarboven. Maar op één voorwaarde: als we naar de perstribune gaan doe jij bij mijn collega's alsof ik je uitgekafferd heb omdat je onprofessioneel bent geweest, en dat je er echt spijt van hebt.'

'Enorm veel spijt.' Ze grijnst. 'Maar ik hou je eraan, Dan Velasquez.'

'Geloof me, dat weet ik.'

Hij had zich er geen zorgen over hoeven maken of ze wel op haar plek was. Dat is ze niet en het maakt haar des te charmanter.

'Het is net de Verenigde Naties hier. Met een beter uitzicht,' grapt Kirby en ze kijkt naar de rijen telefoons en de mensen, voornamelijk mannen, achter de bordjes met de naam van de krant of het programma waarvoor ze werken. Ze maken al aantekeningen of kletsen al over de wedstrijd in de handsets.

'Ja, maar dit is véél serieuzer,' zegt Dan. Ze lacht, en meer wil hij eigenlijk niet.

'Tuurlijk, wat is wereldvrede nou vergeleken bij honkbal?'

'Is dit je stagiaire?' vraagt Kevin. 'Ik moet er ook eentje regelen. Doet ze ook de was?'

'O, daar zou ik haar niet mee vertrouwen,' antwoordt Dan gevat. 'Maar ze regelt prima quotes.'

'Mag ik haar lenen?'

Dan wil namens Kirby stekelig reageren, maar ze heeft haar antwoord al kaar: 'Tuurlijk, maar dan wil ik wel opslag. Wat is het dubbele van gratis?'

Daar moet de helft van de aanwezigen om lachen en waarom ook niet? De wedstrijd is begonnen. De knuppels van de Cubs beginnen lawaai te maken. De spanning op de perstribune loopt op, en iedereen is opeens volledig met zijn aandacht bij de actie op het speelveld onder hen. Misschien gaan ze vandaag wel winnen. En het doet hem deugd om te zien dat zij er ook in opgaat. De magie.

Na afloop belt Dan zijn verslag door in de drukte van andere verslaggevers die hetzelfde doen. Hij leest uit zijn notitieboekje en zijn krabbelige handschrift is zo onleesbaar dat hij net zo goed recepten uit kan schrijven. De Cubs hadden gewonnen in de zevende inning nadat het spel was vertraagd tot een heftig duel tussen de pitchers, voornamelijk dankzij het gloednieuwe wonderkind Mad Dog Maddux.

Hij slaat met twee handen op Kirby's schouders. 'Goed gedaan, meid. Misschien ben je hier toch wel geschikt voor.'

Harper 26 februari 1932

Harper koopt een nieuw maatpak bij Baer Brothers and Prodie, waar ze hem behandelden als een stuk vuil tot ze zijn geld zagen, en hij neemt de verpleegster Etta en haar kamergenoot uit het kosthuis voor vrouwen mee uit eten. Het andere meisje, Molly, is een onderwijzeres uit Bridgeport, een beetje een wildebras vergeleken bij haar gespannen vriendin. Ze is chaperonne, zegt ze met een ondeugende glimlach, alsof hij niet weet dat ze meegekomen is voor de gratis maaltijd. Haar schoenen zijn versleten en de donkere wol van haar jas vormt kleine balletjes, als een schaap. Het varkentje en het lammetje. Misschien bestelt hij wel karbonade.

Hij is vooral blij om weer echt voedsel te eten in plaats van in melk gedoopt wit brood en aardappelpuree. Hij is veel gewicht kwijtgeraakt terwijl zijn kaak genas. De draad kwam er na drie weken uit, maar hij kan pas sinds kort weer kauwen. Zijn overhemden vallen ruim en hij kan zijn ribben tellen, wat hij voor het laatst kon toen hij nog een jongen was en de blauwe plekken van zijn vaders riem het tellen makkelijker maakten.

Hij haalt de meisjes op van het station en ze lopen door de sneeuw over La Salle, langs de nieuwe gaarkeuken met een rij die het halve blok beslaat. De mannen schamen zich zo diep dat ze hun blik op hun schoenen gericht houden, stampend tegen de kou en langzaam naar voren schuifelend. Jammer, denkt Harper. Hij hoopt dat die ellendige Klayton opkijkt en hem ziet, met een meisje aan elke arm, een nieuw pak en een rol bankbiljetten in zijn zak, naast zijn mes. Maar Klayton houdt zijn blik op de grond gericht als ze langs hem lopen, grauw en verschrompeld als een pik met een druiper.

Hij zou terug kunnen komen om hem te vermoorden. Hem zien slapen in een portiek. Hem uitnodigen mee te komen naar het huis om zich op te warmen. Even goede vrienden. Hem met een glas whisky in de hand voor het vuur zetten, en hem dan met het klauwgedeelte van een hamer doodslaan, zoals Klayton van plan was geweest met Harper. Als eerste zou hij zijn tanden eruitslaan.

'Nou nou,' mompelt Etta. 'Het wordt steeds erger.'

'Denk je dat zij het slecht hebben?' zegt haar vriendin. 'Het schoolbestuur heeft het erover ons allemaal bonnen te geven. Krijgen we straks stukkies papier in plaats van echt geld?'

'Ik krijg liever in drank betaald. Al dat spul dat ze in beslag nemen. Daar heeft niemand wat aan. Dat zou je lekker warm houden.' Etta knijpt in Harpers arm, wat hem afleidt van de fantasie waar hij in opgaat. Hij werpt een blik achterom en ziet Klayton hem nakijken, met zijn hoed in zijn handen en zijn mond die openhangt.

Harper draait de meisjes om. 'Zwaai even naar mijn vriend,' zegt hij. Mollie gehoorzaamt met vingers die flirtend wiegelen, maar Etta fronst haar wenkbrauwen. 'Wie is dat?'

'Iemand die probeerde me te gronde te richten. Dit moet een bittere pil voor hem zijn.'

'O, nu je toch over medicijnen begint…' Molly port Ella in de zij en ze rommelt in haar tas en haalt een klein glazen flesje tevoorschijn. Op het etiket staat ONTSMETTINGSALCOHOL.

'Ja, ja, ik heb een borrel voor ons meegenomen. Ze neemt een slok en geeft het flesje aan Harper, die de rand afveegt aan zijn jas voordat hij hem aan zijn mond zet.

'Maak je geen zorgen, het is niet echt ontsmettingsalcohol. De fabriek die het produceert voor het ziekenhuis heeft er nog een handeltje naast.'

De drank is sterk en Molly is gulzig, dus tegen de tijd dat ze Mme Galli's op East Illinois Street bereiken is het lammetje een eind op weg om straalbezopen te worden.

In het restaurant hangen een grote karikatuur van een Italiaanse operazanger en foto's van verschillende theatermakers aan de muren, met handtekeningen over hun glunderende gezichten. Ze zeggen Harper niets, maar de meisjes kirren vol waardering, en de ober op zijn beurt is wel zo netjes om niets te zeggen over de armzalige jassen die hij aan de haakjes naast de deur laat hangen.

Het restaurant is al half gevuld met advocaten en bohemiens en toneeltypes. De verbouwde dubbele salon is warm door de open haarden aan beide kanten, en het geroezemoes zwelt aan als er meer mensen binnenkomen.

De ober brengt hen naar een tafel bij het raam, Harper aan één kant en tegenover hem, zij aan zij, de meisjes, als kippen op een stok. Ze kijken hem aan boven de vrolijke fruitschaal die het middenstuk vormt. Mme Galli blijkt de politie aan haar zijde te hebben want de ober brengt hun een fles chianti uit de boekenkast die zonder enige verdere heisa omgebouwd is tot drankmeubel.

Harper bestelt lamskoteletjes als voorgerecht en Etta neemt hetzelfde, maar met een uitdagende twinkeling in haar ogen bestelt Molly varkenshaas. Het kan Harper niet schelen. Het doet er niet toe: anderhalve dollar per persoon voor vijf gangen, dus die achterbakse meid neemt maar waar ze zin in heeft.

De meisjes eten de spaghetti met verve, ze draaien hun vorken rond alsof ze ervoor in de wieg zijn gelegd. Maar Harper vindt de pasta maar glibberig, en de knoflooksmaak is overweldigend. De gordijnen zijn vies van de rook. De vrouw aan de tafel naast die van hen rookt na elke gang een sigaret. Ze hoopt een kosmopolitische indruk te wekken, maar ze is net zo nietszeggend als haar tafelgenoten, die te hard praten. Elke klootzak hier voert een show op, met hun kleren en maniertjes.

Het is alweer te lang geleden, beseft hij. Hij heeft al een maand niemand vermoord. Niet sinds Willie. De wereld verbleekt in de tussenliggende periodes. Hij voelt het Huis aan hem trekken alsof er tussen elke wervel een touwtje is gespannen. Hij probeert de Kamer te mijden en slaapt beneden op de bank, maar de laatste tijd gaat hij de trap af alsof hij droomt en hij staat dan in de deuropening naar de voorwerpen te kijken. Hij zal snel weer moeten gaan.

En in de tussentijd knippert het vee aan de andere kant van de tafel met hun wimpers en doen ze een wedstrijdje wie het onnozelst kan glimlachen.

Etta excuseert zich om haar 'lippenstift bij te werken', en het Ierse meisje glipt om de tafel heen en komt naast hem zitten. Ze drukt haar knie tegen die van hem.

'U bent me er eentje, meneer Curtis. Ik wil alles over u horen.'

'Wat wil je weten?'

'Waar u bent opgegroeid. Uw familie. Bent u ooit getrouwd of verloofd geweest? Hoe u uw geld hebt verdiend. Het gebruikelijke.'

Hij moet bekennen dat de brutale manier waarop ze haar vragen stelt hem intrigeert. 'Ik heb een huis.' Hij voelt zich roekeloos, en ze heeft zo diep in het glaasje gekeken dat ze geluk heeft als ze zich morgen haar eigen naam kan herinneren, laat staan zijn vreemde antwoorden.

'Een eigenaar van onroerend goed,' zegt ze zangerig.

'Het komt uit op andere tijden.'

Ze kijkt verbaasd. 'Wat?'

'Het Huis, lieverd. Het betekent dat ik de toekomst ken.'

'Fascinerend,' bromt ze tevreden. Ze gelooft hem geen seconde, maar maakt hem duidelijk dat ze bereid is het spelletje mee te spelen. Met veel meer dan alleen een verhaaltje, als hij dat wil. 'Goed, vertel me eens iets ongelooflijks.'

'Er komt weer een grote oorlog aan.'

'O, echt? Moet ik me zorgen maken? Kunt u *mijn* toekomst voorspellen?'

'Alleen als ik je openmaak.'

Ze vat het verkeerd op, wat hij al verwacht had, een beetje zenuwachtig maar ook opgewonden. Het is zo voorspelbaar allemaal. Ze glijdt met haar vinger heen en weer over haar onderlip, waar ze flauw mee lacht. 'Nou, meneer Curtis, daar zou ik wel ontvankelijk voor zijn. Of mag ik je Harper noemen?'

'Wat doen jullie?' Etta onderbreekt hen, met vlekkerige wangen van woede.

'We praten alleen maar, lieverd,' zegt Molly grijnzend. 'Over de oorlog.'

'Slet dat je er bent,' zegt Etta, en ze gooit haar bord met spaghetti over het hoofd van de onderwijzeres. Saus en gehakt druipen in haar ogen en stukjes tomaat en knoflook blijven met vochtige slierten spaghetti in haar haar kleven. Harper lacht het uit van verbazing.

De ober komt aansnellen met servetten en helpt haar zich schoon te vegen. *'Caspita!* Is alles in orde?'

Molly beeft van woede en vernedering. 'Laat je haar dat zomaar doen?'

'Zo te zien is het al gebeurd,' zegt Harper. Hij werpt haar het linnen servet toe. 'Ga jezelf maar schoonmaken. Je ziet er niet uit.' Hij drukt een biljet van vijf dollar in de hand van de ober voordat hij hun kan vragen weg te gaan. 'Daar zit ook een fooi voor je bij,' zegt hij, en hij steekt zijn arm uit zodat Etta kan inhaken. Haar gezicht klaart triomfantelijk op en Molly barst in tranen uit.

Harper en Etta lopen nonchalant het restaurant uit en de avond in. De straatlantaarns vormen vettige schijnwerpers langs de straat, en het lijkt voor de hand te liggen om ondanks de kou naar het meer te lopen. Op de trottoirs ligt een dikke laag sneeuw en de kale takken steken als kant af tegen de hemel. De lage gebouwen staan schouder aan schouder langs de oever om het water het hoofd te bieden. Op de ronde lagen van de Buckingham Fountain zit een witte korst en de grote bronzen zeepaarden strijden tegen het ijs, hoewel ze nergens heen gaan.

'Het is net glazuur,' zegt Etta. 'Het lijkt wel een bruidstaart.'

'Je bent gewoon nijdig omdat we zijn vertrokken voor het dessert,' antwoordt Harper, in een poging een grapje te maken.

Haar gezicht betrekt bij de herinnering aan Molly. 'Het was haar verdiende loon.'

'Natuurlijk. Als je dat wilt vermoord ik haar.' Hij test haar.

'Ik wil haar zelf vermoorden. Slet.' Ze wrijft in haar blote handen en blaast op haar schrale vingers. Dan pakt ze zijn hand. Harper schrikt, maar ze gebruikt hem alleen maar om op de fontein te klimmen.

'Kom mee,' zegt ze. En na een korte aarzeling klautert hij achter haar aan. Ze baant zich een weg door de sneeuw en glibbert over het ijs naar een van de kopergroene zeepaarden en leunt ertegenaan alsof ze poseert. 'Zullen we een ritje maken?' zegt ze meisjesachtig, en hij ziet dat ze nog sluwer is dan haar vriendin. Maar ze intrigeert hem. Haar hebzucht heeft iets wonderbaarlijks. Een vrouw met zelfzuchtige begeerten die zichzelf boven de rest van de ellendige mensheid plaatst, terecht of niet.

Hij kust haar, waarmee hij zichzelf verbaast. Haar tong beweegt snel en glibberig in zijn mond, een kleine warme amfibie. Hij duwt haar rug tegen het paard en een hand graait onder haar rok.

'We kunnen niet naar mijn huis.' Ze maakt zich los. 'Er zijn regels. En Molly is er.'

'Hier?' zegt hij. Hij probeert haar om te draaien en frunnikt aan zijn rits.

'Nee! Het is ijskoud. Neem me mee naar jouw huis.'

Zijn erectie zakt weg en hij laat haar abrupt los. 'Onmogelijk.'

'Wat is er?' roept ze hem gekwetst na als hij van de fontein springt en met stevige pas terugloopt naar Michigan Avenue. 'Wat heb ik gedaan? Hé! Niet weglopen! Ik ben niet de een of andere hoer, hoor! Krijg de pest maar, vriend!'

Hij geeft geen antwoord, niet eens als ze haar schoen uittrekt en die naar zijn rug smijt. Hij komt niet eens in de buurt. Ze zal door de sneeuw moeten hinken om hem weer op te pakken. De gedachte aan haar vernedering doet hem genoegen.

'Krijg de pest!' schreeuwt ze nogmaals.

Kirby 23 maart 1989

Er snellen lage wolken over het meer, als opgezwollen boten in het grijze ochtendlicht. Amper zeven uur. Als die verdomde hond er niet geweest was, zou Kirby op dit tijdstip echt niet wakker zijn geweest.

Nog voordat ze de auto heeft uitgeschakeld, klimt Tokyo al over de achterbank van haar vierdehands Datsun, en beknelt haar arm met zijn grote graaiende poten als ze haar hand uitsteekt om aan de handrem te trekken.

'Oef, hé, sukkel,' zegt Kirby, en ze duwt hem van zich af naar de stoel, een gunst die hij beloont door een scheet in haar gezicht te laten. Hij is wel zo fatsoenlijk om een hele seconde schuldig te kijken voordat hij aan de deur klauwt en jammert dat hij naar buiten wil. Zijn staart bonkt op de hoes van schapenvacht die verhult hoeveel scheuren er in de stoel zitten.

Kirby reikt langs hem heen en slaagt erin het portier te openen. Tokyo stoot hem met zijn kop open en glipt door de spleet de parkeerplaats op. Hij rent naar haar kant van de auto en springt met beide poten omhoog tegen het raam. Zijn tong hangt uit zijn bek en het raam beslaat voordat ze uit kan stappen.

'Je bent hopeloos, weet je dat?' bromt Kirby, en ze duwt de deur tegen zijn gewicht in open. Hij blaft van vreugde en rent naar de grazige berm en weer terug. Hij wil dat ze opschiet, voordat het strand weer verdwijnt. Net zoals zij op het punt staat hem in de steek te laten.

Ze is er behoorlijk kapot van. Maar ze heeft genoeg gespaard om weg te gaan bij Rachel en de beheerders van de studentenflats voor eerstejaars leven het verbod op harige huisgenoten als nazi's na. Ze houdt zich voor dat ze maar een paar haltes met de El bij hem vandaan is. In het weekend kan ze wandelingen met hem maken en ze heeft de knul aan de overkant van de straat overgehaald voor een dollar één keer per dag een blokje met hem om te gaan. Dat is toch vijf dollar per week, twintig per maand. Dat zijn heel veel noedels.

Kirby volgt Tokyo over het pad naar het strand door de ruisende gang van veel te lang gras. Ze had dichter bij het strand moeten parkeren, maar ze komt hier meestal tijdens lunchtijd in het weekend, en dan kun je met de beste wil van de wereld geen plek vinden om te parkeren. Zonder al die andere mensen is het een heel andere plek. Onheilspellend zelfs, met mist en een koude wind die uit het meer door het gras scheert. De kou zou de meeste joggers ontmoedigd hebben, op de meest fanatieke na.

Ze haalt de vuile tennisbal uit haar zak. Hij is gescheurd en wordt kaal en is zompig van het kauwen. Ze smijt hem in een hoge boog over de horizon naar de andere kant van het meer in de richting van de Sears Tower, alsof ze die om kan gooien.

Daar heeft Tokyo op gewacht, met gespitste oren en zijn kaken op elkaar gedrukt van concentratie. Hij draait zich om en schiet de bal achterna. Hij berekent de baan met wiskundige precisie en rukt hem op weg naar beneden uit de lucht.

En dat maakt haar gek, als hij buiten zinnen raakt van de bal. Hij springt naar voren alsof hij hem in haar hand wil laten vallen en duikt dan opzij als ze haar hand uitsteekt, achter in zijn keel opgetogen grommend.

'Hond! Ik waarschuw je.'

Tokyo bukt met zijn kont in de lucht en zijn staart zwiept heen en weer. 'Owwwwrrr,' zegt hij weer.

'Geef me die bal of ik… laat een kleed van je maken.' Ze maakt een schijnbeweging naar hem en hij rent twee passen opzij, vlak buiten haar bereik, en neemt de positie weer in. Zijn staart wiekt wild.

'Dat is nu helemaal in, hoor,' zegt ze, en ze kuiert het strand over, met haar duimen in de zakken van haar spijkerbroek, heel cool, ze is absoluut niet op weg naar hem. 'IJsberen en tijgers zijn

146

ontzettend passé. Maar een hondenvacht, vooral van een lastige hond? Dat is pas klasse.'

Ze rent op hem af, maar hij heeft haar al die tijd doorgehad. Hij keft van opwinding, het geluid gedempt door de bal die tussen zijn tanden zit geklemd, en schiet het strand over. Kirby komt op één knie in het vochtige zand terecht terwijl hij in de ijskoude branding springt, met een hondengrijns zo breed dat ze hem hiervandaan kan zien.

'Nee! Stoute hond! Tokyo Speedracer Mazrachi! Kom hier, en wel nu meteen!' Hij luistert niet. Hij luistert nooit. Natte hond in haar auto. Een van haar favoriete dingen.

'Kom op, jongen. Ze fluit naar hem, vijf scherpe noten. Hij gehoorzaamt, min of meer. Hij waadt in elk geval uit het water, laat de bal op het bleke zand vallen en schudt zich uit als de hondenversie van een sprinkler. Hij blaft één keer, vrolijk, en speelt nog steeds.

'O, godsamme,' zegt Kirby, en haar paarse sneakers zinken weg in de modder. 'Als ik je te pakken krijg…'

Tokyo kijkt opeens in een andere richting, blaft één keer en rent naar het gras bij de pier.

Een man in een waterdichte gele regenjas staat aan de rand van het water, naast een soort karretje met een emmer en een brandblusser. Een of andere vreemde techniek om te vissen, beseft ze, als hij zijn zinklood in een metalen buis steekt en de druk van de blusser gebruikt om hem verder in het meer te schieten dan hij hem ooit had kunnen gooien.

'Hé! Geen honden!' roept hij vriendelijk en hij wijst naar een verschoten bordje in het lange gras. Alsof wat hij ook met die brandblusser doet legaal is.

'Nee! Echt waar? Nou, dan wil je vast wel horen dat het geen hond is, maar een vacht-in-spe!' Haar moeder noemt het haar sarcastische krachtenveld waarmee ze al sinds 1984 jongens op afstand houdt – ze moest eens weten. Kirby pakt de versleten tennisbal op en steekt hem in haar zak. Hels beest.

Ze zal blij zijn als ze op kamers woont, denkt ze fel. De buurman mag haar hond hebben. Ze komt in het weekend terug, als ze tijd heeft. Maar wie weet zit ze wel opgesloten in de bibliotheek. Misschien heeft ze wel een kater. Of heeft ze een lekkere jongen over voor wie ze de volgende ochtend lief/opgelaten ontbijt moet maken nu Fred naar de filmacademie van New York is gegaan, alsof dat niet haar droom was geweest die hij min of meer had overgenomen en waar hij werk van had gemaakt en, dat was nog het ergste, die hij kon betalen. Zelfs als ze aangenomen zou zijn (en godsamme, ze had aangenomen moeten worden – ze had meer talent in haar linkeroorlel dan hij in zijn hele centrale zenuwstelsel), had ze het nooit kunnen betalen. En dus studeert ze Engels en geschiedenis aan DePaul, nog twee jaar en een levenslange schuld te gaan, aangenomen dat ze met haar diploma een baan kan vinden. Rachel heeft haar natuurlijk heel erg aangemoedigd. Kirby had bijna overwogen accountancy of bedrijfskunde te gaan studeren om haar te treiteren.

'Tokyooooooooo!' roept Kirby in het struikgewas. Ze fluit opnieuw. 'Genoeg gespeeld.' De wind bijt door haar kleren en veroorzaakt kippenvel op haar armen tot aan de onderkant van haar nek – ze had een dikkere jas aan moeten trekken. Hij is natuurlijk naar het vogelreservaat, waar ze een hoge boete kan oplopen omdat hij niet aangelijnd is. Vijftig dollar, of de kosten van twee weken uitlaatservice. Vijfentwintig zakken noedels. 'Een decorstuk, hond!' roept Kirby over het strand. 'Dat ben je als ik klaar met je ben!'

Ze gaat op een bankje bij de ingang van het reservaat zitten waarin namen zijn gekerfd – 'JENNA + CHRISTO 4EVA' – en trekt haar schoenen weer aan. Het zand schuurt in haar sokken die tussen haar tenen zijn gekropen. Ergens in de struiken roept een piewie. Rachel was altijd gek geweest op vogels. Ze kende al hun namen. Het duurde jaren voordat Kirby besefte dat ze die verzon, dat er niet zoiets was als een mijterspecht of een regenboogmalachiet. Het waren woorden die Rachel leuk vond om te combineren.

Ze beent het reservaat in. De vogels zijn gestopt met zingen. Ongetwijfeld het zwijgen opgelegd door de aanwezigheid van een natte, vervelende hond die daar ergens rondbanjert. Zelfs de wind is gaan liggen, en de golven zijn een dof sussend geluid in de achtergrond, als verkeer. 'Kom op nou, rothond.' Ze fluit nogmaals, vijf noten, steeds eentje hoger.

Er fluit iemand terug.

'O, wat leuk,' zegt Kirby.

Er wordt opnieuw gefloten, spottend.

'Hallo? Klootzak?' Ze schroeft het sarcasme op tot hetzelfde niveau als haar onrust. 'Heb je een hond gezien?' Ze aarzelt een seconde en stapt dan van het pad. Ze duwt door het dichte struikgewas in de richting van degene die fluit. 'Je weet wel, harig beest, tanden waarmee ze je keel kunnen openscheuren?'

Er komt geen antwoord, op een raspend, kuchend geluid na. Een kat met een haarbal.

Ze heeft net genoeg tijd om een kreet te slaken als een man uit het struikgewas stapt, haar arm grijpt en haar vlug en met onbetwistbare kracht op de grond zwaait. Ze verstuikt haar pols als ze die automatisch uitsteekt om de klap op te vangen. Haar knie knalt zo hard tegen een steen dat ze even wit ziet. Als dat verdwijnt, ziet ze Tokyo hijgend op zijn zij in de bosjes liggen. *Iemand* heeft een ijzeren kleerhanger zo om zijn hals gedraaid dat hij in zijn keel snijdt. De vacht eromheen is doordrenkt met bloed. Hij draait met zijn kop en kronkelt met zijn poten om weg te komen, want het ijzerdraad zit om een uitstekende tak van een gevallen boom gewikkeld. Elke keer dat hij beweegt snijdt het dieper. Het kuchende geluid is zijn poging om met doorgesneden stembanden te blaffen. Naar iets achter haar.

Ze dwingt zich overeind te komen op haar elleboog, net op tijd voor de man om zijn kruk naar haar gezicht te zwiepen. De klap verbrijzelt haar jukbeen in een explosie van pijn die langs haar schedel schiet. Ze zakt op de vochtige aarde in elkaar. En dan is hij boven op haar, met zijn knie in haar rug. Ze wurmt en schopt terwijl hij haar armen naar achteren trekt. Hij gromt als hij haar polsen bij elkaar bindt. 'Gagodverdommevanmeaf,' spuugt ze in de brij van aarde en bladeren. Het smaakt naar vochtige rottende dingen, zacht en gruizig tussen haar tanden.

Hij draait haar hardhandig om, hijgend door zijn tanden, en ramt de tennisbal in haar mond voordat ze kan schreeuwen, waarbij haar lip opensplijt en er een stukje van een tand breekt. Hij wordt samengeperst als hij naar binnen gaat en zet uit waardoor haar kaak open wordt gedwongen. Ze verslikt zich in de smaak van rubber, hondenspeeksel en bloed. Ze probeert hem er met haar tong uit te duwen maar stuit alleen op een scherf afgebroken tand. Ze kokhalst bij dit deel van *haar schedel* in haar mond. De beelden op haar linkernetvlies zijn wazig en paars. Haar jukbeen dat omhooggeduwd wordt tegen de oogkas. Maar alles vernauwt zich toch al.

Ademhalen om de bal heen is moeilijk. Hij heeft haar handen zo strak samengebonden, onder haar vastgepind, dat ze gevoelloos zijn geworden. De zijkanten drukken tegen haar ruggengraat. Ze wrikt met haar schouders in een poging snikkend van hem weg te kronkelen. Geen eindbestemming in gedachten. Alleen maar weg, alstublieft God. Maar hij zit op haar dijen en drukt haar neer met zijn gewicht.

'Ik heb een cadeautje voor je. Twee cadeautjes,' zegt hij. Het puntje van zijn tong steekt tussen zijn tanden door. Hij maakt een hoog piepend geluid als hij zijn hand in zijn jas steekt.

'Welke wil je eerst?' Hij steekt zijn handen uit om ze haar te laten zien. Een glimmend zwart met zilveren doosje. Of een knipmes met een houten handgreep.

'Kun je niet beslissen?' Hij knipt de aansteker open en het vlammetje springt tevoorschijn als een duveltje uit een doosje, tot hij hem weer sluit. 'Deze: een souvenir.' Dan maakt hij het mes open. 'En dit moet gewoon gebeuren.'

Ze probeert opzij te schoppen, hem van zijn plaats te krijgen en schreeuwt woedend tegen de bal. Hij laat haar begaan en kijkt naar haar. Geamuseerd. Dan zet hij de aansteker tegen haar oogkas en duwt de harde rand tegen haar gebroken jukbeen. Zwarte vlekken wolken op in haar hoofd en pijn schiet door haar kaak en langs haar ruggengraat.

Hij trekt haar T-shirt omhoog, waardoor haar winterbleke

huid zichtbaar wordt. Hij haalt zijn hand langs haar buik en zijn vingertoppen graven in haar huid, grijpen die vast, gulzig. Hij laat beurse plekken achter. Dan stoot hij het mes in haar buikwand en draait en trekt het erlangs in een rafelige snee die het traject van zijn hand volgt. Ze bokt tegen hem aan en schreeuwt in de bal.

Hij lacht. 'Rustig maar.'

Ze snikt iets onsamenhangends. Ze krijgt de woorden niet op een rijtje in haar hoofd, laat staan in haar mond. Niet-doen-alsje-blieft-waag-het-godverdomme-niet-niet-alsjeblieft-niet.

Hun ademhaling gaat gelijk op, zijn opgewonden gepiep, haar snelle inademen als een konijn. Het bloed is warmer dan ze zich ooit had durven inbeelden, als wanneer je in je broek pist. Dikker. Misschien is hij wel klaar. Misschien is het voorbij. Hij wilde haar alleen maar een beetje pijn doen. Laten zien wie er de baas is voordat – haar gedachten vallen stil bij de mogelijkheden. Ze kan zichzelf er niet toe brengen hem aan te kijken. Ze is te bang om in zijn gezicht te zien wat hij van plan is. En dus ligt ze daar en kijkt omhoog naar de flauwe ochtendzon door de bladeren, en ze luistert naar hun ademhaling, hard en snel.

Maar hij is nog niet klaar. Ze kreunt en probeert zich weg te draaien voordat de punt van het mes haar huid raakt. Hij klopt met een woeste grijns op haar schouder en zijn haar plakt zweterig op zijn hoofd van de inspanning. 'Harder schreeuwen, schat,' zegt hij schor. Zijn adem ruikt naar karamel. 'Misschien hoort iemand je wel.'

Hij duwt het mes naar binnen en draait het opzij. Ze schreeuwt zo hard als ze kan en veracht zichzelf meteen omdat ze hem gehoorzaamt. En dan is ze dankbaar als hij haar loslaat. Wat de schaamte nog verergert. Ze kan er niets tegen doen. Haar lichaam is een dier dat losstaat van haar hersens, die schandalig onderhandelen, bereid zijn om alles te doen om het maar te laten stoppen. Alles om maar in leven te blijven. Alstublieft, God. Ze sluit haar ogen zodat ze zijn ingespannen blik niet hoeft te zien, of de manier waarop hij aan zijn broek trekt.

Hij trekt het mes naar beneden en dan naar boven in een patroon dat vooraf bepaald lijkt. Zoals haar aanwezigheid dat is, onder hem gevangen. Alsof dit de enige plek is waar ze ooit is geweest. Onder het scherpe schroeien van de wonden voelt ze het blijven haken in het vetweefsel. Alsof hij godverdomme een entrecote uitsnijdt. Een abattoirstank van bloed en stront. Alsjeblieft-alsjeblieft-alsjeblieft.

Er klinkt een vreselijk lawaai, nog erger dan zijn ademhaling of het vlezige, scheurende geluid van het mes. Ze opent haar ogen en draait haar hoofd. Ze ziet Tokyo schudden en met zijn hoofd draaien, alsof hij een attaque heeft. Hij snauwt en gromt door de ravage van zijn keel. Zijn lippen zijn opgetrokken en tonen het rode schuim op zijn tanden. De hele boomstronk schudt door de beweging. Het ijzerdraad zaagt door de tak waar hij omheen is gewikkeld en stukjes bast en mos schilferen los. Felle belletjes bloed vormen een obscene ketting op zijn vacht.

'Niet doen,' weet ze uit te brengen. Het komt eruit als: 'Ie oe.'

De man denkt dat ze het tegen hem heeft. 'Het is niet mijn schuld, schat,' zegt hij. 'Het is jouw schuld. Je zou niet moeten stralen. Je zou me dit niet moeten laten doen.' Hij brengt het mes naar haar nek. Hij beseft pas dat Tokyo zich losrukt van de stronk als de hond boven op hem is. De hond haalt naar hem uit en klemt zijn tanden dwars door de jas in zijn arm. Het mes schiet langs haar keel, niet diep genoeg, en raakt de halsslagader maar net voordat hij het laat vallen.

De man brult het uit van woede en probeert het dier van zich af te schudden, maar Tokyo's kaken zitten muurvast op elkaar. Door het gewicht wordt hij naar beneden gesleurd. Met zijn andere hand tast hij rond naar het mes. Kirby probeert erop te rollen. Ze is te traag en ongecoördineerd. Hij grijpt het onder haar vandaan en dan slaakt Tokyo een lange schorre zucht en hij wrikt de hond los van zijn arm terwijl hij aan het mes in Tokyo's hals trekt. Alle strijdlust die ze nog had verlaat haar. Ze sluit haar ogen en doet alsof ze dood is, wat gelogenstraft wordt door de tranen die over haar wangen stromen.

Met zijn arm tegen zich aan gedrukt kruipt hij naar haar toe. 'Je houdt me niet voor de gek,' zegt hij. Hij steekt zijn vinger diagonaal in de wond in haar hals en ze schreeuwt het opnieuw uit als het bloed eruit gulpt.

'Het maakt niet uit. Je bloedt binnen de kortste keren dood.'

Hij steekt zijn vingers in haar mond en plet de tennisbal tussen zijn vingers om hem eruit te trekken. Ze bijt zo hard als ze kan en graaft haar tanden in zijn duim. Nog meer bloed in haar mond, maar deze keer is het van hem. Hij stompt haar in haar gezicht en ze valt even weg.

Het is een schok om weer bij te komen. De pijn treft haar als een mokerslag zodra ze haar ogen opent, als het aambeeld dat op de kop van Wile E. Coyote valt. Ze begint te huilen. De klootzak hompelt weg, met zijn kruk losjes in een hand, alsof het een rekwisiet is. Hij blijft staan, met zijn rug naar toe, en graait in zijn zak. 'Bijna vergeten,' zegt hij. Hij smijt de aansteker naar haar toe. Die landt in het gras bij haar hoofd.

Ze ligt daar maar en wacht op de dood. Tot de pijn stopt. Maar ze gaat niet dood en de pijn stopt niet. En dan hoort ze Tokyo zacht brommen, alsof hij ook niet dood is, en ze begint pisnijdig te worden. Hij kan godverdomme de klere krijgen.

Ze verplaatst haar gewicht op haar heup en draait werktuiglijk met haar polsen, waardoor ze zenuwen wekt die krijsend in morse naar haar hersens seinen. Hij is slordig geweest. Het was een maatregel voor de korte termijn, om haar te bedwingen, niet om haar daar te houden, vooral zonder haar gewicht. Haar vingers zijn te verdoofd om goed te functioneren, maar het bloed maakt het makkelijker. Glijmiddel voor bondage, denkt ze, en tot haar verbazing lacht ze verbitterd.

Godverdómme.

Met veel moeite bevrijdt ze een hand en valt flauw als ze rechtop probeert te zitten. Het kost haar vier minuten om op haar knieën te komen. Dat weet ze omdat ze de seconden telt. Het is de enige manier waarmee ze zich kan dwingen bij bewustzijn te blijven. Ze wikkelt haar jas om haar middel om te proberen het bloed te stelpen. Ze kan hem niet vastbinden. Haar handen beven te erg en haar fijne motoriek is aan gort. En dus steekt ze hem zo goed en kwaad als ze kan in de achterkant van haar spijkerbroek.

Ze knielt naast Tokyo, die zijn ogen naar haar opslaat en probeert te kwispelen. Ze schuift haar armen onder hem en hijst hem naar haar borst. En laat hem bijna vallen.

Ze strompelt naar het pad en naar het geluid van de golven, met haar hond in haar armen. Zijn staart slaat zachtjes tegen haar dij. 'Stil maar, jongen, we zijn er bijna.' Haar keel maakt een vreselijk gorgelend geluid als ze praat. Bloed sijpelt langs haar hals en trekt in haar t-shirt. De zwaartekracht voelt verschrikkelijk. Toegenomen met een factor miljoen. Niet het gewicht van haar hond, zijn vacht samengeklit met bloed. Het gewicht van de wereld. Ze voelt iets loskomen bij haar middel, warm en glibberig. Ze kan er niet aan denken.

'We zijn er bijna. We zijn er bijna.'

De bomen komen uit op een verhard pad dat naar de pier loopt. De visser is er nog. 'Help,' zegt ze schor, maar zo zacht dat hij het niet hoort.

'help me!' schreeuwt ze, en de visser draait zich om. Zijn mond valt open, en het zinklood uit de pijp schiet de verkeerde kant op, waardoor het rode balletje tussen de afgedankte vis van het asfalt ketst. 'Wat krijgen we nou?' Hij laat zijn hengel vallen en trekt een houten stok uit het karretje. Hij rent naar haar toe en zwaait ermee boven zijn hoofd. 'Wie heeft je dat aangedaan? Waar is hij? Help! Is er iemand? Ambulance! Politie!'

Ze begraaft haar gezicht in Tokyo's vacht. Ze beseft dat hij niet met zijn staart kwispelt. Al de hele tijd niet meer.

Het was natuurkunde. De schok van elke stap. Gelijke en tegengestelde reactie.

Het mes steekt nog steeds uit de zijkant van zijn nek. Het zit zo diep tussen zijn wervels geklemd dat de dierenarts het operatief moet verwijderen, waardoor het zo goed als onbruikbaar is voor forensisch onderzoek. Het heeft er wel voor gezorgd dat de man het er niet uit kon trekken om zijn klus af te ronden.

Nee, alsjeblieft, maar ze huilt te hard om het te zeggen.

Dan 24 juli 1992

Het is belachelijk heet in Dreamerz. En het is er een rotherrie. Dan haat de muziek al voordat de band is begonnen. Wat is Naked Raygun nou weer voor een naam? En sinds wanneer is het mode om er doelbewust ongewassen uit te zien? Morsige kerels met gekke baarden en snorren en zwarte t-shirts lummelen eindeloos heen en weer over het podium voordat de band zelf opkomt, ironisch genoeg netter gekleed, en met gitaren en pluggen en pedalen begint te rommelen. Wat ook eindeloos duurt.

Zijn schoenen blijven plakken. Het is zo'n vloer met gemorste drank en uitgedrukte peuken. Beter dan het balkon boven, dat vol hangt met grafstenen, en het toilet dat van boven tot onder behangen is met gekopieerde flyers. De vreemdste is voor een toneelstuk met een foto van een vrouw met een gasmasker en hoge hakken. Daarbij vergeleken lijken de jongens op het podium heel erg mainstream.

Hij heeft geen idee wat hij hier doet, hij is alleen maar gekomen omdat Kirby hem gevraagd heeft. Ze was bang dat het ongemakkelijk zou zijn om Fred te zien. En dat was het ook. M'n eerste vriendje, had ze tegen hem gezegd. Waardoor hij nóg minder had geklonken als iemand die Dan wilde ontmoeten.

Fred is heel, heel erg jong. En dom. Jeugdliefdes zouden nooit terug moeten komen, zeker niet van de filmacademie. Vooral als ze het over niks anders gaan hebben. Films waar hij nog nooit van gehoord heeft. Hij is geen cultuurbarbaar, wat zijn ex-vrouw ook mag denken, maar de jongelui zijn inmiddels overgegaan van arthousefilms op volkomen obscure experimentele troep. Het ergste is nog dat Fred steeds probeert hem bij het gesprek te betrekken, omdat hij een goeie gozer is, maar dat verandert verder niks: hij is haar nog steeds niet waard.

'Dan, ken je het werk van Rémy Belvaux?' vraagt Fred. Zijn haar is zo kort geschoren dat het niet meer is dan een donker laagje dons op zijn schedel. De look wordt afgemaakt met een sikje en zo'n vervelende piercing onder zijn lip die eruitziet als een grote stalen puist. Dan moet zich inhouden om niet naar voren te buigen en te kijken of hij hem uit kan knijpen. 'Geen budget, hij zit vast in België. Maar zijn werk is hartstikke zelfverzekerd, heel authentiek. Hij doorleeft het echt.'

Dan overweegt *zijn* werk te doorleven door met een honkbalknuppel op iemands gezicht te rammen, om maar een dwarsstraat te noemen.

Het is een zegen als de band begint te spelen, waardoor het gesprek en zijn aandrang om Fred te vermoorden de kop worden ingedrukt. Meneer Eerste Vriendje begint achterlijk enthousiast te joelen, geeft zijn bier aan Dan en baant zich een weg naar het podium.

Kirby buigt naar hem toe en roept iets in zijn oor. Nog-iets-nog-iets-raak is het enige wat hij hoort.

'WAT?' roept hij terug. Hij houdt zijn flesje prik vast als een kruis. (De bar verkoopt natuurlijk geen bier met minder alcohol.)

Kirby drukt haar duim op het kleine stukje kraakbeen boven Dans gehoorbuis en roept nog een keer: 'Beschouw het maar als wraak voor alle wedstrijden waar je me mee naartoe sleurt.'

'DAT IS WERK!'

'Dit ook.' Kirby grijnst vrolijk, omdat ze Jim van de lifestyleredactie van de *Sun-Times* op de een of andere manier zo gek heeft gekregen haar een recensie van een concert te laten schrijven. Dan kijkt bozig. Hij zou blij moeten zijn dat ze over iets gaat schrijven waar ze echt in geïnteresseerd is, maar in werkelijkheid is hij jaloers. Niet op díe manier, dat zou belachelijk zijn, maar hij is er gewend aan geraakt haar om zich heen te hebben. Als ze voor lifestyle gaat schrijven, is ze niet aan de lijn als hij haar aan de andere kant van het land bij een uitwedstrijd belt om hem bij te praten over een scoop of een gerucht over een blessure of een slaggemiddelde, laat staan dat ze met haar voeten onder zich gekruld op zijn bank zit en naar oude videobanden met klassieke wedstrijden kijkt en er, om hem te ergeren, basketbal- of ijshockeytermen doorheen gooit.

Zijn maatje Kevin had hem er de vorige dag nog mee gepest. 'Heb je iets met die meid?'

'Neu,' had hij gezegd. 'Ik heb met haar te doen. Het is meer zo dat ik haar wil beschermen of zo. Iets vaderlijks.'

'Aha. Je wilt haar redden.'

Dan had in zijn drankje gesnoven. 'Dat zou je niet zeggen als je haar leerde kennen.'

Maar dat verklaart nog niet waarom haar gezicht door zijn gedachten schiet als hij in zijn eenzame tweepersoonsbed zijn frustraties botviert. Hij ziet dan een consortium van naakte vrouwen voor zich, waar hij zich zo schuldig over voelt dat hij moet stoppen. En dan weer verdergaat, met een vreselijk stiekem gevoel, maar hij stelt zich voor hoe het zou zijn om haar te zien en haar met zijn arm om haar heen geslagen stevig tegen zijn borst te drukken en haar borsten die tegen hem aan drukken en zijn tong... Jezus.

'Volgens mij moet je gewoon met haar naar bed gaan, dan heb je het maar gehad,' had Kevin wijsgerig gezegd.

'Zo is het niet,' had Kevin geantwoord.

Maar dit is wel degelijk werk. Ze is hier voor een verhaal, waardoor het géén afspraakje met Fred is. Dat zelfvoldane lulletje is toevallig in de stad, en dit is voor haar de beste avond om hem te zien. En daar put hij troost uit. Als hij de aanval op zijn trommelvliezen maar overleeft.

Dan ziet een schattige roodharige serveerster met tatoeages op haar beide armen en heel veel piercings met een bord vol nacho's naar een tafeltje lopen.

'Dat zou ik niet doen,' zegt Kirby, en ze doet het trucje met het oor weer. Tragus, opeens schiet het hem te binnen, alsof hij een kruiswoordpuzzel doet, zo heet dat kleine stukje kraakbeen. 'Ze staan niet bekend om hun eten.'

'Hoe weet je dat ik niet naar de serveerster keek?' roept Dan terug.

'Dat weet ik. Ze heeft veel te veel piercings.'

'Je hebt gelijk, dat vind ik maar niks.' Hij maakt een snel rekensommetje – hij heeft al veertien maanden geen seks gehad. Een blind date met een manager van een restaurant die Abby heette en die goed was gegaan. Dat dacht hij in elk geval, maar ze had hem niet teruggebeld. Hij heeft het hele verhaal sindsdien wel duizend keer ontleed om erachter te komen wat hij verkeerd had gedaan. Hij analyseerde elk woord, want de seks was wel degelijk goed geweest. Misschien had hij het te veel over Beatriz gehad. Misschien was het te snel na zijn scheiding geweest. Was het wishful thinking geweest om zich beschikbaar te stellen. Je zou denken dat al het reizen hem genoeg mogelijkheden zou verschaffen, maar vrouwen blijken verleid te willen worden, en single zijn is moeilijker dan hij zich herinnerde.

Hij rijdt soms nog steeds langs Bea's huis. Ze staat in het telefoonboek, het is geen misdrijf om haar naam op te zoeken, ook al kan hij zich er maar niet toe brengen haar ook echt te bellen, hoe vaak hij de cijfers ook heeft ingetoetst op zijn draadloze telefoon.

Hij doet zijn best, hij doet echt zijn best. En misschien zou ze trots op hem zijn: hij is op stap in een club, luistert naar een bandje en drinkt frisdrank met een meisje van drieëntwintig dat een moordpoging had overleefd, en haar jeugdliefde.

Het zou iets zijn waar ze over konden praten. God mocht weten dat ze nergens meer over gepraat hadden. Zijn schuld, dat weet hij. Het was als een duiveluitdrijving voor hem om dwangmatig alles te vertellen wat Harrison hem niet liet publiceren. De vreselijkste details, en erger nog: de treurigste. De verloren zaken, de zaken die nooit werden opgelost of doodliepen, de kinderen met drugsverslaafde alleenstaande moeders die hun best deden naar school te blijven gaan, maar eindigden op straathoeken, want zeg nou eerlijk: waar konden ze anders heen? Maar hoeveel verschrikkelijke misdrijven kan iemand aanhoren? Het was een vergissing, beseft hij nu. Alles een vreselijk cliché. Zulke troep hou je voor je.

Laat staan dat je de mensen van wie je houdt erin meesleurt. Hij had nooit tegen haar moeten zeggen dat sommige bedreigingen aan haar waren gericht. Hij had haar niet moeten vertellen dat hij voor alle zekerheid een pistool had gekocht. Toen was ze pas echt over de rooie gegaan.

Hij had in therapie moeten gaan (ja hoor). Hij had moeten proberen om één keer te luisteren. Misschien zou hij haar dan begrepen hebben toen ze het over Roger had, de timmerman die een nieuw tv-meubel voor ze maakte. 'Je zou bijna denken dat hij Jezus was, zoals je over hem praat,' had hij destijds gezegd. Nou, hij verrichtte inderdaad wonderen. Hij zorgde er zo voor dat ze uit Dans leven verdween. Maakte haar op haar zesenveertigste zwanger. Wat betekent dat het al die tijd Dans probleem was geweest. Het ontbrak zijn zwemmers aan pit. Maar hij had gedacht dat ze het idee al jaren daarvoor had laten varen.

Misschien zou het anders zijn geweest als ze vaker uit waren gegaan. Hij had haar mee kunnen nemen naar Club Dreamerz. (God, die 'z' maakt hem gek.) Of misschien niet hierheen, maar naar iets leuks. Blues in de Green Mill. Of wandelen bij het meer, een picknick in het park, jezus, ze hadden met de Oriënt Express door Rusland moeten gaan. Iets romantisch en avontuurlijks, in plaats van vast te roesten in de sleur van alledag.

'Wat vind je ervan?' roept Kirby in zijn oor. Ze hupt op en neer op haar plek, als een gestoord konijn op een springstok, op de maat, als je zou kunnen zeggen dat de herrie die van het podium komt een maat had.

'Ja!' roept hij terug. Voor hen ketst een groepje mensen echt tegen elkaar aan alsof ze zich in een flipperkast bevinden.

'Is dat een goeie ja of een slechte ja?'

'Dat laat ik je wel weten als ik de teksten kan verstaan!' Dat zit er voorlopig waarschijnlijk niet in.

Ze steekt haar duim op en stort zich in het gewoel. Af en toe komen haar gestoorde kapsel of het modelletje-tondeuse-erover van Fred boven de hossende menigte uit.

Hij kijkt toe en drinkt van zijn bitter lemon, waar te veel ijs in heeft gezeten en dat nu niet meer is dan water zonder koolzuur en een vaag citroensmaakje.

Als de band drie kwartier heeft gespeeld en een toegift heeft gegeven, komen de twee weer tevoorschijn, zwetend en grijnzend en – de moed zinkt Dan in de schoenen – hand in hand.

'Wil je nog eten?' vraagt Kirby, en ze slaat achterover wat er nog in zijn glas zit, voornamelijk gesmolten ijs.

Ze belanden samen met de laatste bezoekers van clubs en bars in de buurt bij El Taco Chino, en hij eet misschien wel het beste Mexicaans dat hij ooit van een plastic bordje heeft gegeten.

'Hé, weet je wat, Kirbs,' zegt Fred, alsof de gedachte net bij hem opkomt. 'Je zou een documentaire moeten maken. Over wat er met je gebeurd is. En over jou en je moeder. Ik zou je ermee kunnen helpen. Wat spullen lenen van de universiteit, misschien een paar maanden terugkomen. Dat zou leuk zijn.'

'Oef,' zegt Kirby. 'Ik weet het niet, hoor…'

Dan onderbreekt hem. 'Dat is een vreselijk slecht idee.'

'Sorry, en wat weet jij ook alweer over films maken?' zegt Fred.

'Ik weet iets over strafrecht. Kirby's zaak loopt nog. Als ze die kerel ooit te pakken krijgen, kan zo'n film in de rechtszaal in haar nadeel werken.'

'Goed, misschien moet ik dan maar een film over honkbal maken. Waarom het zo'n big deal is. Misschien kun jij me dat vertellen, Dan?'

En omdat hij moe en geïrriteerd is en geen zin heeft om het alfamannetje uit te hangen, dreunt Dan nonchalant antwoorden op: 'Appeltaart. Vuurwerk op Onafhankelijkheidsdag. Een balletje gooien met je vader. Het maakt deel uit van dit land.'

'Nostalgie. De grote Amerikaanse hobby,' schampert Fred. 'Hoe zit het met kapitalisme, hebzucht en moordeskaders van de CIA?'

'Dat is het andere deel, ja,' beaamt Dan, maar hij weigert zich op te laten fokken door deze jongen met het achterlijke gezichtshaar. Jezus, hoe had ze met hém naar bed kunnen gaan?

Maar Fred zoekt nog steeds ruzie en probeert iets te bewijzen. 'Sport is als religie. Opium voor de massa.'

'Behalve dan dat je niet hoeft te doen alsof je een goed mens bent om gek te zijn op sport. Wat het veel krachtiger maakt. Het is de club waar iedereen zich bij kan aansluiten, het brengt mensen bij elkaar, en de enige hel is als je club een wedstrijd verliest.'

Fred luistert amper. 'En zo voorspelbaar. Is het niet ontzettend saai om steeds maar weer hetzelfde te schrijven? Man slaat bal. Man rent. Man wordt uitgevangen.'

'Ja, maar dat is hetzelfde met films of boeken,' zegt Kirby. 'Er is maar een bepaald aantal verhalen. Het interessante is hoe die zich ontvouwen.'

'Precies.' Dan is overdreven blij dat ze zich aan zijn kant schaart. 'Een wedstrijd kan alle kanten op gaan. Je hebt helden en schurken. Je leeft mee met de hoofdrolspelers en haat de vijand. Mensen betrekken de verhalen op zichzelf. Hun team is alles, en dat delen ze met vrienden en vreemdelingen. Heb je ooit mannen in het openbaar emotioneel zien worden over sport?'

'Dat is sneu.'

'Het zijn volwassen mannen die plezier maken. Ergens in opgaan. Alsof ze weer kind zijn.'

'Dat is dan een treurige stand van zaken voor het mannelijk geslacht,' zegt Fred.

Dan wil zeggen dat zijn gezicht een treurige stand van zaken is, maar hij houdt zich in, hij is immers de volwassene hier. 'Goed. Wat dacht je er dan van dat het een wetenschappelijke en een muzikale kant in zich heeft? De slagzone verandert elke wedstrijd en je moet elk stukje intuïtie en ervaring gebruiken om te voorspellen wat er op je afkomt. Maar waar ik pas echt van hou is dat mislukkingen erbij horen. De beste hitter ter wereld heeft nog maar een slaggemiddelde van wat, vijfendertig procent?'

'Suf,' zegt Fred. 'Is dat alles? De beste hitter aller tijden kan de bal nog niet eens raken?'

'Dat waardeer ik wel,' zegt Kirby. 'Dat betekent dat het niet erg is om de boel te verkloten.'

'Zolang je maar plezier hebt.' Dan toost haar met een vork vol gebakken bonen. Misschien maakt hij wel kans. Misschien kan hij op zijn minst een poging wagen.

Kirby 24 juli 1992

Het voelt heel goed om iemands warme adem in haar nek te voelen, iemands handen onder haar shirt. Ze zijn in zijn auto net tieners die maar wat aanrommelen. De veiligheid van vertrouwdheid. *Nostalgie, het nationale tijdverdrijf.* 'Je bent een stuk beter geworden, Fred Tucker,' fluistert Kirby, en ze kromt haar rug zodat hij makkelijker haar beha los kan maken.

'Hé, dat is niet eerlijk,' zegt hij, en hij trekt zich terug bij de herinnering aan hun eerste stuntelige pogingen tot seks als tieners. Wat een luxe, als een kleine vernedering al zo veel pijn doet, denkt ze, en ze berispt zichzelf meteen voor die onaardige gedachte.

'Stom grapje, sorry. Kom hier.' Ze trekt zijn mond op die van haar. Ze merkt dat hij nog een beetje verbolgen is, maar de bobbel in zijn spijkerbroek trekt zich geen reet aan van zijn gekrenkte trots. Hij leunt over de handrem om haar weer te zoenen en laat zijn handen onder de losgemaakte cups van haar beha glijden en zijn duim streelt haar tepel. Ze hijgt tegen zijn mond. Zijn andere hand glijdt verkennend naar haar buik, op weg naar haar spijkerbroek, en ze voelt hem verstarren op het spinnenweb van littekens.

'Ben je het vergeten?' Het is haar beurt om zich los te maken. Elke keer weer. De rest van haar leven. Het met iemand doornemen.

'Nee, ik had alleen niet verwacht dat het zo… dramatisch zou zijn.'

'Wil je het zien?'

Ze trekt haar shirt omhoog en leunt naar achteren zodat het licht van de straatlantaarn op haar huid valt en het netwerk van heftige roze ribbels op haar buik toont. Hij glijdt er met zijn vinger langs.

'Het is mooi. Jij bent mooi, bedoel ik.' Hij kust haar opnieuw. Ze zoenen een hele tijd, wat echt heel erg lekker en ongecompliceerd voelt.

'Wil je bovenkomen?' zegt ze. 'Laten we dat doen.'

Hij aarzelt als ze naar de deurkruk van de auto reikt. Die van zijn moeder, terwijl hij in de stad is.

'Als je wilt,' zegt ze, voorzichtiger.

'Ja.'

'Er is wel een maar.' Ze is alweer in het defensief. 'Maak je geen zorgen. Ik wil geen relatie, Fred. Dat hele gedoe over een meisje ontmaagden en dat ze dan de rest van je leven van je houdt? Ik ken je niet eens. Maar ik heb je wel gekend. En dit voelt goed, en meer wil ik niet.'

'Ik ook niet.'

'Er is nog steeds een maar.' Een gevoel van ongeduld boort zich door wat tot dan toe lekkere en allesoverheersende lust was geweest.

'Ik moet iets uit de kofferbak halen.'

'Ik heb condooms. Die heb ik eerder gekocht. Voor het geval dat.'

Hij lacht zachtjes. 'Jij had ze de vorige keer ook gekocht. Het is wat anders. Mijn camera.'

'Niemand gaat hem stelen. Zó gevaarlijk is mijn buurt ook weer niet. Als je hem in het volle zicht op de achterbank laat liggen misschien.'

Hij kust haar weer. 'Omdat ik je wil filmen. Voor de documentaire.'

'Daar kunnen we het later wel over hebben.'

'Nee, ik bedoel, terwijl we…'

Ze duwt hem weg. 'Sodemieter op.'

'Niet op die manier! Je merkt er niks van.'

'O, sorry. Ik heb het misschien verkeerd begrepen. Ik dacht dat je me wilde filmen tijdens de seks.'

'Dat wil ik ook. Om te laten zien hoe mooi je bent. Zelfverzekerd en sexy en sterk. Het gaat erom dat je wat je overkomen is weer opeist. Wat is er nou krachtiger en kwetsbaarder dan jezelf naakt te laten zien?'

'Hoor je wel wat je zegt?'

'Ik wil je niet uitbuiten. Je hebt volledige zeggenschap. Daar gaat het om. Het is net zozeer jouw film als die van mij.'

'Dat is attent van je.'

'Jij zult je moeder moeten filmen, tot ik haar kan overhalen, maar ik zal je helpen. Ik kom een paar maanden terug voor opnames.'

'Is dat niet onethisch? Naar bed gaan met het onderwerp van je documentaire?'

'Niet als dat deel uitmaakt van de film. Filmmakers zijn sowieso medeplichtig. Er bestaat niet zoiets als objectiviteit.'

'O god, wat ben je toch een lul. Je hebt dit helemaal gepland.'

'Nee, ik wilde het alleen maar voorstellen, als idee. Het zou te gek zijn.'

'En de camera had je toevallig in je auto liggen.'

'In die Mexicaanse tent leek je er nog voor open te staan.'

'Het kwam maar even ter sprake. En je zei er echt niet bij dat we thuis porno zouden gaan schieten.'

Fred gooit het over een andere boeg. 'Gaat dit over die sportvent?'

'Dan? Nee. Het gaat erover dat jij een ongelooflijke eikel zonder gevoel bent die niet meer van bil gaat, wat jammer is, want ik dacht dat ik voor één keer ongecompliceerde seks kon hebben met iemand die ik wel mag.'

'We kunnen nog steeds seks hebben.'

'*Als* ik je nog steeds wel zou mogen, ja.' Ze stormt de auto uit en is al bijna bij haar huis als ze terugloopt en naar het raampje bukt. 'Zomaar een tip, lekker ding: begin volgende keer pas over een film waar je afspraakje bijna zeker niks van wil weten *nadat* je met haar naar bed bent geweest.'

Mal 16 juli 1991

Afkicken is een eitje. Je verdwijnt een paar maanden naar een plek waar je nog niemand tegen je in het harnas hebt gewerkt, waar ze je wellicht in huis halen en voor je zorgen, je een beetje extra eten geven en je misschien wel aan het werk zetten. Mal heeft een achternicht of stieftante in Greensboro, North Carolina, hij weet niet meer precies hoe het zit. Families zijn toch al rommelig, nog voordat je over dat gedoe met achterachter- gaat nadenken, maar bloed is bloed.

Tante Patty, hoe ze verder ook in het plaatje past, geeft de jongen wat ruimte. 'Maar alleen om je moeder,' zegt ze regelmatig. Dezelfde moeder die hem kennis liet maken met dope en er op de gezegende leeftijd van vierendertig na een mislukt shot in haar arm tussenuit kneep, maar hij is wel zo slim om daar maar niet over te beginnen. En misschien helpt ze hem daarom juist wel. Schuldgevoel is een belangrijke drijfveer.

De eerste paar weken zijn een hel. Hij zweet en beeft en smeekt tante Patty om hem voor methadon naar het ziekenhuis te brengen. In plaats daarvan neemt ze hem mee naar de kerk, en hij zit rillend op het bankje en ze sleurt hem tijdens elk gezang overeind. Maar hij had zich niet kunnen voorstellen hoe fijn het zou voelen als een heel stel mensen voor je bad. Echt betrokken waren bij je toekomst en God namens jou vroegen je te genezen van je ziekte, ere zij Jezus.

Misschien is het God zelf wel die zich ermee bemoeide of misschien is hij nog jong genoeg om de slechte shit van zich af te schudden, of misschien was het wel op zo'n manier versneden dat het eigenlijk zo slecht nog niet was, maar hij overleeft de ontwenning en komt weer tot zichzelf.

Hij krijgt een baan als inpakker van boodschappen bij Wholefoods. Hij is vlug en vriendelijk en mensen mogen hem graag. Dat is een verrassing. Hij werkt zich op tot kassajongen en krijgt zelfs iets met een leuk meisje, een collega, Diyana, die al een kind van een andere man heeft en hard werkt en parttime studeert zodat ze manager kan worden en het misschien wel tot het hoofdkantoor gaat schoppen, om haar kind een beter leven te geven.

Mal vindt het best. 'Zolang we maar geen nieuw kind krijgen,' zegt hij tegen haar, en hij zorgt ervoor dat ze altijd veilig vrijen. Want hij heeft wel genoeg domme fouten gemaakt.

'Nog niet,' zegt ze, heel zelfvoldaan, alsof ze weet dat ze hem binnen heeft gehaald. En dat vindt hij ook niet erg, want misschien heeft ze dat ook wel. En dat zou lang niet slecht zijn. Hij en zij en een gezin dat zich omhoogwerkt. Ze zouden franchisenemer kunnen worden.

Afgekickt blijven? Dat is een ander verhaal. Je hoeft niet eens op zoek. Moeilijkheden komen vanzelf naar je toe. De straathoek vindt jou, zelfs in Greensboro.

Eén snuif, als herinnering aan vroeger.

Te weinig wisselgeld geven aan de oude meneer Hansen, die halfblind is en de cijfers toch niet kan zien. 'Ik weet zeker dat het een briefje van vijftig was, Malcolm,' zegt hij met dat bevende stemmetje.

'Nee, meneer.' Mal is een en al goedaardige bezorgdheid. 'Het was echt twintig. Moet ik de la opendoen en het laten zien?'

Het is te makkelijk. Oude gewoonten vermengen zich met nieuwe, en voor je het weet zit je in de eerstvolgende bus terug naar Chitown met niet veel meer dan een briefje van vijfduizend dollar dat een gat in je zak brandt.

Hij was twee jaar daarvoor met het biljet naar een pandjeswinkel gegaan, alleen maar om meer te weten te komen. De man achter de toonbank had tegen hem gezegd dat het waardeloos was, Monopoly-geld, maar had aangeboden het voor twintig dollar van hem te kopen (omdat het 'een curiositeit' was), waardoor Mal besefte dat het veel meer waard was.

Nu hij weer door Englewood loopt zonder een cent op zak en van alle kanten drugs krijgt aangeboden klinkt twintig dollar uitstekend. Echt uitstekend. Maar er is maar één ding erger dan niet scoren en dat is opgelicht worden, en Mal laat zich niet afzetten door een pandjesbaas.

Hij heeft er een paar weken voor nodig om zijn draai te vinden. Hij gaat op bezoek bij zijn vriend Raddison, die nog bij hem in het krijt staat, en vraagt rond naar die veelbelovende man.

Af en toe krijgt hij iets te horen van de speedverslaafden die weten dat hij belangstelling heeft en voor de info een dollar of een hijs vragen. Waar Mal best mee over de brug wil komen als ze kunnen bewijzen dat ze het niet ter plekke verzinnen. Hij wil details. Over hoe de man hinkt, aan welke kant hij zijn kruk gebruikt, hoe die eruitziet. Zodra ze over staal beginnen weet hij dat ze liegen. Maar hij is wel zo sluw om het niet tegen ze te zeggen als ze het mis hebben. Een sjoemelaar laat niet met zich sjoemelen.

Maar hij houdt vooral het huis in de gaten. Hij denkt dat hij weet welk het is. Hij weet dat daarbinnen iets is. Hoewel hij vaak genoeg langs die huizen heeft lopen loeren en door de ramen naar de troep binnen heeft gekeken. Ze zijn helemaal leeggeroofd. Maar hij denkt dat deze jongen slim is. Hij zal zijn spul hebben verstopt. Drugs of geld. Misschien onder een vloerplank of in de muren. Zoiets.

Maar wat is de andere menselijke drijfveer? O ja. Hebzucht. Hij installeert zich in een van de huizen aan de overkant. Sleurt een oude matras naar binnen en zorgt ervoor dat hij high genoeg is als hij in slaap valt, zodat de rattenbeten hem niet zullen deren.

En op een regenachtige dag ziet hij hem naar buiten komen. Jawel. Die interessante man komt naar buiten gehinkt, zonder kruk vandaag, hoewel hij nog steeds vreemde kleren draagt. Hij kijkt om zich heen, naar links en rechts en weer naar links, alsof hij gaat oversteken. Hij denkt dat er niemand kijkt, maar Mal kijkt wel degelijk. Hij wacht al maanden op hem. Hou het huis in gedachten, denkt hij. Hou het vast.

Zodra zijn slachtoffer de hoek om is, snelt Mal met een lege rugzak zijn toevluchtsoord vol ratten uit. Hij steekt snel over en loopt de treden naar de deur van de verrotte houten huurflat op. Hij probeert de deur te openen, maar die zit op slot. De planken die ervoor zijn gespijkerd zijn maar voor de sier. Hij gaat achterom en klimt over het prikkeldraad voor de trap dat mensen als hij buiten moet houden, en door het gebroken raampje het Huis in.

Er vindt hier hocus pocus van wereldniveau plaats. Het zullen wel spiegels en zo zijn, want wat er vanbuiten uitziet als een uitgewoonde ruïne is als je binnenkomt een ingericht huis. Ouderwets, dat wel, als iets uit een museum. Maar wie kan het wat schelen, als het maar wat waard is. Mal zet de gedachte uit zijn hoofd dat het misschien wel echt hekserij is.

En misschien is dat biljet van vijfduizend dollar in zijn zak wel een enkele reis.

Hij begint zijn rugzak te vullen met alles wat hij maar kan vinden. Kandelaars, tafelzilver, een bundeltje bankbiljetten dat op het aanrecht ligt. Als hij het in zijn rugzak schuift, maakt hij een snel rekensommetje: biljetten van vijftig dollar, zo dik als een pak speelkaarten. Moet minstens twee ruggen zijn.

Hij zal iets moeten bedenken voor de grotere voorwerpen. Het is vervallen troep, maar sommige spullen moeten flink wat waard zijn, zoals die grammofoon of de bank met de klauwvoeten. Hij zal moeten informeren bij een paar echte antiekhandelaren. En dan een manier bedenken om het naar buiten te krijgen. Het ligt voor het oprapen.

Hij wil net naar boven gaan als hij voetstappen voor de deur hoort en hij zich bedenkt. Hij heeft wel genoeg lol gehad voor één dag. En eerlijk gezegd bezorgt de plek hem de kriebels.

Er is iemand bij de voordeur. Mal loopt naar het raam. Zijn hart gaat tekeer alsof hij een slecht shot heeft gezet, want wat als hij niet wegkomt? De duivel komt hem halen. Lieve Jezus, breng me naar huis, denkt hij, wat onzin is, want hij gelooft niet eens in dat kerkgedoe.

Maar hij klautert naar buiten in de zomer van 1991, precies zoals hij het heeft achtergelaten. Het regent dat het giet, dus hij moet de weg over rennen om te schuilen. Hij kijkt om naar het huis, dat een ruïne is. Als hij geen tas vol spullen in zijn hand had, zou hij denken dat hij tripte. Tering, fluistert hij. Het is trucage en special effects. Hollywoodonzin. Stom om je er zo over op te winden.

Maar hij gaat niet terug. Nergens voor, houdt hij zichzelf voor. Hoewel hij al weet dat hij natuurlijk wel teruggaat.

Zodra hij weer vrij is. Zodra hij weer naar drugs smacht. Dope heeft nergens iets mee te schaften. Niet met liefde en niet met familie en al helemaal niet met angst. Zet dope en de duivel tegen elkaar in de ring en dope wint. Elke keer weer.

Kirby 22 november 1931

Ze weet niet waar ze naar kijkt. Een soort monument. Een heiligdom dat de hele kamer in beslag neemt. In onbegrijpelijke configuraties hangen er aandenkens aan de muur, op een rij boven de schoorsteenmantel, aan het dressoir met de gebarsten spiegel, het raamkozijn, gerangschikt op het blootgestelde stalen frame van het bed (de matras ligt op de grond en door het laken heen is een donkere vlek zichtbaar). Ze zijn omcirkeld met krijt of zwarte pen, of de punt van een mes dat in het behang is gestoken. Er staan namen naast geschreven. Sommige kent ze uit haar hoofd. De andere zijn vreemdelingen voor haar. Ze vraagt zich af wie ze waren. Of ze erin geslaagd zijn terug te vechten. Ze moet proberen het zich te herinneren. Als ze de woorden maar lang genoeg kan vasthouden om ze te lezen. Had ze godverdomme maar een camera. Het is moeilijk om zich te concentreren. Alles heeft iets wazigs en flikkert, nu eens scherp en dan weer niet, als een stroboscoop.

Kirby haalt haar hand door de lucht en kan zich er niet helemaal toe brengen de levensgrote vlindervleugels die aan de bedstijl hangen aan te raken, of het identiteitspasje van wit plastic met een streepjescode voor Milkwood Pharmaceuticals.

Natuurlijk, denkt ze, de pony is hier. Wat betekent dat de aansteker hier ook moet zijn. Ze klampt zich vast aan kille rationaliteit en probeert de details in zich op te nemen. Alleen de feiten, mevrouw. Maar de tennisbal maakt alles ongedaan. Die stort haar in een vrije val als een lift waarvan de kabels zijn doorgesneden. Hij hangt aan een spijker die in een gescheurde naad is gestoken. Haar naam is met krijt op het behang ernaast geschreven. Ze kan de vorm van de letters onderscheiden. Hij heeft het verkeerd gespeld: Kirby Mazrackey.

Ze voelt zich als verdoofd. Het ergste is al gebeurd. Is dit niet waarnaar ze op zoek was? Bewijst dit niet alles? Maar haar handen beginnen zo erg te trillen dat ze ze tegen haar buik moet drukken. De oude littekens doen als in een reflex pijn onder haar t-shirt. En dan klinkt er in het slot beneden een sleutel.

Jezuskutshit. Kirby kijkt de kamer rond. Er is geen andere uitgang, niets wat ze als wapen kan gebruiken. Ze rukt aan het schuifraam om op de trap die naar de achterkant van het huis loopt te klimmen, maar het zit dichtgeklemd.

Ze zou kunnen proberen te ontsnappen, langs hem heen rennen als hij binnenkomt. Als ze beneden kan komen, kan ze hem met de ketel een oplawaai verkopen.

Of ze kan zich verstoppen.

De sleutel houdt op met het gekras. Ze kiest het hazenpad. Ze schuift overhemden en identieke spijkerbroeken die er hangen opzij, klautert in de kast en gaat met haar benen onder zich boven op zijn schoenen zitten. Het is er krap, maar hij is in elk geval van massief notenhout. Als hij de deur opendoet kan ze die in zijn gezicht trappen.

Dat is wat de zelfverdedigingsinstructeur haar heeft verteld toen de psychiater erop gestaan had dat ze daarheen zou gaan: dat ze de leiding weer in handen moest nemen. 'Het enige doel is jezelf genoeg tijd geven om weg te komen. Vloer hem en ren weg.' Het is altijd een 'hij', de pleger van afschuwelijk geweld tegen vrouwen. Alsof vrouwen het kwaad niet in zich zouden hebben. De instructeur had verschillende methoden gedemonstreerd. Steek je vingers in zijn ogen, sla hem met de palm van je hand vlak onder de neus of tegen de keel, ram met je hiel tegen zijn wreef, ruk zijn oor eraf (kraakbeen scheurt makkelijk) en smijt het voor zijn voeten. Ga nooit voor de ballen, dat is de enige aanval die mannen verwachten en waar ze zich tegen beschermen. Ze oefenden worpen en klappen en hoe je uit een greep kon komen, maar iedereen had haar tijdens de lessen behandeld alsof ze van glas was. Ze was te echt voor ze.

Beneden hoort ze een man moeite doen om binnen te komen.

'*Co za wkurwiające gówno!*' Hij klinkt dronken. Pools misschien.

Dat is hem niet, denkt ze, en ze weet niet zeker of wat ze voelt duizelige opluchting is of teleurstelling. Ze hoort de man binnen komen stommelen en naar de keuken gaan, door het geluid van ijs dat in een bekerglas klettert. Hij stampt de salon in en rommelt wat. Even later begint er muziek te spelen, krassend, teder en lieftallig.

Ze hoort de voordeur weer opengaan, zachtjes deze keer. Maar al is hij dan dronken, de Pool heeft het ook gehoord.

De kast ruikt naar mottenballen en misschien een vleugje van *zijn* zweet. Ze wordt al misselijk bij de gedachte en krabt aan de verf aan de achterkant van de deur. Alle oude zenuwachtige gewoontes komen terug. Een tijdje nadat het gebeurd was had ze aan de huid rondom haar nagels gepulkt tot die bloedde. Maar ze heeft genoeg gebloed voor hem. Genoeg voor een mensenleven. De deur kan het echter hebben, vooral als het voorkomt dat ze iets ondoordachts doet zoals naar buiten stormen, want de duisternis hierbinnen heeft een gewicht en een druk die aanvoelt alsof je in het diepe gedeelte van een zwembad bent.

'*Hej!*' roept de Pool tegen degene die binnenkomt. '*Coś ty za jeden?*' Hij beent naar de gang. Ze hoort een gesprek, nu weer harder en dan weer zachter, maar ze kan de woorden niet verstaan. Gevlei. Abrupte antwoorden. Is het zijn stem? Ze zou het niet kunnen zeggen. Er klinkt een vlezige klap. Een koe die een pin tussen de ogen krijgt geschoten. Gepiep, hoog en mensonwaardig. Er volgt nog een abattoirklap. En nog een. Kirby kan zich niet meer inhouden. Een laag dierlijk geluid worstelt zich een weg naar buiten en met beide handen voor haar mond geslagen grijpt ze haar kaak vast.

Beneden houdt het gepiep plotseling op. Ze luistert aandachtig, in haar handpalm bijtend om het niet uit te schreeuwen. Een doffe dreun. Een eenzijdige strijd, hijgend en vloekend. En dan het geluid van iemand die de trap op komt, zwaaiend met een kruk die op elke trede *tok-tok* doet.

Harper 22 november 1931

De deur zwaait open in het verleden en Harper hobbelt naar binnen met een smerige tennisbal, maar zonder zijn mes, en bijna in de armen van een beer van een vent in de gang. Hij is dronken en houdt aan één roze poot een bevroren kalkoen beet. De laatste keer dat Harper hem gezien had, was hij dood geweest.

De man komt brullend en als een knuppel met de vogel zwaaiend op hem af gestrompeld. '*Hej! Coś ty za jeden? Co ty tu kurwa robisz? Myślisz, że mozesž tak sobie wejść do mojego domu?*'

'Hallo,' zegt Harper vriendelijk. Hij weet al hoe het af gaat lopen. 'Als ik van een gokje hield, zou ik wedden dat u meneer Bartek bent.'

De man krijgt iets goochems en gaat verder in de taal die Harper begrijpt. 'Heeft Louis je gestuurd? Ik heb dit al uitgelegd. Er wordt niet vals gespeeld, mijn vriend! Ik ben een ingenieur. Geluk heeft een mechanisme, net als al het andere. Je kunt het berekenen. Zelfs paarden en potjes faro.'

'Dat geloof ik.'

'Als je wilt kan ik je helpen. Ga een weddenschap aan. Mijn methode is waterdicht, mijn vriend. Gegarandeerd.' Hij kijkt Harper hoopvol aan. 'Drink je? Kom wat drinken met me! Ik heb whisky. En champagne! Ik ging deze kalkoen klaarmaken. Er is meer dan genoeg voor twee. We kunnen het leuk hebben. Niemand hoeft iets te overkomen. Toch?'

'Ik ben bang van niet. Doe alsjeblieft je jas uit.'

Daar denkt de man even over na. Hij beseft dat Harper dezelfde jas draagt. Of een toekomstige variatie daarop. Het gebral neemt af en verschrompelt als een koeienmaag als je er een mes door stoot. 'Je komt toch niet van Louis Cowen?'

'Nee.' Hij herkent de naam van de gangster, ook al heeft hij nooit zaken met hem gedaan. 'Maar ik ben hem dankbaar. Voor dit alles.' Harper gebaart met zijn kruk naar de gang en als Bartek de beweging onwillekeurig volgt, brengt hij hem met een zangerig geluid neer tegen de achterkant van zijn nek. De Pool valt gillend neer en Harper leunt tegen de muur om in evenwicht te blijven als hij de kruk keer op keer op zijn hoofd ramt. Met bedreven gemak.

Het duurt even voordat hij de jas uit heeft gesjord. Harper haalt zijn hand langs zijn gezicht en die zit onder het bloed. Hij zal moeten douchen voordat hij gaat doen wat nodig is, iets op gang brengen wat al heeft plaatsgevonden.

Harper 20 november 1931

Het is de eerste keer dat hij terug is in de sloppenwijk sinds zijn vertrek. Door zijn ervaringen is het een nog slechtere plek geworden. De mensen zijn gemener en ordinairder. Grauwe zakken van huid, rondgezwaaid door een verdoofde poppenspeller.

Hij moet zichzelf eraan herinneren dat niemand naar hem op zoek is. Nog niet. Maar hij mijdt zijn oude vaste plekken en neemt een andere route door het park, dicht bij de rand van het water. Hij vindt de hut van de vrouw zonder enige moeite. Ze haalt buiten de was af. Haar blinde vingers tasten langs de draad en plukken de vlekkerige petticoat eraf en de deken vol luizen die weigeren zich in koud water weg te laten spoelen. Behendig vouwt ze elk kledingstuk op, waarna ze het aan de jongen naast haar geeft.

'Mami. Stil. Er is iemand.'

Vol huiver draait de vrouw haar gezicht naar hem toe. Hij vermoedt dat ze altijd blind is geweest en niet beseft dat ze een listige blik moet opzetten. Het maakt de klus er alleen maar vermoeiender op. Er is geen spel hier. Hij heeft geen belangstelling voor deze saaie vrouw, die toch al dood is.

'Neem me niet kwalijk dat ik u op deze mooie avond stoor, mevrouw.'

'Als je me komt beroven: ik heb geen geld,' zegt de vrouw. 'Je bent niet de eerste, trouwens.'

'Het tegenovergestelde, mevrouw. Ik kom u om een gunst vragen. Geen grote, maar ik kan u ervoor betalen.'

'Hoeveel?'

Harper lacht om haar schaamteloze behoeftigheid. 'Gaan we meteen onderhandelen? U wilt niet eens weten wat ik van u wil.'

'Je wilt hetzelfde als alle anderen. Maak je geen zorgen. Ik stuur de jongen wel uit bedelen bij het station. Hij zal ons niet storen terwijl je aan m'n pruim likt.'

Hij drukt de biljetten in haar hand. Ze schrikt. 'Over ongeveer een uur komt hier een vriend van me langs. U moet een boodschap overbrengen en hem deze jas geven.' Hij drapeert hem over haar schouders. 'Die moet u dragen. Daaraan zal hij u herkennen. Zijn naam is Bartek. Kunt u dat onthouden?'

'Bartek,' herhaalt ze. 'En wat is de boodschap?'

'Dat is wel genoeg, denk ik. Er zal een opschudding zijn. U zult het wel horen. U hoeft alleen zijn naam maar te zeggen. En denk er niet aan om iets uit de zakken te halen. Ik weet wat erin zit, en als u dat doet kom ik terug om u te vermoorden.'

'Zulke dingen moet je niet zeggen waar de jongen bij is.'

'Hij zal mijn getuige zijn,' zegt Harper, tevreden over de waarheid.

Kirby 2 augustus 1992

Dan en Kirby lopen de oprit op, langs het keurig bijgehouden gazon, waarop een bord met de tekst STEM BILL CLINTON staat. Rachel zette vroeger borden neer voor alle politieke partijen, om maar tegendraads te zijn. Tegen campagnevoerders zei ze ook dat ze op een extremistische partij ging stemmen. Maar toen ze Kirby erop betrapte dat ze een oud dametje belde en die ervan overtuigde dat ze al haar huishoudelijke apparaten in aluminiumfolie moest wikkelen tegen de straling van satellieten die doordrongen tot in haar huis, zei ze dat ze niet zo kinderachtig moest doen.

Er klinkt gedempt geschreeuw van kinderen in het huis. Dat zou wel een likje verf kunnen gebruiken, maar op de veranda staan bloempotten met oranje geraniums. De weduwe van rechercheur Michael Williams doet de deur open, met een glimlach maar duidelijk gespannen.

'Hoi, sorry, de jongens...' Achter haar klinkt een gil.

'Maa-aaam! Hij gebruikt heet water.'

'Eén seconde.' Ze verdwijnt in het huis en als ze terugkomt sleurt ze twee jongens met waterpistolen aan de armen mee. Een jaar of zes, zeven, Kirby is er niet zo goed in de leeftijd van kinderen te schatten. 'Zeg eens hallo, jongens.'

''Lo,' mompelen ze. Ze staren naar hun voeten, hoewel de jongere vlug even naar haar opkijkt door achterlijk lange wimpers, en Kirby is blij dat ze vandaag een sjaal omheeft.

'Daar doe ik het voor. Naar buiten alsjeblieft. Dank je wel. En gebruik de kraan in de tuin.' Hun moeder duwt ze de tuin in. Ze rennen weg als raketten die zijn afgeschoten, schreeuwend en joelend.

'Kom binnen. Ik heb net ijsthee gemaakt. Jij moet Kirby zijn? Charmaine Williams.' Ze schudden elkaar de hand.

'Bedankt hiervoor,' zegt Kirby terwijl Charmaine hun voorgaat in een huis dat net zo keurig is als de tuin. Dat is een daad van opstandigheid, denkt Kirby. Want dat is het probleem met de dood, of het nu om een moord of een hartaanval of een auto-ongeluk gaat: het leven gaat door.

'O, ik weet niet of je er iets aan hebt, maar het ligt daar maar en neemt ruimte in, en op het bureau willen ze het niet hebben. Echt, je doet me een plezier. De jongens zullen blij zijn dat ze hun eigen kamer weer terug hebben.' Ze opent de deur naar een kleine studeerkamer met een raam dat uitkijkt op het steegje achter het huis. Dat is in beslag genomen door kartonnen dozen die op de vloer en tegen de muren staan. Tegenover het raam hangt een prikbord van vilt met familiefoto's, een vaantje van de Bulls, een blauw lintje voor de bowlingcompetitie van de politie van Chicago uit 1988 en om de rand een verzameling oude loterijbriefjes – een grens die pech buitensluit.

'Speelde hij op het nummer van zijn penning?' zegt Dan met een blik op het bord. Hij zegt niets over de foto van de dode man die languit in een bloembed ligt, met zijn armen uitgestoken als Jezus Christus, of de polaroid van een zak met inbrekersgereedschap, of het artikel uit de *Tribune* over een prostituee die dood was aangetroffen, dingen die nogal zorgwekkend tussen de huiselijke memorabilia zijn geprikt.

'Je weet hoe het gaat,' zegt Charmaine met een fronsende blik op het bureau, een goedkoop doe-het-zelfgeval, dat amper zichtbaar is onder de laag papieren, en in het bijzonder op de gestreepte koffiemok waarin zich op de bodem een dun laagje donzige schimmel heeft gevormd.

'Ik haal die ijsthee wel even,' zegt ze, en ze grist de mok mee.

'Dit is vreemd,' zegt Kirby, en ze kijkt om zich heen naar de restanten van oude politieonderzoeken die open en bloot rondslingeren. 'Het lijkt wel of het hier spookt.' Ze pakt een glazen pressepapier met een hologram van een vliegende adelaar op en zet hem weer neer. 'Dat zal ook wel zo zijn.'

'Jij zei dat je een ingang zocht. Dit is een ingang. Mike onder-

zocht veel moorden op vrouwen en hij bewaarde al zijn aantekeningen.'

'Gelden die gewoonlijk niet als bewijsmateriaal?'

'De belangrijkste spullen van een onderzoek wel: het mes met
bloed, getuigenverklaringen. Het is net wiskunde, je moet precies
laten zien hoe je het hebt uitgewerkt, maar er wordt veel aange-
klooid voor je dat punt bereikt: gesprekken die nergens toe lijken
te leiden, bewijsmateriaal dat op het moment zelf niet relevant
lijkt.'

'Je draait het laatste restje vertrouwen dat ik nog in het rechts-
systeem had de nek om, Dan.'

'Mike was een van de agenten die ervoor probeerden te zorgen
dat het systeem veranderde. Om inspecteurs te dwingen echt alles
te archiveren. Hij vond dat er veel op de schop moest bij de politie.'

'Harrison heeft me over je onderzoek naar die martelzaak verteld.'

'Hij en z'n grote mond. Ja, en Mike was degene die daarover
aan de bel trok, tot ze Charmaine en de jongens begonnen te bedreigen. Ik neem het hem niet kwalijk dat hij het heeft opgegeven.
Hij werd overgeplaatst naar Niles en bleef uit hun buurt. Maar
intussen bewaarde hij elke snipper papier die langs zijn bureau
kwam over elke moord waaraan hij werkte, en alle andere die hij
te pakken kon krijgen. Een van de bureaus had een probleem met
vocht. Hij heeft veel dossiers gered en hierheen gebracht. Van
sommige dingen is onmogelijk vast te stellen wat het was. Volgens mij was hij van plan met pensioen te gaan en het door te spit-
ten om zo alsnog oude zaken op te lossen. Misschien een boek te
schrijven. En toen had hij dat auto-ongeluk.'

'Geen vuil spel?'

'Het was een dronken bestuurder. Hij knalde boven op hem en
ze waren allebei vrijwel op slag dood. Soms gebeuren zulke dingen nou eenmaal. Maar goed, Mike was een beetje een hamste-
raar van alles wat maar met moorden te maken had. Er zit hier
spul bij dat je niet in de archieven van de *Sun-Times* of de biblio-

theek vindt. Waarschijnlijk niks bruikbaars, maar zoals je al zei: breed inzetten.'

'Noem me maar Pandora,' zegt Kirby, en ze probeert niet terug te deinzen voor het enorme aantal dozen, elk ervan uitpuilend van verdriet. Dit zou het moment zijn om het bijltje erbij neer te gooien.

Mooi niet.

Dan 2 augustus 1992

Ze moeten tien keer op en neer om achtentwintig dozen met dossiers over oude zaken de drie trappen naar Kirby's appartement boven de Duitse bakkerij op te krijgen.

'Kon je geen huis met een lift vinden?' klaagt Dan. Hij duwt de deur met zijn voet open en hijst een doos op een oude deur die op schragen ligt en moet doorgaan voor een bureau.

Haar appartement is een puinhoop. De parketvloeren zijn vervaagd en zitten vol krassen. Overal liggen kleren. En dan gaat het niet over sexy ondergoed. Binnenstebuiten gekeerde t-shirts, jeans en trainingsbroeken en één grote zwarte laars die in een wirwar van veters half onder de bank ligt, terwijl zijn metgezel nergens te zien is. Dan herkent de deprimerende symptomen van het het-kan-me-allemaal-geen-reet-schelen-leven van een vrijgezel. Hij had gehoopt dat hij ergens aan zou kunnen zien of ze vorige week naar bed was geweest met die idioot Fred, of dat ze weer iets met hem had, maar er ligt te veel troep om iets te kunnen zeggen over seksuele uitspattingen, laat staan de geheimzinnige wegen van haar hart.

De meubels die niet bij elkaar passen duiden op een gestoorde vindingrijkheid op het gebied van doe-het-zelf, spullen die zijn meegenomen van straat en hergebruikt worden, en niet zomaar melkkratten als boekenkasten zoals in de gemiddelde studentenkamer. Zo is de koffietafel voor de bank in de kleine ruimte die een woonkamer moet voorstellen bijvoorbeeld een oude kooi voor woestijnratten met erbovenop een rond stuk glas.

Hij trekt zijn jas uit en gooit die over de bank, waar die zich meteen thuis voelt tussen een oranje trui en een afgeknipt spijkerbroekje, en hij bukt om het diorama te bekijken dat ze in de kooi heeft gecreëerd met speelgoeddinosaurussen en kunstbloemen.

'O, dat. Ik verveelde me,' zegt ze opgelaten.

'Het is... interessant.'

De houten kruk naast het aanrecht, die verontrustend scheef staat, is beschilderd met tropische bloemen. Aan de deur naar de badkamer zijn plastic goudvissen geplakt en boven de keukengordijnen zijn lampjes gehangen die knipperen alsof het kerst is.

'Geen lift, sorry. Niet voor deze prijs. En ik zou sowieso voor de geur van vers brood gaan. Ik krijg korting op de donuts van de vorige dag.'

'Ik vroeg me al af hoe je aan het geld kwam om ze aan Jan en alleman uit te delen.'

'Ze gaan vooral hierheen!' Ze hijst haar t-shirt omhoog en knijpt in haar buik.

'Dat werk je op die trap wel weer weg,' zegt Dan, en hij kijkt niet, echt niet, naar de manier waarop haar buik vanaf de harde bobbel van haar heup boven haar spijkerbroek omhoogwelft.

'De bewijsmateriaalworkout. We hebben meer dozen nodig. Heb je nog meer dode agenten als vrienden?' Ze ziet zijn gezicht. 'Sorry, dat was zelfs voor mij te zwartgallig. Wil je even blijven? Me helpen een beginnetje te maken?'

'Ik heb toch niks beters te doen.'

Kirby opent de eerste doos en legt alles op de tafel. Michael Williams is allesbehalve systematisch geweest. Zo te zien gaat het om dertig jaar aan allerlei troep. Foto's van auto's, duidelijk uit de jaren zeventig, door de tinten goud en beige en de hoekige vormen. Mugshots van allerlei engerds, stuk voor stuk met een zaaknummer, een datum. Van voren, opzij, links, rechts. Een vent met een enorme bril die zelfverzekerdheid uitstraalt, het knappe meneertje met zijn nette haar, een man met wangen die zo ingevallen waren dat je er drugs in had kunnen smokkelen.

Kirby trekt een wenkbrauw op. 'Hoe oud was die agent van je eigenlijk?'

'Achtenveertig? Vijftig? Heeft zo'n beetje z'n hele leven bij de politie gezeten. Oldskool politie. Charmaine is zijn tweede vrouw. Politieagenten scheiden vaker dan het landelijk gemiddelde. Maar het ging goed tussen ze. Ik denk dat ze het wel gered zouden hebben als hij dat ongeluk niet had gehad.'

Hij tikt met zijn laars tegen de dozen op de grond. 'Ik denk dat we het spul dat echt oud is apart moeten houden. Alles van voor... de jaren zeventig? Dat gaat op de stapel waar we niks aan hebben.'

'Okidoki.' Ze opent een van de dozen waarop 1987-1988 staat, en Dan begint de dozen met jaartallen van te lang geleden opzij te schuiven.

'Waar is dit?' zegt Kirby. Ze houdt een polaroid op van een rij mannen met borstelige baarden en korte rode broekjes. 'Een bowlingbaan?'

Dan staart naar de foto. 'Een schietbaan van de politie. Die gebruikten ze voor de osloconfrontatie, met een schijnwerper in hun ogen, zodat ze degene die ze aanwezen als dader niet konden zien. Een beetje ongemakkelijk, denk ik. Het hele verhaal met doorkijkspiegels is iets uit films en voor bureaus met een heus budget.'

'Wauw,' zegt Kirby, en ze bestudeert de harige benen van de mannen. 'Hoe langer geleden, hoe erger de mode.'

'Hoop je jouw man te zien?'

'Zou dat niet fijn zijn?'

De mengeling van weemoed en verbittering in haar stem vloert hem. Dit is een vruchteloze onderneming. Het is veel werk om haar bezig te houden, want in werkelijkheid heeft ze geen enkele kans om die psychopaat te pakken te krijgen. Zeker niet door in dozen te graven. Maar het maakt haar gelukkig, en hij had met Charmaine te doen, en hij dacht dat ze elkaar misschien konden helpen zodat ze het allemaal konden verwerken.

Gedeelde smart is halve smart. Of misschien is de smart in dit geval wel te groot.

'Luister,' zegt hij, en hij weet nauwelijks wat hij gaat zeggen. 'Ik denk niet dat je dit moet doen. Het was een stom idee. Je wilt deze troep niet zien, en je schiet er niks mee op en – kut!'

Op dat moment kust hij haar bijna. Een manier om hem zijn

stomme kop te laten houden en omdat ze zo dichtbij is. Zo *hier*. En naar hem kijkt met die hongerige nieuwsgierigheid die uit haar ogen straalt.

Hij houdt zich net op tijd in. Relatief gezien. Net op tijd om te voorkomen dat hij zich gedraagt als een dwaze idioot. Dat ze hem afstoot als de flipper van een flipperkast, met hetzelfde automatische klikje. Net op tijd voordat ze het doorheeft. Jezus, wat dacht hij nou? Hij staat al op en loopt naar de deur, zo snel dat hij zijn jas vergeet.

'Shit. Sorry, het is al laat. Ik moet vroeg op. Ik moet nog een verhaal schrijven. Ik zie je. Tot snel.'

'Dan,' zegt ze, half lachend en half verbaasd.

Maar hij heeft de deur al te hard achter zich dichtgetrokken.

En de mugshot met als onderschrift 'Curtis Harper 13 CHGO PD IR 136230 16 oktober 1954' blijft waar hij is, begraven in een doos die opzij is gezet.

Harper 16 oktober 1954

Hij gaat te snel terug en raakt in de problemen. De dag na Willie Rose. Hoewel dat voor hem natuurlijk niet zo voelt. Voor Harper is het weken later.

Hij heeft sindsdien twee moorden gepleegd: Bartek in de gang (een vreugdeloos verplicht nummertje) en het jodenmeisje met het rare haar. Maar hij voelt zich onrustig. Toen hij haar het vogelreservaat in lokte had hij gehoopt dat ze de pony bij zich had die hij haar had gegeven toen ze nog een klein kind was, om de cirkel te voltooien, op dezelfde manier waarop Bartek doden en de jas terugbrengen naar de vrouw in de sloppenwijk een cirkel hadden voltooid. Het stuk speelgoed is een losse draad die zomaar ergens achter kan blijven hangen, en dat zint hem niet.

Hij wrijft over zijn ingezwachtelde arm waar die rothond hem gebeten had. Zo bazin, zo bastaard. Nog een les. Hij was slordig. Hij zal terug moeten gaan om te controleren of ze wel dood is. Hij zal een nieuw mes moeten kopen.

Er is nog iets wat hem de zenuwen bezorgt. Hij zou zweren dat er snuisterijen uit het Huis weg zijn. Een paar kandelaars boven de open haard zijn verdwenen. Lepels uit de la. Het is verontrustend.

Geruststelling. Meer heeft hij niet nodig. De architect vermoorden was perfect. Hij wil het nog een keer beleven. Een geloofsdaad. Hij voelt een vlaag van hoopvolle verwachting. Hij weet zeker dat niemand hem zal herkennen. Zijn kaak is helemaal genezen en hij heeft een baard laten staan over de littekens die de draad heeft achtergelaten. Hij laat zijn kruk achter. Dat is niet genoeg.

Harper licht zijn hoed voor de zwarte portier en neemt de trap naar de derde verdieping. Het doet hem deugd om te zien dat ze niet al het bloed uit de glazige tegels in de gang voor het architectenbureau hebben kunnen krijgen. Hij krijgt een pijnlijke erectie en hij knijpt door zijn broek heen in zijn pik terwijl hij een zacht gekreun van genot onderdrukt. Hij leunt tegen de muur en trekt zijn jas om zich heen om de onmiskenbare rukbewegingen van zijn hand aan het zicht te onttrekken. Hij herinnert zich wat ze droeg, hoe rood haar lippenstift was. Feller dan bloed.

De deur van Crake & Mendelson gaat zacht krakend open, en een beer van een vent met dik haar en rode ogen kijkt hem aan. 'Wat sta je hier in godsnaam te doen?'

'Neem me niet kwalijk,' zegt Harper, en hij leest een van de namen van de deuren aan de andere kant. 'Ik ben op zoek naar de Tandheelkundige Sociëteit van Chicago.'

Maar de portier is hem gevolgd en wijst naar hem. 'Dat is hem! Dat is die klootzak! Ik zag hem onder haar bloed het gebouw uit gaan!'

Harper wordt op het politiebureau zeven uur ondervraagd door een lang, slank vlieggewicht van een agent, die geen partij voor hem is, en een mollige inspecteur met een kale plek, die blijft zitten en rookt. Ze wisselen het gesprek af met klappen. Het helpt niet dat hij geen afspraak had met de Tandheelkundige Sociëteit van Chicago en dat het Stevens Hotel, waar hij geregistreerd zou zijn als gast, al jaren niet meer zo heet.

'Ik kom van buiten de stad, jongens,' probeert hij, glimlachend, waarna hij een vuist tegen de zijkant van zijn hoofd krijgt geramd. Zijn oren tuiten, zijn tanden doen pijn en zijn kaak dreigt weer los te schieten. 'Dat heb ik al gezegd. Ik ben handelsreiziger.' Opnieuw een stoot, deze keer onder zijn borstbeen, die hem de adem beneemt. 'Producten voor mondhygiëne.' Bij de volgende klap valt hij op de grond. 'Ik heb mijn koffer met demonstratiemateriaal in de El laten staan. Kom op nou, jongens. Als jullie me die als verloren voorwerp laten opgeven…' De dikbuikige kalende agent verkoopt hem een oppervlakkige schop in de nieren. Hij zou het geweld moeten overlaten aan zijn beter gekwalificeerde vriend, denkt Harper, nog steeds grijnzend.

'Vind je dit leuk? Wat is er zo grappig, schijtlijster?' De dunne agent buigt naar voren en blaast zijn rook in Harpers gezicht. Hoe kan hij uitleggen dat hij weet dat hij dit gewoon moet verduren. Hij weet dat hij terug zal keren in het Huis, want er staan nog steeds meisjesnamen op de muur, hun lot onvervuld. Maar hij heeft een vergissing begaan en dit is zijn straf.

'Alleen maar dat jullie de verkeerde man te pakken hebben,' hijgt hij door zijn tanden heen.

Ze nemen zijn vingerafdrukken. Ze laten hem met een nummer in zijn hand tegen de muur staan om een foto te maken. 'Als ik godverdomme een lach zie timmer ik die van je gezicht. Er is een jonge vrouw vermoord en we weten dat jij dat gedaan hebt.'

Maar ze hebben niet genoeg bewijs om hem vast te houden. De portier is de enige getuige die hem uit het gebouw heeft zien komen, maar ze zweren allemaal dat hij de vorige dag keurig geschoren was geweest, met rond zijn mond een geval van draad. En nu heeft hij een baard van twee weken waar ze met hun dikke politievingers aan getrokken hebben om te kijken of hij niet vastgelijmd zat. Voeg daar nog aan toe dat er geen spatje bloed op hem zit en dat het moordwapen – dat normaal gesproken in zijn zak zou moeten zitten – nergens te bekennen is omdat het vijfendertig jaar van nu in de nek van een dode hond zit begraven.

Hij heeft de hondenbeet onderdeel van zijn alibi gemaakt. Een of ander mormel heeft hem aangevallen toen hij naar de trein rende om zijn koffertje te halen. Precies op het moment dat die arme architecte werd vermoord.

De rechercheurs zijn het erover eens dat hij een perverse smeerlap is, maar ze hebben niet genoeg om te bewijzen dat hij een gevaar voor de maatschappij vormt of een verdachte is in de zaak over de moord op juffrouw W. Rose. Ze leggen hem openbare schennis van de eerbaarheid ten laste, stoppen de foto in het dossier en laten hem gaan.

'Ga niet te ver weg,' waarschuwt de rechercheur hem.

'Ik blijf in de stad,' belooft Harper, en door het pak slaag hinkt hij nog erger dan gewoonlijk. Hij houdt zich min of meer aan zijn belofte, maar hij keert nooit meer terug naar 1954, en de baard scheert hij af.

Daarna keert hij alleen tientallen jaren later of eerder terug, en hij rukt zich af op de plek waar een meisje is gestorven. Hij houdt ervan de herinnering en de verandering naast elkaar te plaatsen. Het verscherpt de ervaring.

Er bevinden zich van de afgelopen zestig jaar nog minstens twee andere foto's van hem in de politiedossiers, hoewel hij beide keren een andere naam opgeeft. Eentje voor openbare schennis van de eerbaarheid in 1960, toen hij zichzelf onzedig had betast op wat een bouwplaats wordt, en nog eentje in 1983, toen hij de neus van een taxichauffeur had gebroken toen die geweigerd had hem naar Englewood te brengen.

Het enige pleziertje dat hij zich weigert te onthouden is de kranten lezen en de moorden vanuit andere perspectieven opnieuw beleven. Dat moet in de dagen direct na de moord gebeuren. En op die manier krijgt hij over Kirby te horen.

Kirby 11 augustus 1992

Ze zit in de wachtkamer van Delgado, Richmond & Associates, een kantoor dat alleen indrukwekkend *klinkt*, en bladert door een drie jaar oud nummer van *Time* met op de omslag schreeuwerig: *Doodgeschoten*. Ze voelde zich gedwongen het op te pakken, aangezien de andere keuzes *Het nieuwe USSR* en *Arsenio Hall* waren, hoewel ze eigenlijk geïnteresseerd zou zijn in *Doodgestoken* en maar weinig opheeft met vuurwapens.

De tijdschriften zijn niet het enige wat achterhaald is. De leren bank heeft betere decennia gekend. De kunststof rubberboom heeft een fijn laagje stof op de bladeren en onder aan de stam is meer dan één sigaret uitgedrukt. Zelfs het kapsel van de receptioniste is heel onmodieus jaren tachtig. Kirby wou dat ze zich voor de gelegenheid iets netter had gekleed. Zelfs naar de maatstaven van slordig geklede journalisten bevindt ze zich op het randje met een T-shirt van Fugazi onder een geruit overhemd en een met wol gevoerd leren bomberjack dat ze op Maxwell Street goedkoop op de kop heeft getikt.

De advocaat, Elaine Richmond, komt haar persoonlijk halen, een vrouw van middelbare leeftijd met een zachte stem, gekleed in een zwarte broek en een blazer, met scherpe ogen en een boblijn. 'Sun-Times?' zegt ze met een glimlach en ze schudt Kirby iets te enthousiast de hand, als een eenzame alleenstaande tante in een bejaardentehuis die bezoekers van andere mensen inpikt. 'Bedankt dat je gekomen bent.'

Kirby loopt door een gang achter haar aan naar een vergaderkamer die vol staat met kartonnen dozen. Juridische boeken worden bijna van de planken geschoven en de dozen nemen ook de vloer in beslag. Ze laat een stapel roze en blauwe mappen vol papieren vallen, maar opent ze niet.

'Ik moet zeggen dat jullie wel een beetje laat zijn.'

'Hè?' Meer kan Kirby niet uitbrengen.

'Waar was je een jaar geleden toen Jamel zelfmoord probeerde te plegen? Toen hadden we wel wat pers kunnen gebruiken.' Ze lacht weemoedig.

'Sorry,' zegt Kirby, en ze vraagt zich af of ze het verkeerde advocatenkantoor heeft.

'Zeg dat maar tegen zijn familie.'

'Ik ben maar een stagiaire, ik dacht dat dit wel een goed verhaal zou zijn over, eh...' Ze moet improviseren. 'Over gerechtelijke dwalingen en de vreselijke nawerkingen? Human interest. Maar eerlijk gezegd ben ik niet helemaal bij over de laatste ontwikkelingen.'

'Die zijn er niet. Wat de officier van justitie betreft is de zaak gesloten. Maar moet je kijken. Vind jij dat deze jongens eruitzien als moordenaars?' Ze opent de map en schuift de pagina's over de tafel om haar de mugshots van vier jongens te laten zien die met een doffe blik nukkig in de lens kijken. Het is verbazingwekkend hoe 'de apathie van tieners' vertaald kan worden in 'koelbloedige moordenaar'.

'Marcus Davies, vijftien toen ze gearresteerd werden. Deshawn Ingram, negentien. Eddie Pierce, tweeëntwintig en Jamel Pelletier, zeventien jaar. Beschuldigd van de moord op Julia Madrigal. Schuldig bevonden op 30 juni 1987. Ter dood veroordeeld, op Marcus na, die naar een jeugdgevangenis ging. Jamel probeerde zelfmoord te plegen op...' ze tuurt naar de datum, '8 september vorig jaar, toen hij hoorde dat het laatste hoger beroep was afgewezen. Hij was al een gevoelige jongen, maar dat was de genadeslag. Hij deed het meteen toen we terugkwamen uit de rechtbank. Hij knoopte zijn broek in een lus en probeerde zichzelf op te hangen in zijn cel.'

'Daar wist ik niks van.'

'Er verschenen een paar krantenberichtjes. Meestal ergens weggestopt op pagina 3, als we geluk hadden. Veel kranten schreven er helemaal niet over. Volgens mij denken de meeste mensen dat ze hartstikke schuldig zijn.'

'Maar u niet.'

'Mijn cliënten waren geen lieverdjes.' Elaine haalt haar schouders op. 'Ze verkochten drugs. Ze stalen auto's leeg. Deshawn was veroordeeld voor geweldpleging omdat hij op zijn dertiende zijn dronken vader in elkaar had geslagen. Tegen die van Eddie waren meerdere aanklachten ingetrokken, van verkrachting tot inbraak. Ze reden in Wilmette rond in een gestolen auto, wat niet slim is, want een stel zwarte jongens in een mooie wagen in een lelieblanke buitenwijk trekt het verkeerde soort aandacht. Maar dat meisje hebben ze niet vermoord.'

Kirby voelt een ijskoude rilling langs haar ruggengraat trekken als ze het haar hoort zeggen. 'Dat denk ik ook.'

'Er stond hoge druk op de zaak. Lieve studente met hoge cijfers wordt op vreselijke wijze vermoord. Het wordt een verhaal van de hele gemeenschap. De hele wijk komt in opstand. Ouders zijn kwaad en willen beveiliging op de campus en speciale alarminstallaties, of ze halen hun dochters helemaal van school.'

'Enig idee wie het wel heeft gedaan?'

'Geen satanisten. De politie zocht het bij de verkeerde gekken. Het duurde wel drie weken voordat ze dat doorhadden.'

'Een seriemoordenaar?'

'Ja. We kregen alleen niets bij elkaar om die theorie voor de rechtbank te bewijzen. Mag ik horen wat jij erover denkt? Als je een aanwijzing hebt die deze jongens kan helpen, moet je me dat nu meteen vertellen.'

Kirby is in verlegenheid gebracht, ze wil haar kaarten nog niet op tafel leggen. 'Ik dacht dat u zei dat het geen fatsoenlijke jongens waren.'

'Dat zou ik zeggen over ongeveer tachtig procent van de cliënten die ik vertegenwoordig. Dat wil nog niet zeggen dat ze niet rechtvaardig behandeld moeten worden.'

'Kunt u me in contact brengen met ze?'

'Als ze met jou willen praten. Misschien raad ik ze dat wel af. Het hangt ervan af wat je ermee gaat doen.'

'Dat weet ik nog niet.'

Harper

Hij is nog steeds bont en blauw door het geweld van de ijverige inspecteurs als hij teruggaat naar 1989 om in een kiosk alle kranten te kopen om zich op te vrolijken. Hij zit aan het raam van het Griekse restaurant op 53rd Street. Het is er goedkoop en druk, met eten dat geserveerd wordt van achter een toonbank en een rij die soms tot voorbij de hoek loopt. Het maakt deel uit van zijn ritueel. Dichter bij een vaste routine komt hij niet.

Hij maakt doelbewust oogcontact met de kok, een man met een dikke snor die varieert van effen zwart tot doortrokken met grijs – het hangt er maar van af of het deze keer de zoon, de vader of de grootvader is. Als de man hem al herkent, laat hij het niet merken.

De moord is weggedrukt door een schip dat gestrand is en ergens in een afgesloten baai in Alaska olie lekt. *Exxon Valdez*, de naam van het schip, staat met grote hoofdletters op elke voorpagina. Hij vindt twee kolommen in de rubriek met stadsnieuws. 'Wrede aanval' staat er. 'Gered door haar hond'. 'Weinig kans dat ze het overleeft' schrijft een krant. 'Men verwacht niet dat ze het einde van de week haalt'.

De woorden zijn niet goed. Hij leest ze nog een keer en dwingt ze bijna zich trillend te verplaatsen, net als die aan zijn muur, zodat ze de waarheid spellen. Dood. Vermoord. Weg.

Hij is er bedreven in geraakt wonderen te navigeren. Het telefoonboek, bijvoorbeeld. Hij zoekt het ziekenhuis op waar ze op de intensive care of in het lijkenhuis ligt, afhankelijk van welke krant je leest, en gebruikt de munttelefoon achter in het restaurant, bij de toiletten. Maar de artsen zijn druk bezig en de vrouw die hij te spreken krijgt kan 'geen persoonlijke gegevens over een patiënt verstrekken, meneer'.

Hij voelt zich urenlang gekweld, tot hij beseft dat hij geen keuze heeft. Hij moet zelf gaan kijken. En het desnoods afmaken.

Hij koopt bloemen in de cadeauwinkel beneden en omdat hij nog steeds het gevoel heeft met lege handen te staan (het zit hem ontzettend dwars dat hij zijn mes niet heeft), een paarse teddybeer met een ballon.

'Voor een kleintje?' vraagt de winkelbediende, een grote hartelijke vrouw met een air van permanent verdriet. 'Die zijn altijd gek op speelgoed.'

'Hij is voor het meisje dat vermoord is.' Hij corrigeert zichzelf. 'Aangevallen.'

'O, dat was zo erg. Echt verschrikkelijk. Heel veel mensen sturen haar bloemen. Vreemdelingen. Het komt door de hond. Die was zo dapper. Echt een ongelooflijk verhaal. Ik heb voor haar gebeden.'

'Weet u hoe het met haar gaat?'

De lippen van de vrouw verstrakken en ze schudt haar hoofd.

'Het spijt me meneer,' zegt de verpleegster achter de balie. 'Het bezoekuur is voorbij. En de familie wil dat niemand haar stoort.'

'Ik ben familie,' zegt Harper. 'Haar oom. De broer van haar moeder. Ik ben zo snel mogelijk gekomen.'

Een baan zonlicht valt als gele verf over de vloer en eroverheen is de schaduw zichtbaar van een vrouw die uitkijkt over de parkeerplaats. Overal staan bloemen, net als in een andere ziekenhuiskamer in een andere tijd, herinnert Harper zich. Maar het bed is leeg.

'Neem me niet kwalijk,' zegt hij, en de vrouw bij het raam kijkt over haar schouder. Ze kijkt betrapt en wappert de sigarettenrook weg. Hij ziet de gelijkenis met haar dochter, haar vooruitstekende kin, de grote ogen, ook al is haar haar donker en steil, bijeengehouden met een oranje sjaal die als haarband fungeert. Ze draagt een donkere spijkerbroek en een chocoladebruine coltrui, met een ketting van niet bij elkaar passende knopen die tegen elkaar tikken terwijl ze eraan frunnikt. Haar ogen glinsteren van de tranen. Ze blaast een wolkje rook uit en wappert geërgerd met haar hand. 'En wie ben jij?'

'Ik ben op zoek naar Kirby Mazrachi,' zegt Harper, en hij houdt de bloemen en de beer op. 'Ik had gehoord dat ze hier was.'

'Nog eentje?' Een bitter lachje. 'Wat voor bullshit heb je verzonnen om binnen te komen? Die verpleegsters zijn godverdomme geen cent waard.' Ze drukt haar sigaret uit tegen de vensterbank, harder dan nodig is.

'Ik wilde zien of ze in orde was.'

'Nou, dat is ze niet.'

Hij wacht terwijl ze hem kwaad aankijkt. 'Heb ik de verkeerde kamer? Is ze ergens anders?'

Woedend vliegt ze de kamer door en priemt met haar vingers in zijn borst. 'Je hebt het helemaal mis. Oprotten!'

Hij deinst achteruit bij haar toorn, en houdt zijn cadeaus op ter bescherming. Zijn hiel stoot tegen een van de emmers met bloemen. Water klotst over de vloer. 'U bent van streek.'

'Natuurlijk ben ik van streek!' schreeuwt Kirby's moeder. 'Ze is dood! Oké? Dus laat ons godverdomme met rust. Er is geen verhaal hier, aasgier die je er bent. Ze is dood. Ben je nou tevreden?'

'Dat spijt me voor u, mevrouw.' Dat is een leugen. Hij is overmand door opluchting.

'En zeg dat ook maar tegen de rest. Vooral die klootzak Dan die de moeite niet neemt om me terug te bellen. Zeg maar dat ze allemaal kunnen oprotten.'

Alice 4 juli 1940

'Blijft alsjeblieft op je toges zitten,' zegt Luella door de haarspeld die ze tussen haar tanden heeft geklemd. Maar Alice is te opgewonden om stil te blijven zitten, en ze staat om de twee minuten op van haar stoel voor de spiegel om door de deur van de caravan naar de boerenjongens te kijken die vrolijk grijnzend het kermisterrein op stromen en zich nu al wapenen met popcorn en goedkoop bier in papieren bekertjes.

Er vormen zich groepjes bij de meest interessante plekken: het ringwerpen en de tractordemonstratie, en ze vergapen zich bij de haan die boter-kaas-en-eieren speelt. (Alice heeft vanochtend twee van de drie potjes verloren van dat beest, maar ze heeft nu door hoe het zit, wacht maar.)

De vrouwen worden aangetrokken tot de verkopers met hun huishoudelijke producten die je keuken en je hele leven zullen veranderen. Rijke mannen met cowboyhoed en dure laarzen die nog nooit op woeste weidegrond zijn geweest kuieren naar de veiling om op ossen te bieden. Een jonge moeder houdt haar baby over het hek om naar Zwarte Rosie te kijken, de enorme prijszeug met een stompe witte neus en een laaghangende vlekkerige buik met tepels als roze vingertjes.

Twee tieners, een jongen en een meisje, staan de koe van boter te bewonderen, waar naar verluidt drie dagen aan is gewerkt. Het beest heeft al last van de zon, en Alice vangt tussen het tumult van hooibalen, zaagsel, rook van de tractor, suikerspinnen, zweet en mest al een vleugje ranzige zuivel op.

De jongen maakt een grap over de koe van boter, iets wat iedereen vast al gezegd heeft, stelt Alice zich voor, over het aantal flensjes dat je ermee kan maken, en het meisje giechelt en antwoordt met net zo'n cliché, misschien dat ze boter op haar hoofd heeft.

En hij vat haar woorden op als een uitnodiging om naar voren te schieten om haar te kussen, en ze duwt hem met één hand weg, waarna ze zich bedenkt en weer naar voren komt om hem een kusje op de lippen te geven. Dan glipt ze weg naar het reuzenrad. Ze lacht en kijkt naar hem om. Het is zo mooi dat Alice wel door de grond kan zakken.

Luella brengt de borstel naar beneden en mompelt geïrriteerd: 'Wil je zelf je stomme haar doen?'

'Sorry, sorry!' zegt Alice, en ze springt weer op de stoel, zodat Luella verder kan gaan met de ondankbare taak haar muisvale haar in de krul te zetten en op zijn plek te spelden, hoewel het te kort en onhandelbaar is om te gehoorzamen. 'Heel modern,' had Joey tijdens haar auditie gezegd.

'Je zou eens een pruik moeten proberen,' zegt Vivian, en ze smakt met haar lippen om de lippenstift gelijkmatig te verspreiden. Alice heeft dezelfde handeling in de spiegel geoefend, en dan vooral het brutale plofje van een afscheidskus. Vrolijke Viv, de hoofdattractie. Het is haar portret op de sierlijk gesneden gevel, met haar glanzende gitzwarte haar en die enorme blauwe ogen die erin slagen er zowel prikkelend als naïef uit te zien. Het is een goede look voor de nieuwe act die nu al indruk heeft gemaakt op voorgangers en onderwijzers in zes verschillende steden. Een naaktrevue als geen ander waarvoor ze speciaal uitgenodigd werden.

'Nog vijf minuten, dames!' Joey de Griek gooit de deur van de krappe woonwagen open en komt binnen, een dikke bij van een man in een strak jasje met bleekgroene lovertjes en met een glimmend zwarte broek die rond de naden begint te slijten. Alice slaakt een kreetje van verrassing en fladdert met haar hand voor haar borst.

'Je bent zo schichtig als een jonge merrie, miss Templeton,' zegt Joey, en hij knijpt in haar wang. 'Of een schoolmeisje. Ga zo door.'

'Of een veulen dat elk moment gecastreerd kan worden,' zegt Vivian snibbig.

197

'Wat heeft dat te betekenen, Viv?' zegt hij met gefronste wenkbrauwen.

'Alleen maar dat je met Alice altijd meer krijgt dan wat je bedongen hebt,' zegt Vivian, en ze trekt aan een krulletje om te kijken of het terugveert. Ontevreden onderwerpt ze het weer aan haar tang.

'Omdat ik bijvoorbeeld mijn danspasjes kan onthouden?' kaatst Alice hatelijk terug.

'Nou nou.' Joey klapt in zijn handen. 'Er wordt in mijn revue niet gekissebist. Tenzij dat op het programma staat en we er extra geld voor rekenen.'

In het verleden is dat wel gebeurd, weet Alice. Luella deed een voorstelling met zaklantaarns waarbij mannen als tijdens een gynaecologisch onderzoek tussen haar benen tuurden. Maar er hangt de laatste tijd een nieuwe preutsheid in de lucht, en Joey heeft het optreden op een geraffineerde manier aangepast.

Het voelt als een familie, deze revue: alles in treinwagons laden en verder reizen naar een nieuw terrein, een nieuwe kermis. Heel ver weg van Cairo (en dan hebben we het over Cairo in Illinois en niet in Egypte, ook al zegt Joey dat ze 'de jukbeenderen van Nefertiti' heeft) en iedereen die ze kende. Ze zou dood zijn gegaan als ze daar was gebleven. Uit pure verveling, of om het leven gebracht door oom Steve. Toen ze tijdens de overstromingen van '37 mensen evacueerden, evacueerde Alice zichzelf uit Cairo én uit haar oude leven. God zegene de rivier de Ohio, denkt ze.

Joey grijpt Eva's kont door haar kostuum heen als ze in haar hoge hakken stapt, en schudt die even vol genegenheid heen en weer. Hij knipoogt naar Alice. 'Rondingen, prinses! Daar houden mannen van. Je moet meer geld verdienen zodat je meer taart kunt kopen zodat je meer rondingen kunt krijgen zodat je meer geld kunt verdienen!'

'Ja, meneer Malamatos.' Alice maakt in haar groen met witte cheerleaderrokje een nerveuze reverence. Joey neemt haar op, leunend op zijn wandelstok waarvan de knop een vuistgrote smaragd is, een echte, hij zweert het. Zijn wenkbrauwen deinen op en neer, op en neer als hij verlekkerd naar haar kijkt. 'Twee kezende rupsen' noemde hij ze ooit.

En dan steekt hij zijn hand uit naar haar kruis. Een bloedstollend moment is ze doodsbang dat hij haar gaat betasten, maar hij trekt alleen haar plooirokje glad.

'Veel beter,' zegt hij. 'Vergeet niet dat dit een keurige familiekermis is.'

Hij gaat gebukt naar buiten en beent de trap naar het platform op waar hij parade gaat maken, omlijst door de gebeeldhouwde tent met zijn suggestieve afbeeldingen van Vivian om de verbeelding van de bezoekers te prikkelen. Hij begint meteen aan zijn praatje. 'Komt u maar naar voren, heren en dames, kom maar naar voren en laat me u over onze voorstelling van vandaag vertellen. Maar eerst wil ik u waarschuwen, dit is geen naaktshow! We hebben geen duikmeisjes of hoelameisjes of verboden oriëntaalse danseressen!'

'Wat heb je dan wel?' roept iemand in het publiek.

Met een stralende glimlach richt Joey zich tot hem. 'Ik ben blij dat u het vraagt, meneer. Voor u heb ik iets wat nog veel kostbaarder is. Voor u, meneer, heb ik een opleiding!'

Her en der klinkt wat boegeroep en gejoel, maar ze hangen al aan Joey's lippen voordat de meisjes ook maar een voet op het platform hebben gezet. 'Luistert u maar. Kom maar dichterbij. Niet verlegen zijn, meneer. Mag ik u voorstellen aan dit prachtvoorbeeld van onschuld, miss Alice!'

Het gordijn gaat een stukje open om Alice erdoor te laten, die in het zonlicht met haar ogen knippert. Ze draagt de kleding van een cheerleader: een wollen plooirokje met groene tussenzetsels en een witte trui met een geborduurd patroon van een groene megafoon en een letter v (voor 'vagina' had Joey plagerig gezegd toen hij hem haar had laten zien), enkelsokjes en schoenen.

'Kom maar naar boven en stel jezelf voor, liverd.'

Ze zwaait vrolijk naar het groepje mensen dat zich verzameld heeft, hierheen gelokt als kinderen naar een schiettent, en hupt de treden op. Eenmaal boven maakt ze een keurige radslag waardoor ze pal naast Joey terechtkomt.

'Wauw!' zegt hij, onder de indruk. 'Geef haar een applaus, mensen! Is ze niet mooi? Een op-en-top Amerikaans meisje. Zestien jaar en nog nooit iemand gezoend. Tot… nou ja.'

'Wat nou?' De sceptici zijn het gemakkelijkst te bespelen. Zorg dat zij een kaartje kopen en je hebt de rest in je zak. Alice weet dat de snoepverkopers hebben doorgegeven wie de man met de grote mond is die Joey moet hebben.

Joey loopt heen en weer over het platform. 'Nou? Nou, nou, nou.' Hij neemt Alice bij de hand, alsof hij met haar gaat walsen, en draait haar rond zodat ze oog in oog komt te staan met de toeschouwers. Met geveinsde bescheidenheid en een hand op een wang kijkt ze neer, maar ze tuurt door haar wimpers om hun reactie te peilen. Ze ziet het jonge stel van eerder aan de zijkant rondhangen. Het meisje grijnst en de jongen is op zijn hoede.

Samenzweerderig laat Joey zijn stem zakken, zodat het publiek dichterbij moet komen om hem te verstaan. Hij draait Alice rond op het platform. 'Het is waar dat er een bepaald type man is dat onschuld het liefst vernietigt. Door die onschuld te plukken, als een rijpe kers van een boom.' Hij steekt zijn hand omhoog om een denkbeeldige vrucht naar zijn mond te brengen en doet alsof hij er sensueel in bijt. Hij houdt het moment vast en rekt het tot hij met een ruk weer bij de les is en met zijn stok naar de onderkant van de trap wijst.

'Of hoe zit het met de jonge huisvrouw die geplaagd wordt door onnatuurlijke, onbehéérsbare driften.' Eva komt door het gordijn, in een dichtgebonden kamerjas en een met kraaltjes afgezet masker voor haar ogen. Haar hand houdt ze tegen haar borst gedrukt. Joey schudt zijn hoofd. Hij merkt kennelijk niet dat haar hand over haar kleding en haar boezem begint te wrijven.

'Deze arme jonge vrouw, die een vermomming draagt om te beschermen wat er nog over is van haar waardigheid, is een sneu wezen, volledig overgeleverd aan haar verdorven fantasieën. Een nymfomane, dames en heren!' Op dat ogenblik laat Eva haar jas vallen en onthult het kanten negligé dat ze eronder draagt. Geschrokken door dit vertoon snelt Joey naar haar toe om haar toe te dekken.

'Mooie dames, beste heren. Dit is géén laag-bij-de-grondse kermisshow die bedacht is om u te prikkelen en op te winden. Dit is een waarschuwing! Over de gevaren van decadentie en verlangen en hoe gemakkelijk het schone geslacht op een dwaalspoor kan worden gebracht. Of hoe ze het dwaalspoor kunnen vormen...

Ik presenteer u...' Vivian gooit het gordijn open en paradeert naar buiten met felrode lippenstift en een kokerrokje, met haar haar in een knot. 'De lichtekooi! De sloerie. De snol. De snode verleidster! Het ambitieuze jonge kantoormeisje met een oogje op de baas. Vast van plan om te stoken in een huwelijk. Vrouwen, leer haar herkennen! Mannen, leer haar weerstaan. Dit wellustige roofdier met lippenstift is een gevaar voor de samenleving!'

Vivian staart de menigte in, met haar hand op een heup, en brengt de andere naar boven om haar haar los te maken, zodat het langs haar schouders golft. In tegenstelling tot die arme nymfomane Eva, pronkt Vivian met haar lust zoals andere vrouwen paraderen met een nertsmantel.

Joey voert zijn relaas nog wat op. 'Dit alles en meer als u binnenkomt! Instructies om morele *verdorvenheid* te vermijden. Kom met eigen ogen zien hoe laag een vrouw kan vallen, en hoe *makkelijk*. Prostituees en drugsverslaafden. Vrouwen die het slachtoffer zijn van hun sidderende verlangens! Onverzadigbare zwarte weduwen en jonge onschuld die bezoedeld wordt!'

Het blijkt te veel te zijn voor de twee tieners, en de jongen trekt het meisje mee naar andere vormen van vermaak, onschuldiger vermaak, te oordelen naar de vuile blik die hij hun toewerpt. De andere meisjes zijn inmiddels immuun voor minachting, maar Alice voelt de schaamte nog steeds in haar keel branden. Ze bloost en kijkt naar beneden, en deze keer veinst ze niets. En als ze opkijkt ziet ze hém.

Een magere, vlotte man, goed gekleed, en afgezien van zijn kromme neus is hij knap. Hij staat achteraan en staart naar haar

– en niet zoals mannen dat gewoonlijk doen, met een wolfach-tige honger en vol lacherige bravoure. Hij houdt zijn blik strak op haar gevestigd. Alsof hij haar kent. Alsof hij diep in haar geheime ik kan kijken. Alice schrikt zo van de vurigheid van zijn aandacht dat ze terugstaart en nauwelijks hoort dat Joey afrondt. De man glimlacht en Alice voelt zich warm en misselijk en duizelig. Ze kan haar blik niet afwenden.

'Dames en heren, deze voorstelling zal u *betoveren!*' Joey zwaait met zijn stok en wijst naar een jonge vrouw in het publiek die op-gelaten grijnst. 'Hij zal u *hypnotiseren!*' Hij zwaait er opnieuw mee en priemt hem naar de man met de grote mond van eerder. 'Hij zal u *verbluffen!*' En op dat moment steekt hij de wandelstok in de lucht, stijf en trillend, maar slechts eventjes, waarna hij hem in de richting van de ingang van de tent beneden stoot, en zijn hele gezette lijf buigt mee. 'Maar alleen als u een kaartje koopt! Slechts drie voorstellingen, dames en heren. Ga naar binnen en laat ons u onderwijzen!'

Joey stuurt de meisjes de andere trap af terwijl de toeschouwers enthousiast naar het loket gaan. 'Geen radslagen de trap af?' zegt hij op berispende toon tegen Alice, maar ze heeft het te druk met over haar schouder kijken of ze de vreemdeling nog ziet. Tot haar opluchting is hij er nog, en net als de rest dringt hij naar voren om een kaartje te kopen. Ze raakt Eva's hiel als ze de trap af gaat en ze vallen bijna omver als melkflessen in de tent waar je slechts één keer met een bal mag gooien en waarbij de kermisklant de zware fles bovenop zet om te laten zien dat er niemand beduveld wordt, beste mensen.

'Sorry, sorry,' fluistert ze.

Ze raakt alleen maar meer opgewonden als ze door het gor-dijn gluurt en hem daar stokstijf in de stroom van bezoekers ziet staan die een goed plekje zoeken. De snoepverkopers beginnen al aan hun oplichterij. 'Koop wat snoep, win een prijs!' Bobby praat tegen een ouder stel, maar Micky ziet de man helemaal al-leen staan en ziet zijn kans schoon. 'Hé kerel, wil je wat winnen? We hebben nieuw snoep, Anna Belle Lee, net op de markt. En we weten zo zeker dat je het heerlijk zult vinden dat we de aanschaf nog aantrekkelijker hebben gemaakt door in sommige verpakkingen cadeautjes te stoppen. We hebben dames- en herenhorloges, aanstekers, pennensets en portefeuilles van vijf dollar! Waag een gokje, misschien heb je wel geluk! Vijftig cent maar! Dat is een mooie aanbieding. Wat zeg je ervan?' Maar de man wimpelt hem zonder hem een blik waardig te keuren af. Zijn gezicht is omhooggedraaid naar het podium. Hij wacht op haar, dat weet Alice met absolute zekerheid.

Het is zo zenuwslopend dat ze bijna haar nummer verpest. De schijnwerper verblindt haar, waardoor ze het publiek niet kan zien, maar ze voelt zijn blik. Ze mist het moment waarop ze moet beginnen en daarna doet ze haar flikflak niet helemaal op de goede plek, waardoor ze bijna van het podium tuimelt. Gelukkig past het goed bij haar act, als de cheerleader die door Micky in een kostuum doorlopend voorzien wordt van verdovende middelen en valse beloftes, zodat ze in de laatste scène in hakken en een kort jurkje tegen een lantaarnpaal leunt, haar onschuld verloren, bezweken voor wat Joey ademloos 'de ultieme corruptie' noemt. De schijnwerper gaat dramatisch naar beneden en ze glipt van het podium af om plaats te maken voor de volgende scène: die met de anonieme nymfomane die decadent op een bank liggend binnengedragen wordt door twee potige toneelknechten.

'Er heeft iemand een bewonderaar,' joelt Vivian. 'Weet hij wel dat er een nepprijs in zijn snoepdoos zit?'

En voor ze het weet stormt Alice op haar af. Ze klauwt naar haar gezicht, trekt aan de perfecte krullen en slaat haar bril af. Vivian valt zo hard dat het vooraan te horen is en Joey harder moet praten: 'Wie zou gedacht hebben dat het intiemste, meest liefdevolle moment tussen echtgenoot en vrouw tijdens hun huwelijksnacht een dergelijke duistere onverzadigbaarheid in haar zou veroorzaken?'

Luella en Micky trekken haar los. Vivian komt overeind en lacht als ze de schrammen op haar wang aanraakt. 'Is dat alles, Alice? Heeft niemand je ooit geleerd te vechten als een dame?' En terwijl Luella en Micky haar vasthouden, met slappe knieën en snikkend, haalt Vivian uit met de rug van haar hand, en de ringen aan haar vuist snijden in haar gezicht.

'Jezus, Viv!' sist Micky. Maar ze neemt haar positie al in, en net op tijd: op het moment dat Eva haar negligé op het podium laat vallen en de lichten uitgaan, zodat de toeschouwers maar slechts een begerige blik op haar kunnen werpen, wat nog steeds genoeg is om kreten van schrik en verontwaardiging te veroorzaken bij de mensen die het wel best vinden, en uit de engelenbak gefluit en gejoel. Vivian struint het podium op als Eva er naakt en grijnzend af komt. 'Goh, je zouden denken dat ze nog nooit een vrouw twee seconden naakt hebben gezien... O, verdorie, gaat het Alice?'

Luella en Eva nemen haar mee terug naar de kleedkamer om het bloed af te spoelen en wat zalf uit Luella's collectie op de wonden te smeren. Ze zou bijna een apotheek kunnen openen met alle lotions en oliën die ze verzamelt. Maar Alice weet dat het niet best is omdat ze niets zeggen.

Het ergste moet nog komen.

Joey roept haar meteen na de voorstelling bij zich in de woonwagen, met zijn ernstige gezicht, geen wenkbrauwen die op en neer gaan. 'Trek je kleren uit,' zegt hij, en zo koel heeft ze hem nog nooit gezien. Ze draagt nog steeds haar kleding van de Gevallen Vrouw, de rode hoge hakken en het nauwsluitende jurkje.

'Ik dacht dat het niet zo'n soort voorstelling was,' protesteert Alice met een flauw lachje, maar ze houdt niet eens zichzelf voor de gek.

'Nu, Alice.'

'Dat kan ik niet.'

'Je weet wel waarom.'

'Alsjeblieft, Joey.'

'Denk je dat ik dat niet weet? Waarom je je helemaal alleen in het toilet omkleedt? Waarom je overal rondloopt met rubberen banden?'

Afgemeten schudt Alice haar hoofd.

Vriendelijker deze keer: 'Laat me eens kijken.'

Bevend trekt Alice de jurk uit, laat hem op de grond vallen en toont zo haar platte borst en het uitgebreide bindsel van plakband en rubberen banden rond haar genitaliën. Joey's wenkbrauwen trekken naar elkaar toe.

Hier heeft ze haar hele leven tegen gevochten. Tegen Lucas Ziegenfeus, die in haar huist. Of zij huist in hem en verfoeit zijn fysieke lichaam, het verachtelijke geval dat tussen haar benen bungelt en dat ze inbindt maar niet af durft te laten snijden.

'Ja, goed.' Hij gebaart dat ze zich kan aankleden. 'Weet je, je komt hier niet tot je recht. Je zou naar Chicago moeten gaan. Er zijn speciale shows in Bronzeville. Of sluit je aan bij een circus. Sommige circussen doen nog steeds aan hij-zij-het. Of word een vrouw met een baard. Kun je een baard laten groeien?'

'Ik ben geen rariteit.'

'In deze wereld wel, prinses.'

'Laat me blijven. Je wist het niet. Niemand anders hoeft erachter te komen. Ik weet dat ik het voor elkaar kan krijgen, Joey. Alsjeblieft.'

'Wat denk je dat er gebeurt als iemand je ziet? Of als mevrouwtje Ekster uit de school klapt? Je hebt haar behoorlijk op stang gejaagd.'

'We gaan gewoon naar de volgende stad. Net als toen Micky het in Burton met de dochter van de penningmeester deed.'

'Dit is wat anders, prinses. Mensen willen maar tot op zekere hoogte voor de gek worden gehouden. We zouden de stad uit gejaagd worden. Gelyncht waarschijnlijk. Er hoeft maar één boerenkinkel te zien dat je hem wegstopt, één klant die zijn hand onder je rokje steekt voordat Bobby tussenbeide kan komen om je te beschermen.'

'Dan treed ik niet op. Ik kan snoep verkopen. Ik kan schoonmaken, koken, de meisjes helpen zich om te kleden, zich op te maken.'

'Het spijt me, Alice. Dit is een familievoorstelling.'

Ze kan het niet verdragen. Ze stormt de caravan uit als een duif uit de mouw van een goochelaar, huilend. En ze rent recht in zijn armen.

'Hé, voorzichtig, meisje. Gaat het?'

Ze kan niet geloven dat hij er nog is. Dat hij haar heeft opgewacht. Ze probeert iets te zeggen, maar haar adem komt er schokkerig snikkend uit. Ze slaat haar handen voor haar ogen en hij trekt haar stevig tegen zijn borst. Ze heeft nooit eerder het gevoel gehad ergens zo op haar plek te zijn. Ze kijkt naar hem op. Zijn ogen zijn vochtig, alsof ook hij elk moment kan huilen.

'Niet doen,' zegt ze, vervuld van een wanhopig medeleven, en ze brengt haar lange, slanke vingers (meisjeshanden, had haar oom altijd gezegd) naar zijn wang. Alles in haar wil dit. Ze zou helemaal in hem op kunnen gaan.

Het ontroert haar om te zien dat hij net zo overmand is. Ze onderschept hem met haar lippen. Zijn mond is warm tegen die van haar en ze kan de snoep op zijn adem ruiken voordat hij zich vol verwondering losmaakt.

'Je bent een bijzonder meisje,' zegt hij. Hij worstelt met een innerlijke kwelling, ze ziet het aan zijn gezicht. Laat gaan, denkt ze. Kus me nog een keer. Ik ben van jou.

Misschien heeft hij iets van de bovennatuurlijke gave die Luella claimt te hebben, want het is alsof hij haar hoort en zijn vastberadenheid hervindt. 'Kom met me mee, Alice. We hoeven dit niet te doen.'

Ja. Het woord ligt op haar lippen. En dan maakt Joey alles stuk. Het silhouet van een slome kever boven aan de treden van de woonwagen. 'Hé, waar denk je in godsnaam dat je mee bezig bent?'

De vreemdeling laat haar los. Joey sjokt de trap af en wuift met die absurde wandelstok met het sieraad als knop. 'Zo'n soort voorstelling is dit niet, vriend. Handjes thuis, alsjeblieft.'

'Dit gaat u niets aan, meneer.'

'Nou, neem me niet kwalijk, ben ik godverdomme niet duidelijk geweest? Handjes weg, en wel *nu*.'

'Ga terug naar binnen, Joey,' zegt Alice. Ze is zo kalm dat ze er bijna duizelig van wordt.

'Sorry, prinses. Ik kan dit niet door de vingers zien. Voor je het weet denkt iedere boerenpummel dat hij wel een kans maakt.'

'Het geeft niet,' zegt haar minnaar. Hij trekt terloops zijn hoed recht en trekt zich niets aan van Joey's gebral. Maar hij gaat weg, beseft Alice. Bevangen door paniek grijpt ze zijn arm.

'Nee! Blijf bij me.'

Hij strijkt zachtjes onder haar kin. 'Ik kom je halen, Alice,' zegt hij. 'Dat beloof ik.'

Kirby 27 augustus 1992

Kirby heeft de advertentie de eerste zaterdag van elke maand laten plaatsen, en elke donderdag leegt ze de postbus. Soms zijn er maar een of twee brieven. Het record in een maand was zestienenhalf, als je de ansichtkaart meetelde die vol was geschreven met obsceniteiten.

Als Dan in de stad is gaan ze naar zijn huis om ze samen door te nemen. Vandaag maakt hij witvis met aardappelpuree en hij is druk in de weer in zijn vrijgezellenkeuken terwijl zij de buit doorneemt.

De eerste taak van een postdag is om de reacties te sorteren in categorieën: treurig maar niet bruikbaar, misschien interessant en freaks.

Veel brieven zijn hartverscheurend. Zoals die van een man van wie de zus was doodgeschoten. Acht velletjes, aan beide kanten beschreven, waarin hij tot in detail vertelde hoe ze geraakt was door een verdwaalde kogel tijdens een schietpartij vanuit een rijdende auto. Het enige ongebruikelijke voorwerp op de plaats delict was niet echt ongebruikelijk: kogelhulzen.

Sommige brieven zijn op het randje. De vrouw die na een mislukte inbraak de geest van haar moeder zag zweven die haar eraan herinnerde dat ze de poes eten moest geven. De jongen die zichzelf de schuld gaf: als hij de straatdieven zijn horloge had gegeven, zou het pistool niet zijn afgegaan en zou zijn vriendin nog leven, en nu ziet hij dat horloge overal. In tijdschriften en etalages en op billboards en om de polsen van andere mensen. 'Denk je dat het Gods manier is om me te straffen?' schreef hij.

Kirby neemt die en de brieven waar ze duidelijk niets aan hebben voor haar rekening. Ze stuurt een kort, oprecht briefje om ze te bedanken dat ze de moeite hebben genomen om te schrijven, en ze geeft informatie over gratis hulpverlening en plaatselijke groepen voor slachtofferhulp die Chet voor haar had opgediept.

In al die maanden waren er maar twee brieven gekomen die de moeite waard leken. Een meisje dat was neergestoken bij een nachtclub had toen ze werd gevonden een antiek Russisch kruis om haar nek. Maar de brief kwam van haar Russische gangster-vriendje die wilde dat Kirby namens hem ging onderhandelen met de politie om het terug te krijgen, omdat het van zijn moeder was en hij de politie niet echt rechtstreeks kon benaderen, aange-zien het zijn zaakjes waren geweest waardoor ze überhaupt was vermoord.

De andere was een tienerjongen (breed inzetten, dacht ze des-tijds bij zichzelf) die was gevonden in een tunnel waar de skaters rondhingen. Hij was doodgeslagen en had een tinnen soldaatje in zijn mond. De ouders waren radeloos en zaten in hun woon-kamer op een bank met een Peruaanse sprei eroverheen, hun handen ineengeslagen alsof hun vingers versmolten waren, en ze vroegen of ze antwoorden voor hen had. Alsjeblieft, dat was het enige wat ze wilden. Waarom? Waar had hij het aan verdiend? Het was ondraaglijk.

'Nog foto's van J vandaag?' vraagt Dan, die over haar schouder kijkt. J is hun vaste klant, die kunstig geënsceneerde foto's stuurt van een dood meisje met een dikke laag kohl rond haar ogen en rood haar. Het zou J zelf kunnen zijn, als je ervan uitging dat J een vrouw was, of J's vriendin. Verdronken in een visvijver in een zwierige witte jurk met haar dat rondom haar uitwaaiert. Dood in een zwartkanten gevalletje met handschoenen tot aan de elle-bogen met in haar hand een witte roos, in een poel van bloed dat verdacht veel op verf leek.

De foto in de zwarte envelop van vandaag is van J die met haar benen wijd in een leren stoel ziet, met hold-ups en legerlaarzen. Haar hoofd hangt schuin naar achteren en achter haar zitten rode spatten op de muur. Aan haar slappe vingers met perfect verzorg-de nagels bungelt een revolver.

'Ik durf te wedden dat het iemand van de kunstacademie is,' zegt Kirby. Ze reageren nooit op J. En toch blijft ze haar kinky foto's opsturen.

'Beter dan filmstudenten,' zegt Dan terloops, terwijl hij de vis fileert.

'Het zit je nog steeds hoog, hè?' Ze grijnst.

'Wat?'

'Of ik met hem naar bed ben geweest.'

'Natuurlijk ben je dat. Hij was je eerste vriendje. Dat is niet echt wereldnieuws, meid.'

'Je weet wel wat ik bedoel.'

'Het gaat me niks aan.' Hij haalt zijn schouders op, alsof het er niet echt toe doet, wat ze eerlijk gezegd maar niks vindt.

'Goed. Dan ga ik het je niet vertellen.'

'Ik denk nog steeds niet dat je mee moet werken aan een documentaire.'

'Ben je gek? Ik heb Oprah al afgewezen.'

'Au, shit!' Hij brandt zich aan de stoom van de aardappels als hij die afgiet. 'Echt? Dat wist ik niet.'

'Mijn moeder wel. Ik lag nog in het ziekenhuis. Ze wond zich nogal op over de journalisten. Ze zei dat het klootzakken waren die inbraken in mijn kamer voor een interview of ze belden haar nooit terug.'

'Ah,' zegt Dan, en hij voelt zich schuldig.

'Veel talkshows wilden me hebben. Maar het voelde zo voyeuristisch. Snap je? Daardoor moest ik ook een tijdje ergens anders heen. Om daarvan weg te komen.'

'Dat begrijp ik.'

'Dus maak je geen zorgen. Ik heb tegen Fred gezegd in welk lichaamsdeel hij z'n documentaire kan stoppen.'

Kirby houdt een perzikkleurige envelop onder haar neus. 'Deze ruikt zelfs lekker. Dat móét een slecht teken zijn, toch?'

'Ik hoop niet dat je hetzelfde over mijn kookkunsten gaat zeggen.'

Kirby grinnikt en scheurt de envelop open. Ze haalt er twee velletjes ouderwets briefpapier uit, die allebei zijn volgeschreven.

'Nou, lees voor,' zegt Dan, terwijl hij de aardappels pureert. Hij laat zich erop voorstaan elk klontje weg te kunnen werken.

Geachte heer KM,

Dit is een eigenaardige brief om te schrijven en ik moet bekennen dat ik geaarzeld heb, maar uw (nogal onbevattelijke) advertentie in de krant vraagt om een antwoord omdat er een verband is met een familiemysterie dat me al lang bezighoudt, ook al valt het buiten het door u opgegeven tijdsbestek.

Het voelt enigszins verontrustend om deze informatie met u te delen terwijl ik geen idee heb wat uw bedoelingen zijn. Wat was het doel van uw advertentie? Abstracte of ongezonde nieuwsgierigheid? Bent u een inspecteur bij de politie van Chicago of een oplichter die de pijn van mensen exploiteert voor de voldoening die dat schenkt, wat die ook inhoudt?

Ik zal u verdere speculatie besparen, want ik neem aan dat dit een kans is die net als alle kansen een risico met zich meedraagt, maar ik vertrouw erop dat u me als u dit hebt gelezen zult antwoorden, al was het maar om uw belangstelling voor dit onderwerp te verklaren.

Mijn naam is Nella Owusu, geboren Jordan. Mijn vader en moeder zijn allebei omgekomen in de Tweede Wereldoorlog, hij in het buitenland in de strijd, zij in Seneca, door een afschuwelijke onopgeloste moord in de winter van 1943.

Mijn broer en zussen – we werden naar allerlei weeshuizen en pleeggezinnen gestuurd, maar toen we volwassen waren hebben we elkaar weer gevonden – vinden dat ik hier te veel mee bezig ben. Maar ik was de oudste. Ik kan me haar het best herinneren.

In uw advertentie schrijft u dat u met name geïnteresseerd bent in 'opvallende voorwerpen'.

Toen het lichaam van mijn moeder was toevertrouwd aan de aarde en de spullen die op haar lichaam waren gevonden aan ons werden overgedragen, bevond zich onder de 'voorwerpen' een honkbalplaatje. Dat noem ik omdat mijn moeder geen belangstel-

*ling voor de sport had. Ik kan me niet voorstellen waarom ze op het
moment dat ze werd omgebracht een dergelijk plaatje bij zich had.*

*Ik vetrouw erop dat u zult antwoorden en me niet naar uw mo-
tieven laat raden.*

Met vriendelijke groet,

N. Owusu
Unit 82, Seniorendorp Floradale

'Freaks,' zegt Dan stellig, en hij zet het bord voor haar neer op de
salontafel.

'Ik weet het niet. Misschien is het de moeite waard om na te
trekken. Ze klinkt als een interessante dame.'

'Als je je verveelt heb ik wel werk voor je. Ik heb achtergrondin-
formatie nodig voor de wedstrijd van St Louis.'

'Eigenlijk denk ik erover om over al dit gedoe te schrijven. Een
moorddagboek.'

'Dat gaat *Sun-Times* nooit plaatsen.'

'Nee, maar een zine misschien wel. *The Lumpen Times* of *Steve
Albini Thinks We Suck.*'

'Soms spreek je een buitenlandse taal,' zegt Dan met een mond-
vol eten.

'*Get with the program, dude,*' zegt ze met een volmaakt stemmetje van Bart Simpson, en ze haalt haar schouders op.

'Kun. Je. Ook. Normaal. Praten?' schreeuwt Dan als een toerist
in het buitenland.

'Dunne alternatieve blaadjes met een kleine oplage.'

'O, nu je het zegt. Over niet-zo-dun-en-alternatief gesproken.
Chet vroeg of ik dit aan je wilde geven. Hij zei dat er niemand in
doodgestoken werd, maar dat jij verder de enige op de hele redactie bent die het rare verhaal wel op prijs zou stellen.' Hij haalt een
knipsel uit zijn gebutste aktetas. Het is nauwelijks meer dan een
alinea.

Ouderwets Geld Gevonden Bij Drugsinval

Englewood: een politie-inval in een plaatselijk drugshol heeft meer opge-
leverd dan crackbuisjes en capsules met heroïne. Er werden verschillende
pistolen in beslag genomen in het appartement van Toneel Roberts, een
bekende drugsdealer, naast zeshonderd dollar in ongeldige bankbiljetten
die uit 1950 stammen en oorspronkelijk Zilveren Certificaten heetten. De
biljetten zijn gemakkelijk herkenbaar aan het blauwe zegel aan de voorkant. De politie vermoedt dat het geld waarschijnlijk afkomstig is uit een
oude bergplaats en heeft lokale ondernemers gewaarschuwd dat het
geen wettig betaalmiddel is.

'Dat is heel lief van hem,' zegt ze, en ze meent het.

'Weet je, als je bent afgestudeerd kan ik misschien wel een echte
baan bij de krant voor je regelen. Misschien zelfs wel bij lifestyle,
als je dat zou willen.'

'En dat is heel lief van *jou*, Dan Velasquez.'

Hij bloost en kijkt heel aandachtig naar zijn vork. 'Ervan uit-
gaande dat je niet naar de *Trib* of een van die underground zine-
dingen wilt.'

'Daar heb ik nog niet echt over nagedacht.'

'Nou ja, daar zou ik dan maar eens mee beginnen. Je gaat de
zaak oplossen en wat ga je dan doen?'

Maar door de manier waarop hij het zegt weet ze dat hij niet
gelooft dat dat ooit gaat gebeuren.

'De vis is heerlijk,' zegt ze.

Harper 10 april 1932

Voor het eerst staat het hem bijna tegen om uit moorden te gaan. Het kwam door de manier waarop het revuemeisje hem had gekust. Vol liefde en hoop en verlangen. Is het zo erg om dat te willen? Hij weet dat hij het onvermijdelijke uitstelt. Hij moet op jacht zijn naar de toekomstige versie van haar, in plaats van over State Street te kuieren alsof hij zich nergens zorgen over maakt.

En wie ziet hij daar? Het kleine varkentje van een verpleegster. Ze kijkt in etalages en loopt knus gearmd met een andere man. Ze is molliger, met een mooiere jas. Het extra gewicht staat haar goed, denkt hij, en hij beseft dat het een hebzuchtige gedachte is. Haar vriend is de arts uit het ziekenhuis, met zijn volle bos haar en een dunne kasjmieren sjaal. Harper herinnert zich dat hij hem in 1993 voor het laatst gezien heeft, wezenloos omhoogstarend in een vuilniscontainer.

'Hallo, Etta,' zegt Harper en hij loopt te dicht naar ze toe, hij staat bijna op hun tenen. Hij ruikt haar parfum. Een te zoete citrusgeur. Het ruikt hoerig. Het past bij haar.

'O,' zegt Etta, en haar uitdrukking gaat het hele scala af: herkenning, ontzetting, een scherpe vrolijkheid.

'Ken je deze meneer?' De dokter glimlacht onzeker.

'U hebt mijn been beter gemaakt,' zegt Harper. 'Het spijt me dat u niet meer weet wie ik ben, dokter.'

'O, ja,' zegt hij met veel bombarie, alsof hij precies weet wie Harper is. 'En hoe gaat het met je been, kerel?'

'Veel beter. Ik heb de kruk nog amper nodig. Hoewel hij soms nog wel van pas komt.'

Etta nestelt zich steviger tegen de dokter aan. Ze wil Harper duidelijk het bloed onder de nagels vandaan halen. 'We gingen net naar een revue.'

'Je hebt allebei je schoenen vandaag,' zegt Harper.

'En ik ga ermee dansen,' snuift ze.

'Nou, ik weet niet of dat erin zit,' zegt de dokter, van zijn stuk gebracht door de woordenwisseling. 'Maar als je dat wilt... waarom niet?' Hij kijkt naar Etta voor een aanwijzing. Harper kent zijn soort maar al te goed. Volledig om de vingers van een vrouw gewonden. Hij denkt dat hij de baas is, waardoor hij naar haar kan delegeren omdat hij indruk wil maken. Hij waant zich veilig in de wereld, maar hij kent de reikwijdte er nog niet van.

'Laat me jullie niet storen. Miss Etta. Dokter.' Harper knikt eerbiedig en loopt weg voordat de man genoeg op verhaal kan komen om aanstoot te nemen.

'Leuk om u weer eens te zien, meneer Curtis,' roept Etta over haar schouder. Ze dekt zich in. Of hitst hem op.

Hij volgt de goede dokter de volgende avond als hij na zijn dienst het ziekenhuis verlaat. Zegt tegen hem dat hij hem mee uit eten wil nemen voor zijn hulp. Als de man Harpers uitnodiging beleefd probeert af te slaan, ziet hij zich gedwongen zijn mes te trekken, een nieuw exemplaar, om hem over te halen met hem mee te komen naar het Huis.

'Een kort bezoekje, meer niet,' zegt hij, en hij duwt het hoofd van de man naar beneden zodat hij onder de planken voor de deur door kan. Die sluit hij achter hen en doet hem zestig jaar in de toekomst weer open, waar het lot van de dokter al bezegeld is. Hij verzet zich niet eens. Nauwelijks. Harper neemt hem mee naar de vuilniscontainer en wurgt hem met zijn eigen sjaal. Het moeilijkste deel is nog om hem er na afloop in te hijsen.

'Maak je geen zorgen,' zegt hij tegen het paarsbruine lijk, 'je krijgt binnenkort gezelschap.'

Dan 11 september 1992

Dit is nog eens perspectief. In vliegtuigen zitten. De wereld piepklein onder je en ver weg van een meisje ergens beneden, net zo onwerkelijk als het drijfhout van wolken dat aangespoeld is op het blauw van de lucht.

Dit is een heel ander universum, met heel expliciete regels over hoe alles werkt. Zoals de verstandige aanwijzingen over wat je moet doen bij een ramp. Het zwemvest opblazen. Zet het masker op. Neem de brace-positie in. Alsof dat ook maar enig verschil zou uitmaken als het vliegtuig in vlammen opging. Had de rest van het leven maar zulke makkelijke placebo's.

Maak je stoelgordel vast. Klap je tafeltje weer omhoog. Probeer niet te flirten met de stewardessen, tenzij je alle tijd hebt en je al je haar nog hebt en idealiter ook in de businessklasse zit en een paar glimmende instappers uit hebt getrokken en netjes aan een kant hebt gezet in al die extra beenruimte, zodat je met je katoenen designersokken kunt pronken, mijn beste vriend.

Dit is de laatste keer dat hij een stoel op de voorste rij van economy neemt, waar hij achter het gordijntje champagne aangeboden hoort worden, en het doffe metalen getingel van echt bestek, in tegenstelling tot plastic. Vooral tijdens een nachtvlucht.

'Nu wrijven ze het echt in,' mompelt hij tegen Kevin. Maar Kevin hoort hem niet, omdat hij naar zijn discman luistert, met vette bassen die uit zijn oordopjes sijpelen, nog lelijker en meer vervormd dan de muziek zelf. Ook bladert hij in het tijdschrift van de luchtvaartmaatschappij langs reisverhalen over onmogelijke hotels. Dan blijft alleen achter met zijn gedachten, en dat is eerlijk gezegd wel het laatste wat hij wil. Niet nu zij die in beslag neemt.

Afleiding is tijdelijk. Ja, hij kan aantekeningen uitwerken, opgaan in spelersstatistieken (wie ooit zegt dat sport stom is heeft zich nooit verdiept in de algebra van spelersstatistieken en binnengeslagen punten), maar zijn gedachten gaan in rondjes als een hond die achter zijn eigen staart aan zit. En het ergste van alles – en dit is hoe belachelijk hij is geworden – is nog wel dat popnummers opeens ergens op slaan.

Dat maakt zijn kans van slagen nog niet groter dan de kans dat Kevin ooit met Hollywoodsterretjes vakantie gaat vieren in een skiresort van vijf sterren in de Franse Alpen. Het is weer helemaal net als de scheiding. Het moeilijkste deel daarvan waren niet de wanhoop en het verraad en de vreselijke dingen die ze tegen elkaar zeiden, maar dat flintertje onredelijke hoop.

Het is volstrekt ongepast. Hij is te blasé, zij is te jong, ze zijn allebei te verknipt. Hij verwart genegenheid met verliefdheid. Als hij het uitzit, dooft het vanzelf. Het gaat weg. Hij moet gewoon geduld hebben en voorkomen dat hij zich gedraagt als een roekeloze idioot. De tijd heelt alle wonden. Kalverliefde gaat voorbij. Splinters banen zich een weg naar buiten. Dat wil nog niet zeggen dat ze geen jeukende littekens veroorzaken.

Er is een bericht voor hem in het hotel in St Louis. Alweer een aangenaam anonieme kamer, met schilderijen die aanstootgevend zijn door hun gebrek aan aanstootgevendheid, en uitzicht op een parkeerplaats. Het enige verschil tussen deze kamer en alle andere waar hij ooit in geslapen heeft is het rode knipperende lampje op de telefoon. Dat is zij, zegt zijn hart. En hij zegt terug: hou je bek. Maar ze is het. Ademloos. Opgewonden. 'Hé Dan, met mij. Bel me terug zodra je dit hoort.'

Toets 1 om het bericht nogmaals te beluisteren. Toets 3 om terug te bellen. Toets 7 om het bericht te wissen. Toets 4 om het te bewaren.

'Hoi,' zegt ze, en om twee uur 's nachts klinkt ze fris en klaarwakker. 'Waar was je nou?'

'Ik? Jij bent degene die je telefoon niet opneemt.' Hij zegt niet dat hij haar heeft geprobeerd te bellen bij de persruimte, tijdens de slaapverwekkende negende inning. En nog een keer vanuit een telefooncel bij de bar toen hij na de persconferentie nog wat was gaan drinken. Hij had van een cola light genipt en enthousiasme proberen op te brengen voor wat conversatie betrof het hoogtepunt van de avond: Ozzie Smith die weer een honk had gestolen of de idiote inning van Olivares. 'Zag je hoe hij Arias in de tweede inning met die bal raakte?' bulderde Kevin.

Of dat hij het bericht in de tussentijd zes keer had afgeluisterd? Eén-vier-één-één-één-één. Je zou denken dat het hem meer zou doen dat zijn team gewonnen had.

'Sorry,' zegt ze. 'Ik ben wat gaan drinken.'

'Met Fred?'

'Nee, sukkel. Hou daar nou maar over op. Met een van de redacteuren van het blad *Screamin'*. Ze ziet mijn verhaal over het moorddagboek wel zitten.'

'Lijkt je dat een goed idee? Met al het andere dat je omhanden hebt?' Heeft een neutrale toon ook gradaties? Hij probeert een tandje bij te zetten. Hij heeft het televisieverslaggevers zien doen. Beleefd en afstandelijk maar met een opgetrokken wenkbrauw.

'Het is iets voor op de lange termijn. Ik mag het opsturen wanneer het klaar is. Als het klaar is. Als ik dat wil.'

'Goed, vertel me maar hoe het met die vrouw van het honkbalplaatje is gegaan.'

'Het was heel sneu eigenlijk. Het is niet echt een seniorendorp, eerder gewoon een bejaardentehuis. Haar man kwam me ophalen. Een Ghanees met een restaurant in Belmont. Hij zegt dat ze de eerste tekenen van alzheimer vertoont, ook al is ze nog maar net zestig. Het is genetisch. Op sommige dagen is ze helder en op andere is ze er helemaal niet bij.'

'En toen je haar zag?'

'Niet echt. We dronken thee en ze bleef me maar Maria noemen. Dat was een vrouw die ze leesles had gegeven.'

'Ai.'

'Maar haar man was geweldig, we hebben erna nog een uur zitten praten. Haar moeder was in 1943 vermoord, echt een vreselijk verhaal, en toen de agenten eindelijk haar eigendommen terug lieten bezorgen bij de familie, zat er een honkbalplaatje tussen de spullen die ze gevonden hadden in haar kleding. Die was heel lang bij haar oom en tante gebleven en toen zij stierven kreeg zij hem.'

'Welk plaatje was het?'

'Wacht even, ik heb de vrouw bij de receptie gevraagd hem te kopiëren.' Het geluid van papier dat uit een tas wordt gehaald. 'Hier. Jackie Robinson. Brooklyn Dodgers.'

'Onmogelijk,' zegt hij automatisch.

'Dat staat er.' Ze klinkt defensief.

'En ze is in 1943 vermoord?'

'Ja. Ik heb ook een kopie van de overlijdensakte. Ik weet al wat je gaat zeggen. Ik weet hoe onwaarschijnlijk het is. Maar luister even. Er zijn wel vaker moordpartners geweest, toch? De Hillside Stranglers waren neven die in LA samen vrouwen verkrachtten en vermoordden.'

'Als jij het zegt.'

'Geloof me. Ik denk dat dit ook zoiets is. Mijn zaak. Het zouden vader en zoon kunnen zijn. Een oudere psychopaat die een jongere onder zijn hoede heeft genomen. Niet per se familie, denk ik. Hij zou wel negentig kunnen zijn, of misschien is hij wel dood – wat de vingerafdrukken verklaart die de politie op de aansteker heeft gevonden, toch? Maar zijn partner houdt de traditie in ere om iets achter te laten op het lichaam. Vintage moordenaars in het meervoud, Dan. Het is de jongere die mij en Julia Madrigal heeft aangevallen, en wie weet wie nog meer. Ik ga die eerste dozen bekijken die we opzij hebben gezet. Dit kan tot heel ver teruggaan.'

'Sorry, Kirby, maar het klopt niet,' zegt hij, zo voorzichtig als hij kan.

'Waar heb je het over?'

Dan zucht. 'Weet je wat een spookhonkballer is?'

'Ik gok dat het niet voor de hand ligt. Geen behekste dug-out uit een horrorfilm. De veldspeler die een skelet blijkt te zijn, de duivel die vanuit de hel een brandende bal…'

'Precies.'

'Volgens mij wil ik niet horen wat je te zeggen hebt.'

'Waarschijnlijk niet, en dat is jammer dan. De beroemdste is een vent die Lou Proctor heet. Hij was een telegrafist in Cleveland die in 1912 zijn naam toevoegde aan de box score, een samenvatting van honkbalwedstrijden in tabelvorm.'

'Maar hij bestond niet.'

'Wel als een echt persoon, niet als honkbalspeler. Het was een grap. Vijftien minuten roem werden vijfenzeventig jaar. Er zijn er nog meer waarbij het niet vooraf was gepland. Slordige boekhouding, iemand spelt een naam verkeerd, tikt iets verkeerd over.'

'Dit is godverdomme geen tikfout, Dan.'

'Het is een vergissing. Ze heeft het mis. Je zei het zelf al, die arme vrouw heeft alzheimer. Luister naar me. Jackie Robinson speelde pas vanaf 1947 mee in de grote competities. De eerste zwarte speler. Had een rottijd. Zijn eigen team probeerde hem tegen te werken. De andere teams probeerden zijn benen te raken als ze op het honk gleden. Ik zal het nakijken, maar ik beloof je: in '43 had nog niemand van hem gehoord. Hij bestond nog niet eens als honkballer.'

'Je bent wel heel zeker van je statistieken.'

'Het is honkbal.'

'Ze is misschien in de war met een ander plaatje.'

'Dat bedoel ik. Of misschien de politie wel. Misschien lag het jarenlang bij iemand op zolder. Zei ze niet dat ze is opgegroeid in een pleeggezin? En het werd op een hoop gegooid.'

'Dus volgens jou was er geen plaatje.'

'Dat weet ik niet. Stond het in het proces-verbaal?'

'Ze waren niet zo goed met dossiers in 1943.'

'Dan zou ik zeggen dat je je hoop vestigt op iets wat niet bestaat.'

'Kut.' Ze gooit het er luchtig uit.

'Sorry.'

'Maakt niet uit. Doet er niet toe. Terug naar af. Bel maar als je er weer bent. Ik zal wel kijken wat voor krankzinnig idee ik nu weer kan bedenken om je mee te vermaken.'

'Kirby…'

'Denk je soms dat ik niet weet dat je me alleen maar aanhoort?'

'Dat zal iemand toch moeten doen,' zegt hij, en hij verliest net als zij zijn kalmte. 'Ik probeer je in elk geval niet uit te buiten voor mijn derderangs filmproject.'

'Ik kan dit ook wel alleen.'

'Ja, maar wie moeten er dan naar je gestoorde theorieën luisteren?'

'De lui van documentatie. Die zijn gek op gestoorde theorieën.' Hij hoort de glimlach in haar stem. Hij moet nu ook grijnzen.

'Ze houden van *donuts*! Er is een verschil. En er zijn niet genoeg oude baksels ter wereld om die onzin van je aan te horen.'

'Zelfs niet met glazuur?'

'Of gevuld met slagroom of met een laag chocola en gekleurde hagelslag!' roept hij in de hoorn, en hij zwaait met zijn armen alsof ze hem kan zien.

'Het spijt me dat ik zo lomp doe.'

'Daar kun je niks aan doen. Je bent in de twintig. Het hoort erbij.'

'Lekker dan. Leeftijdsdiscriminatie.'

'Overdrijf niet zo,' bromt hij.

'Denk je dat er misschien een ander honkbalplaatje was?'

'Ik denk dat je het moet beschouwen als iets wat interessant is maar je niet verder helpt. Maak een doos voor wildcards waar je je gestoorde theorieën in kan bewaren, en hou die gescheiden van alles wat echt is.' Zoals dit, denkt hij.

'Oké, je hebt gelijk. Dank je wel. Je hebt een donut van me te goed.'

'Of twaalf.'

'Welterusten, Dan.'

'Truste, snotneus.'

Harper geen tijd

Er was op de boerderij een krielhaan geweest die attaques kreeg. Die kon je veroorzaken door met licht in zijn ogen te knipperen. Harper ging dan op zijn buik in het lange gras liggen – dat zijn hoofd een rijp gevoel bezorgde – en gebruikte een stuk van een gebroken spiegel om de haan te bedwelmen. (Dezelfde scherf die hij gebruikte om de poten van een van de kippen af te snijden door neer te drukken op de achterkant van het verzilverde glas, met zijn hand in een oud overhemd gewikkeld.)

De haan scharrelde dan over de grond en schoot heen en weer met zijn kop op die stomme manier waarop kippen dat doen, en plotseling keek hij nietszeggend stokstijf voor zich: een leeg voorwerp. Een seconde later was hij weer terug, zich van niets bewust. Een hapering in zijn hersens.

Zo voelt de Kamer aan: haperend.

Hij kan hier uren op de rand van het bed naar de galerie zitten kijken die hij bij elkaar heeft verzameld. De voorwerpen zijn er altijd, zelfs als hij ze meeneemt.

De namen van de meisjes zijn keer op keer overgetrokken, tot de letters begonnen te rafelen. Hij weet nog dat hij het deed. Hij herinnert zich niet dat hij het deed. Een van die twee dingen moet waar zijn. Er verkrampt iets in zijn borst, als een radertje in een horloge dat te strak is opgewonden.

Hij wrijft zijn vingertoppen langs elkaar en merkt dat er een dun laagje krijtstof op zit. Het lijkt niet duidelijk meer. Het voelt als de ondergang. Het maakt hem opstandig, alsof hij zomaar iets zou kunnen doen, gewoon om te kijken wat er gebeurt. Zoals met Everett en de vrachtwagen.

Zijn broer betrapte hem met de kleine kip. Harper zat erboven gehurkt terwijl ze met haar kleine vleugeltjes klapperde en zich piepend naar voren sleepte. Haar stompjes lieten dikke slakkensporen van bloed achter in het stof. Hij hoorde Everett aankomen, het getik van zijn schoenen die aan hem doorgegeven zouden worden, hoewel de hak al los zat. Hij tuurde omhoog naar de oudere jongen, die zonder iets te zeggen naar hem keek met de ochtendzon achter zijn hoofd, zodat hij zijn uitdrukking niet kon zien. De kip piepte en fladderde en sleepte zich gebroken voort over het erf. Everett liep weg. Hij kwam terug met een schop en sloeg de vogel tot moes.

Hij gooide het hoopje veren en lijmachtige ingewanden bovenhands in het lange gras achter de kippenren, en sloeg Harper zo hard dat hij op zijn kont viel. 'Weet je niet waar onze eieren vandaan komen? Stomkop.' Hij trok hem overeind en klopte het stof van zijn hemd. Zijn broer bleef nooit lang boos op hem. 'Niet aan pa vertellen,' zei Everett.

De gedachte was niet bij Harper opgekomen. Zoals het niet bij hem opkwam op de dag van het ongeluk aan de handrem te trekken.

Harper en Everett Curtis reden naar de stad om voer voor de dieren te halen. Everett liet hem rijden. Maar Harper, die misschien elf was, nam een bocht te scherp en raakte de rand van een greppel. Zijn broer greep het stuur en rukte de wagen weer de weg op. Maar zelfs Harper wist dat de band beschadigd was, door de drassige flap van rubber en doordat sturen veel meer moeite kostte.

'Remmen!' riep Everett. 'Harder!' Hij zette zich schrap tegen het stuur en Harper ramde met zijn voet op het pedaal. Everetts hoofd knalde tegen het zijraampje en het glas versplinterde. De truck slipte opzij, de bomen tolden en liepen in elkaar over, tot ze midden op de weg met een schok tot stilstand kwamen. Harper zette de motor af. Die tikte en pruttelde.

'Het is jouw schuld niet,' zei Everett, met een hand op zijn hoofd, waar al een bult groeide. 'Het is mijn schuld. Ik had je niet moeten laten rijden.' Hij zwaaide het portier open en stapte de heiige ochtend in. 'Blijf daar.'

Harper draaide zich om in de cabine en zag Everett achterin naar de reserveband zoeken. Er golfde een briesje door de korenvelden, maar het was zo licht dat het hoogstens de hitte verschoof.

Zijn broer liep met de krik en de wielmoersleutel naar de voorkant. Hij bromde toen hij die onder de truck schoof en hem omhoogkrikte. De eerste moer kwam er zonder moeite af, maar de tweede zat vast. Zijn magere schouders trilden van de inspanning. 'Blijf daar, het lukt me wel!' riep hij naar Harper, die niet van plan was van zijn plek te komen.

Everett begon tegen de sleutel te schoppen. En daardoor glipte de truck van de kruk. Langzaam rolde hij weer naar de greppel.

'Harper!' riep Everett geïrriteerd, en vervolgens harder en paniekerig toen de truck op hem af bleef komen. 'Trek aan de handrem, Harper!'

Maar dat deed hij niet. Hij bleef zitten waar hij zat terwijl Everett de truck terug probeerde te duwen, met zijn handen op de motorkap. Door het gewicht viel hij omver voordat de wagen over hem heen reed. Zijn bekken maakte een scherp knappend geluid, als een dennenappel in de open haard. Het viel niet mee om boven het geluid van Everetts geschreeuw uit iets anders te horen. Het bleef maar doorgaan. Uiteindelijk stapte Harper uit om te kijken.

Zijn broer had de kleur van oud vlees. Zijn gezicht was paarsgrijs en zijn ogen waren bloeddoorlopen. Er stak een scherf bot uit zijn dij, vreselijk wit. Rond de band waar die op zijn heup rustte zat een dikke laag vet. Geen vet, besefte Harper. Alles ziet er hetzelfde uit als je het binnenstebuiten keert.

'Rennen,' zei Everett met schorre stem. 'Ga hulp halen. Godsamme, rennen!'

Harper staarde hem aan. Hij begon te lopen en keek over zijn schouder achterom. Gefascineerd.

'Rennen!'

Het duurde twee uur om een eind verderop iemand van de

boerderij van de Crombies te halen. Te laat voor Everett, die nooit meer zou kunnen lopen. Hun vader sloeg Harper bont en blauw. Hij zou Everett ook geslagen hebben, als die geen mankepoot was geweest. Door het ongeluk moesten ze iemand inhuren. Harper moest extra klusjes doen, waar hij kwaad over was.

Everett wilde hem niet meer kennen. Hij verzuurde als aardappelpuree die te lang in de pan staat. Hij lag in bed en staarde uit het raam. Een jaar later moesten ze de vrachtwagen verkopen. Drie jaar later de boerderij. Laat niemand je vertellen dat voor de boeren de Depressie het begin van de ellende was.

De ramen en deuren werden dichtgetimmerd. Ze laadden alles in een truck die ze van een buurman leenden om te gaan verkopen wat ze maar konden. Everett was maar ballast.

Harper sprong in het eerste stadje uit. Hij ging naar het leger en vocht in de oorlog, maar hij ging nooit meer terug naar de plek waar hij vandaan kwam.

Dat zou misschien een mogelijkheid zijn, denkt hij. Weggaan uit het Huis en er nooit meer terugkeren. Het geld meenemen en ervandoor gaan. Op zoek gaan naar een leuk meisje. Niet meer moorden. Niet meer het mes voelen draaien en de warme ingewanden van een meisje die naar buiten glibberen en toekijken hoe het licht in hun ogen dooft.

Hij kijkt naar de muur, naar de haperende voorwerpen. Het cassettebandje springt er wat hem betreft uit en vraagt dringend zijn aandacht. Er zijn nog vijf namen over. Hij weet niet wat er daarna gaat gebeuren, maar wat hij wel weet is dat door de tijd heen op ze jagen niet genoeg meer voor hem is.

Hij denkt dat hij het een beetje om wil draaien. Om te spelen binnen de lussen die hij al heeft ontdekt, met dank aan de heer Bartek en de goede dokter.

Hij zou willen proberen ze eerst te vermoorden en dan terug te gaan om ze op te zoeken, als ze geen idee hebben wat ze te wachten staat. Op die manier zal hij beleefd een praatje kunnen maken met hun jongere en lievere versie, en ze voorbereiden op wat hij ze al heeft aangedaan, terwijl de beelden van hun dood zich af-spelen in zijn hoofd. Een omgekeerde jacht, om het allemaal wat interessanter te maken.

En het Huis lijkt ermee akkoord te gaan. Het voorwerp dat nu het felst straalt en eist dat hij het *pakt*, is een button, rood, wit en blauw met een vliegend varken.

Margot 5 december 1972

Verdorie, Margot ziet dat ze gevolgd worden door een man. Helemaal vanaf het station op 103rd Street, vijf straten verderop. Wat haar betreft één straat te veel om nog toeval te kunnen zijn. En oké, misschien is ze te voorzichtig omdat ze vandaag een Jane is geweest. Of misschien gaan haar zenuwen wel zo tekeer omdat ze zo laat op de avond in Roseland is. Maar het is uitgesloten dat ze Jemmie in haar toestand alleen naar huis laat gaan. Ze proberen het de vrouwen zo gemakkelijk mogelijk te maken, maar het doet nog steeds pijn en het is nog steeds eng en het is nog steeds illegaal.

Ze neemt aan dat het mogelijk zou kunnen zijn dat de man heel toevallig op precies hetzelfde tijdstip in de stromende regen precies dezelfde route aflegt, tra-la-la-la-la.

Gangster-Smeerlap-Geheim-Agent-Gangster-Smeerlap-Geheim-Agent zingt ze in haar hoofd, op het ritme van Jemmies passen. Schuifel-schuifel als een oud vrouwtje, zwaar op haar arm leunend en met een hand op haar buik. Lange tweedjas zou politieagent kunnen betekenen. Of smeerlap. Maar hij heeft gevochten, wat waarschijnlijk smeerlap of bendelid betekent. De maffia lijkt eindelijk door te hebben dat Jane geen geld verdient. In tegenstelling tot de 'respectabele' artsen die vijfhonderd dollar of meer rekenen om je op te laten pikken op straat en je te blinddoeken zodat je ze niet kunt identificeren, waarna ze je baarmoeder leegschrapen en je na afloop weer op straat gooien, zonder ook maar te vragen hoe het met je gaat en je nog een fijne dag te wensen. Of misschien is hij wel zomaar een vent.

'Wat zeg je?' Jemmies adem stokt van de pijn.

' O jee, sorry, ik dacht hardop na. Let maar niet op mij, Jemmie. O hé, kijk, we zijn bijna thuis.'

'Dat was hij niet, hoor.'

'Wat niet?' Margot luistert maar half. De man heeft zijn pas versneld, en rent en hupt door rood de straat over om ze bij te houden. Hij stapt tot aan zijn enkel in een plas, vloekt en schudt zijn schoen uit, en werpt haar dan een guitige glimlach toe die duidelijk ontwapenend bedoeld is.

Jemmie is boos op haar. 'Zomaar een vent, zoals je zei. We zijn verloofd. Als hij terugkomt gaan we trouwen. Zodra ik zestien ben.'

'Dat is mooi,' zegt Margot. Ze is niet zo in vorm. Normaal gesproken zou ze Jemmie daarop aangesproken hebben: een volwassen man die hokt met een minderjarige voordat hij naar Vietnam verscheept werd, en haar van alles belooft terwijl hij het niet eens voor elkaar krijgt een condoom om te doen. Veertien jaar. Maar iets groter dan de kinderen die ze als invalkracht lesgeeft op Thurgood Marshall Middle School. Het doet pijn, man. Maar ze is te zeer afgeleid om een preek af te steken, omdat de gedachte door haar hoofd blijft malen dat de vent die achter ze aan loopt haar bekend voorkomt. Waardoor ze weer uitkomt bij haar litanie. Gangster-smeerlap-geheim-agent. Of erger nog. Haar hart slaat over. Een kwade partner. Die hebben ze eerder gehad. Isabel Sterrits echtgenoot, die haar gezicht vertimmerde en haar arm had gebroken toen hij erachter kwam wat ze gedaan had. Wat precies de reden was waarom ze geen andere baby van hem wilde.

Laat het alsjeblieft geen gestoorde partner zijn.

'Kunnen we… kunnen we even stoppen?' Jemmie heeft de kleur gekregen van oude chocola die onder in je tasje gesmolten is. Zweet en regen glimmen door de acne heen op haar voorhoofd. Kapotte auto. Geen paraplu. Kon deze dag nog erger worden?

'We zijn er bijna, oké? Je doet het heel goed. Hou vol. Het is nog maar één straat. Lukt je dat?'

Jemmie laat zich met tegenzin meetrekken. 'Komt u mee naar binnen?'

'Zal je moeder dat niet raar vinden? Een blank meisje dat jou met buikkramp thuisbrengt?'

Margot vergeet je niet snel. Dat komt door haar lengte. Eén meter tachtig met rossig haar met een scheiding in het midden. Op de middelbare school heeft ze basketbal gespeeld, maar ze was te relaxed om het serieus te nemen.

'Maar kunt u toch niet binnenkomen?'

'Als je dat wilt, kom ik mee,' zegt ze, en ze probeert enthousiasme op te brengen. Het uitleggen aan familieleden valt niet altijd goed. 'We zien wel hoe het gaat, oké?'

Ze wou dat Jemmie hen eerder had gevonden. De dienst staat in het telefoonboek, onder 'Jane How', maar hoe zou je dat weten als je er nooit van gehoord had? Hetzelfde geldt voor de advertenties in de alternatieve krantjes of briefjes in wasserettes. Een meisje als Jemmie zou Jane nooit kunnen vinden tenzij iemand haar persoonlijk doorverwees, en daar waren drieënhalve maand en een plaatsvervangend maatschappelijk werkster die vond dat ze goed werk deden voor nodig geweest. Soms denkt ze dat het de plaatsvervangers zijn die het echte verschil maken. Plaatsvervangende onderwijzers en maatschappelijk werkers en artsen. Een frisse blik. Het grote plaatje. Actie. Al is het maar tijdelijk. Soms heb je aan tijdelijk al genoeg.

Vijftien weken is op het randje. Je kunt niet zomaar het risico nemen. Twintig vrouwen per dag en ze hebben er nog niet één verloren, tenzij je het meisje meetelt dat ze weggestuurd hadden omdat ze een vreselijke infectie had. Ze hadden tegen haar gezegd dat ze naar een dokter moest gaan en terug kon komen als het voorbij was. Ze kwamen er later achter dat ze was gestorven in het ziekenhuis. Als ze haar maar eerder hadden gezien. Net als Jemmie.

Jemmie was een van de laatste kaartjes die werden opgepakt. De eenvoudige gevallen gaan snel. Alle vrijwilligsters zitten bij elkaar in de gezellige woonkamer van Big Jane in Hyde Park, met de foto's van haar kinderen op de boekenplank en 'Me and Bobby McGee' op de platenspeler. Ze drinken thee en onderhandelen over de patiënten alsof ze in paarden handelen.

Een student van twintig, vijf weken heen, die woont in de buitenwijk Lake Bluff? Dat kaartje van 7,5 bij 12,5 centimeter gaat er in de eerste ronde al uit. Maar de moeder van achtenveertig die na zeven kinderen uitgeput is en het niet nog een keer kan doorstaan? De boerin wier baby van tweeëntwintig weken zo misvormd is dat de dokter zegt dat hij (of zij) na de geboorte hoogstens een uur in leven blijft, maar die erop staat het kind ter wereld te brengen? De veertienjarige uit de West Side die binnenkomt met een pot vol muntjes omdat dat alles is wat ze heeft en die je smeekt het niet aan haar moeder te vertellen? Die kaartjes komen telkens weer langs, tot Big Jane geërgerd bromt: 'Nou, íemand moet hem toch pakken.' En in de tussentijd blijven er maar berichtjes binnenkomen op het antwoordapparaat, die worden overgeschreven op nieuwe kaartjes voor de volgende dag en de dag erna. Spreek je naam in en een nummer waarop we je kunnen bereiken. We kunnen je helpen. We bellen je terug.'

Hoeveel heeft Margot er nu bijgestaan? Zestig? Honderd? Ze voert de dilatatie en curettage niet zelf uit. Ze is in het gunstigste geval onhandig. Dat komt door haar lengte. De wereld is niet gebouwd om haar te bevatten, en ze vertrouwt zichzelf niet met een petieterig schraapmesje. Maar ze is er heel goed in om handen vast te houden en uit te leggen wat er gebeurt. Het helpt om te weten wat er met je gebeurt en waarom. Benoem de pijn, grapt ze. Ze geeft de vrouwen een schaal waarmee ze die kunnen aangeven. Is het erger of minder erg dan je teen stoten? En vergeleken met erachter komen dat de verliefdheid niet wederzijds is? Je snijden aan papier? Het uitmaken met je beste vriendin? En hoe zit het met beseffen dat je langzaam maar zeker in je moeder verandert? Ze laat ze soms echt lachen.

Na afloop huilen de meeste vrouwen echter. Soms omdat ze spijt hebben of zich schuldig voelen of bang zijn. Zelfs de vrouwen die het zekerst van hun zaak waren hebben twijfels. Het zou onmenselijk zijn als dat niet zo was. Maar het is vooral pure opluchting. Omdat het zwaar en verschrikkelijk is, maar nu is het voorbij en kunnen ze de draad van hun leven weer oppakken.

Het wordt steeds moeilijker. Niet alleen door die bullebakken van maffiosi of de agenten die ze hard aanpakken sinds de intolerante zus van Yvette Coulis zo verontwaardigd was omdat ze het hadden gewaagd haar een abortus te geven dat ze brieven had geschreven naar de gemeenteraad en iedereen ophitste. Het ergste was nog dat de zus rond begon te hangen bij het Front en de vriendinnen of echtgenoten of vriendjes of moeders en soms vaders die de vrouwen meebrachten om ze te steunen lastigviel. Ze moesten het Front naar een ander appartement verhuizen om haar kwijt te raken. De politie begon hen toen lastig te vallen. De langste mannen die je ooit had gezien, alsof dat een kwalificatie was om bij moordzaken te mogen werken, met dezelfde regenjassen en chagrijnige gezichten die duidelijk maakten dat ze dit maar tijdverspilling vonden.

Maar dat is nog niet eens het grootste probleem – dat is dat het in New York nu legaal is. Wat een goede zaak zou moeten zijn, en misschien volgt Illinois ook wel, toch? Maar het betekent dat meisjes die geld hebben op een trein of een bus of in een vliegtuig springen en dat degenen die naar Jane komen echt wanhopig zijn – de armen, de jonkies, de oudjes, de vrouwen die al ver heen zijn.

Dat zijn degenen met wie ze de grootste moeite heeft. Zelfs de meest onbuigzame Janes. Absoluut. Wikkel je eerste foetus in een oud t-shirt bij wijze van doodskleed en gooi het in een vuilniscontainer vijf kilometer verderop en kijk maar eens hoe het jou bevalt. Niemand zei dat het leuk zou zijn om wanhoop uit een vrouw te rukken.

En dan pakt de man haar bij de arm. 'Neem me niet kwalijk, mevrouw. Volgens mij heeft u deze laten vallen,' zegt hij, en hij reikt haar iets aan. Ze heeft geen idee hoe hij ze zo snel heeft kunnen inhalen. En ze weet zeker dat ze die scheve lach eerder heeft gezien.

'Margot?' Jemmie is bang.

'Ga jij maar naar huis, Jemmie,' zegt Margot met haar beste, meest gezaghebbende schooljuffrouwstem, die ze niet echt heeft, aangezien ze pas vijfentwintig is. 'Ik kom zo.'

Er zouden nu geen complicaties moeten plaatsvinden. Maar als ze naar het ziekenhuis moet, zullen de artsen haar geen last bezorgen. De Janes gebruiken nu de pasta van Leunbach. Geen pijn, geen problemen, geen manier om te bewijzen dat de miskraam was opgewekt. Het komt wel goed met haar.

Ze kijkt of Jemmie doorloopt en draait zich dan naar hem om. Ze maakt zich langer zodat ze hem recht in de ogen kan kijken.

'Wat kan ik voor u doen, *meneer*?'

'Ik heb overal naar u gezocht. Ik wilde dit teruggeven.'

Ze kijkt eindelijk naar het voorwerp dat hij voor haar ogen houdt. Een zelfgemaakte protestbutton. Dat weet ze omdat ze hem zelf getekend heeft. Een varken met vleugels. PIGASUS VOOR PRESIDENT staat er in haar blokletters op, schuin en ongelijkmatig naar rechts hellend. De officiële kandidaat van de Yippies in 1968 omdat een varken nauwelijks slechter kon zijn dan de echte politici.

'Herkent u deze? Kunt u me vertellen wanneer u hem voor het laatst heeft gezien? Kent u me nog? U moet me nog kennen.' Hij vraagt het heel erg dringend.

'Ja,' weet ze met moeite uit te brengen. 'De Democratische Conventie.' De herinnering keert terug als een klap in haar gezicht. Het tafereel bij het Hilton, omdat hun leider, Tom Hayden, tegen ze had gezegd dat ze als de gesmeerde bliksem weg moesten uit het park toen de politie mensen te lijf ging en van de beelden aftrok waar ze op waren geklommen.

Als ze met traangas bespoten werden, werd de hele stad met traangas beschoten, schreeuwde hij. Als er in Grant Park bloed werd vergoten, zou het over heel Chicago vergoten worden! Zevenduizend mensen stroomden de straat op tegen de agenten die achterwaarts trokken. Nog steeds boos over Martin Luther King, overal in de West Side brand. De baksteen die uit haar hand vloog voelde alsof hij er met een touw uit werd gerukt. Ze was zich bewust van de agent die op haar af stormde, de knuppel die haar zij raakte, maar ze voelde de pijn pas na afloop, toen ze onder de douche de blauwe plek zag.

De televisiecamera's en de lampen op de treden voor het hotel, met de rest van de demonstranten die zo hard als ze kunnen 'De hele wereld kijkt toe!' zingen, tot de agenten iedereen met pepperspray bespoten. Yippies. Omstanders. Verslaggevers. Iedereen. Ze dacht dat ze Rob met schorre stem 'De varkens zijn hoeren!' hoorde roepen, maar ze kon hem niet vinden in het gedrang van huilende en duwende mensen, en het licht van de schijnwerpers dat van de blauwe politiehelmen kaatste die overal waren, en knuppels die automatisch neerkwamen.

Margot leunde tegen de motorkap van een auto op Balbo Avenue. Met haar hoofd naar beneden spuugde ze op de grond en ze wreef met de rand van haar T-shirt in haar ogen, wat het alleen maar erger maakte. Om de een of andere reden keek ze op en zag hem recht op haar af komen hinken, een lange man met een duidelijk doel. Als een baksteen aan een touwtje.

Hij bleef voor haar staan en wierp haar een scheef lachje toe. Ongevaarlijk. Charmant zelfs. Het lachje was zo misplaatst in deze chaos dat ze kreunde en hem opzij probeerde te duwen, opeens doodsbang op een manier die ze niet voor de agenten of de menigte was geweest, of voor het brandende gevoel waardoor haar borstkas bijna was ingeklapt.

Hij pakte haar polsen. 'We hebben elkaar eerder ontmoet. Maar dat weet je vast niet meer.' Zoiets vreemds om te zeggen dat het haar bijbleef.

'Hier.' Hij greep haar revers, alsof hij haar overeind wilde trekken, maar in plaats daarvan rukte hij haar button af. 'Dit is hem.' Hij liet haar zo abrupt los dat ze tegen de auto viel, huilend van woede en schrik.

Ze wankelde naar huis, ernaar verlangend om een uur lang te kunnen douchen en zich daarna met een joint op de bank te nestelen. Maar toen ze de sleutel in het slot stak en door het kralengordijn liep trof ze Rob aan die in hun bed met een of ander meisje neukte. 'O, hé schatje, dit is Glenda,' zei hij, en hij stopte niet eens. 'Wil je meedoen?' Ze gebruikte haar lippenstift om KLOOTZAK op de spiegel te schrijven, en ze drukte zo hard dat hij in tweeën brak.

Ze maakten vijfeneenhalf uur ruzie, nadat Glenda de wenk

eindelijk had begrepen en ervandoor was gegaan, en ze maakten het weer goed. De goedmaakseks eindigde niet zo goed. (Glenda bleek schaamluis te hebben.) Een week later was het uit. Rob vertrok heimelijk naar Toronto om te voorkomen dat hij opgeroepen zou worden en zij maakte haar school af en ging lesgeven omdat ze er niet in geslaagd waren de wereld te veranderen, en ze was gedesillusioneerd. Tot ze op Jane was gestuit.

En het geval met de enge hinkende vent die haar button zo had bewonderd dat hij hem midden tijdens de rellen had gestolen werd een grappige anekdote die ze tijdens etentjes of bijeenkomsten kon opdissen, maar toen kreeg ze betere verhalen, verhalen die ergens over gingen. Ze had er al in tijden niet meer aan gedacht. Tot nu.

Hij maakt gebruik van haar schrik. Slaat zijn arm om haar heen, trekt haar naar zich toe en laat het mes in haar buik glijden. Midden op straat in de regen. Ze kan het niet geloven. Ze opent haar mond om te schreeuwen, maar slaagt er alleen in te kokhalzen als hij met het mes draait. Er rijdt een taxi voorbij, de lampen aan, water dat opspat van de banden, tegen Margots rode broek, terwijl het bloed opwelt en over haar ceintuur en in de ribbels van corduroy sijpelt, weerzinwekkend warm. Ze kijkt of ze Jemmie ziet, maar die is de hoek al om. Veilig.

'Vertel me de toekomst,' fluistert hij, zijn adem warm tegen haar oor. 'Ik wil het niet aflezen van je ingewanden.'

'Krijg de klere,' zegt ze hijgend, minder fel dan het in haar hoofd had geklonken, en ze probeert hem weg te duwen. Maar alle kracht is uit haar armen gevloeid en hij heeft zijn lesje geleerd. Erger nog: hij weet dat hij onoverwinnelijk is. 'Zoals je wilt,' zegt hij lachend, en hij haalt zijn schouders op. Hij rukt haar duim naar achteren – het is onverdraaglijk – en gebruikt hem om haar naar een bouwplaats te loodsen.

Hij duwt haar neer in de modder van de funderingsput en bindt haar vast met staaldraad. Hij knevelt haar en neemt de tijd om haar te vermoorden. Als hij klaar is, gooit hij de tennisbal bij haar in de put.

Het is niet zijn bedoeling dat ze niet gevonden wordt, maar de man die de graafmachine bedient en de volgende ochtend puin in de kuil schuift vangt slechts een glimp op van het rossige blonde haar en maakt zichzelf wijs dat het een dode kat is, hoewel hij soms 's nachts wakker ligt en denkt dat het iets anders was.

Harper pakt het voorwerp dat hij nodig heeft en gooit haar tas op een leeg stuk grond. De inhoud wordt uitgezift door opportunisten, tot een fatsoenlijke burger de tas naar het politiebureau brengt. Maar tegen die tijd is alles wat nuttig zou kunnen zijn verdwenen. De agenten kunnen niet iemand identificeren aan de hand van cassettebandjes die ze heeft opgenomen. Kopieën van de muziek die Big Jane speelde in dat appartement aan Hyde Park, krakerig en ongepolijst door de geïmproviseerde verbinding tussen cassettedeck en elpee. The Mamas and the Papas, Dusty Springfield, The Lovin' Spoonful, Peter, Paul & Mary, Janis Joplin.

Jemmie klaagt op de avond van haar abortus dat ze iets verkeerds heeft gegeten en gaat vroeg naar bed. Haar ouders stellen geen vragen en komen nooit achter de waarheid. Haar vriend komt niet terug uit Vietnam, of misschien wel, maar niet naar haar. Ze haalt op school goede cijfers, gaat naar college maar stopt voortijdig om op haar tweeëntwintigste te trouwen. Ze krijgt drie kinderen, geen complicaties. Gaat op haar vierendertigste terug naar school en krijgt uiteindelijk een baan bij parkbeheer.

De vrouwen van Jane zijn ziek van bezorgdheid, maar niets wijst erop dat Margot het niet gewoon allemaal beu is geworden en ermee opgehouden is, misschien om naar die ex in Canada te gaan. En ze hebben het trouwens maar druk met hun eigen problemen. Een jaar later doet de politie een inval. Acht vrouwen worden gearresteerd. Hun advocaat blijft de zaak maar rekken, in afwachting van een grote rechtszaak die volgens haar de rechten van vrouwen om zelf te bepalen wat er met hun lichaam gebeurt voorgoed zal veranderen.

Kirby 19 november 1992

Divisie 1 is het oudste deel van het huis van bewaring van Cook County, dat op dit moment wordt uitgebreid met twee nieuwe gebouwen om de overvloed van gevangenen te huisvesten. Al Capone verbleef hier op kosten van de staat toen er nog directe toegang op straatniveau was. Nu betekent maximale beveiliging dat het gebarricadeerd is achter drie omheiningen. Je moet elke keer door een nieuwe poort met erboven dubbele lagen gekruld prikkeldraad. Het slordige gras tussen de omheiningen is geel. De gevel met zijn gotische letters, leeuwenkoppen en smalle rijen met ramen is groezelig en verkleurd.

Het historische gebouw wordt minder goed onderhouden dan het Field Museum of het Art Institute, hoewel de gevangenis vergelijkbare regels voor bezoekers heeft: niet eten, niets aanraken.

Kirby had er niet op gerekend dat ze haar laarzen moest uittrekken om door het röntgenapparaat te gaan. Ze heeft er vijf minuten voor nodig om ze los te maken en na afloop weer dicht te binden. Ze is zenuwachtiger dan ze wil toegeven. Het is een cultuurschok, want het is net als in de film, maar dan intenser en viezer. Er hangt een walm van zweet en woede, en door de dikke muren klinkt een dof geluid van te veel mensen die zich op elkaars lip bevinden. De verf op de beveiligingspoort is weggesleten en bekrast, vooral rond het slot, dat een zwaar rinkelend geluid maakt als de bewaker hem opent om haar binnen te laten.

Jamel Pelletier wacht haar al op achter een van de tafeltjes in de bezoekersruimte. Hij ziet er slechter uit dan op de foto's in de knipsels uit de *Sun-Times* die Chet voor haar verzameld heeft. De strakke vlechtjes zijn weg en zijn haar is kort en netjes geknipt, maar zijn huid is vettig. Op zijn voorhoofd zitten her en der kleine puistjes boven grote ogen met dikke wimpers en plukkerige wenkbrauwen, waardoor hij er pijnlijk jong uitziet, hoewel hij nu halverwege de twintig is. Ouder dan zij. Het lichtbruine gevangenispak hangt als een zak om hem heen, met het nummer in grote letters op zijn borst. Automatisch wil ze hem de hand schudden, maar hij trekt geamuseerd zijn neus op en schudt zijn hoofd.

'Lekker dan. Ik breek meteen de regels,' zegt ze. 'Bedankt dat je me wilde zien.'

'Je ziet er anders uit dan ik had gedacht,' zegt hij. 'Heb je chocola meegenomen?' Zijn stem is hees. Dat krijg je ervan als je jezelf aan je eigen broek ophangt en je strottenhoofd plet, denkt ze. Bij de gedachte hier nog acht jaar door te moeten brengen klinkt het als een redelijke optie.

'Sorry, daar had ik aan moeten denken.'

'Ga je me helpen?'

'Ik ga m'n best doen.'

'Mijn advocaat zei dat ik niet met je moet praten. Ze is pislink.'

'Omdat ik tegen haar heb gelogen?'

'Ja. Die mensen krijgen daarvoor betaald. Een advocaat moet je niet overbluffen, man.'

'Het leek me de beste manier om iets over de zaak te weten te komen. Sorry.'

'Heb je het met haar geregeld?'

'Ik heb berichten achtergelaten,' zegt Kirby met een zucht.

'Nou, als zij het niet goedvindt, dan ik ook niet,' zegt hij, en hij maakt aanstalten om op te staan. Hij knikt naar de bewaker, die geërgerd opstaat en naar de handboeien aan zijn riem reikt.

'Wacht. Wil je alsjeblieft naar me luisteren?'

'Je brief was duidelijk zat. Je denkt dat een of andere gestoorde moordenaar jou hetzelfde heeft aangedaan.' Maar toch aarzelt hij.

'Pelletier!' blaft de bewaker. 'Blijf je hier of gaan we?'

'Ik blijf nog even. Sorry, Mo. Je weet hoe die wijven zijn.' Hij werpt haar een wellustige grijns toe.

'Niet cool,' zegt Kirby, en ze houdt haar stem kalm.

'Kan me geen reet schelen,' snauwt hij. Maar even valt de schijn die hij ophoudt weg. Nog steeds jong, nog steeds hartstikke bang, denkt Kirby. Ze weet hoe hij zich voelt.

'Heb je het gedaan?'

'Meen je dat? Iedereen hier geeft hetzelfde antwoord als je ze dat vraagt. Weet je: zoek jij eerst maar uit wat je voor mij kunt doen en dan help ik je wel.'

'Ik kan een verhaal over je schrijven.'

Hij staart haar aan en dan grijnst hij zo breed dat je erin kan verdwijnen. 'Shit. Meen je dat nou? Die had je al geprobeerd.'

'Doe je aan sport? Dan schrijf ik daarover.' Dat zou eigenlijk een geweldig stuk zijn. Gevangenisbasketbal. Misschien zou Harrison er zelfs wel voor gaan.

'Nee, ik doe aan gewichtheffen.'

'Ook goed. Een interview met je. Jouw kant van het verhaal. Misschien voor een tijdschrift.' Ze betwijfelt of hij onder de indruk zou zijn van *Screamin'*, maar ze is wanhopig.

'Huh,' zegt hij, alsof hij nog steeds twijfelt. Maar Kirby weet dat de waarheid is dat iedereen wil dat er iemand naar je luistert. 'Wat wil je weten?'

'Waar was je toen de moord werd gepleegd?'

'Bij Shante. Ik ramde dat lekkere kontje van d'r tegen de muur.' Hij wappert met zijn handen zodat zijn vingers een zompig seksgeluid tegen zijn handpalm maken. Het klinkt griezelig realistisch. 'Nou en of, schatje.'

'Ik kan net zo makkelijk weer weggaan.'

'O, ben je boos?'

'Ik word boos als psychopaten ermee wegkomen meisjes aan stukken te snijden, eikel. Ik probeer de moordenaar te vinden. Wil je me helpen of niet?'

'Rustig maar, meisje. Ik hou je maar voor de gek. Ik was bij Shante, maar ze wilde niet getuigen omdat ze voorwaardelijk vrij is en het geldt als een schending als ze bij mij is, vanwege m'n strafblad. Het is beter dat ik de bak in ga dan de moeder van m'n kind. We dachten niet dat het zo ver zou komen. De aanklacht was bullshit.'

'Dat weet ik.'

'Gestolen auto, ja. De rest? Nee.'

'Maar je reed rond op de dag dat Julia werd vermoord. Heb je iemand gezien?'

'Je moet specifieker zijn. We hebben heel veel mensen gezien. En heel veel mensen hebben ons gezien, dat was het probleem. We hadden bij het meer moeten blijven, daar zou niemand wat achter hebben gezocht. Maar we moesten zo nodig over Sheridan naar het noorden.' Hij denkt even na. 'We zijn wel bij het bos gestopt om te pissen. Waarschijnlijk precies op die plek. We zagen een vent. Die gedroeg zich raar.'

Kirby's hart maakt een sprongetje. 'Hinkte hij?'

'Ja,' zegt Jamel, en hij wrijft over de gebarsten huid van zijn lippen. 'Ja, dat herinner ik me nog. Hij hinkte. Het was een hinkende klootzak. Onrustig ook. Keek de hele tijd om zich heen.'

'Hoe dichtbij waren jullie?' Haar borst voelt strak aan. Eindelijk. Jezus, eindelijk.

'Dichtbij genoeg. Andere kant van de weg. We stonden er niet zo bij stil. Maar hij hinkte. Dat kon je zien.'

'Wat droeg hij?' vraagt ze, opeens voorzichtig. Je kunt wel willen dat iets waar is…

'Zo'n gewatteerde zwarte jas en een spijkerbroek. Dat weet ik nog omdat het warm was en het me vreemd leek. Die zal hij wel gedragen hebben zodat je het bloed niet kon zien, hè?'

'En was hij zwart? Echt donker?' Wat de getuigen een bepaalde kant op sturen heet.

'Als de nacht.'

'Lul die je d'r bent,' zegt ze woedend op hem en op zichzelf omdat ze hem alles voor heeft gekauwd. 'Je verzint dit ter plekke.'

'Weet je ook eens hoe het is,' snauwt hij terug. 'Denk je nou echt dat ik het de politie niet verteld zou hebben als ik een of andere verdachte eikel had gezien?'

'Misschien zouden ze je niet geloofd hebben. Ze dachten toch al dat je het gedaan had.'

'En jij ook. Hé, misschien kun je toch wel een verhaal over me schrijven.'

'Dat aanbod is van tafel.'

'Shit. Je zegt tegen een wijf wat ze wil horen en ze flipt. Weet je wat ik echt zou willen?' Hij leunt naar voren en maakt een grijpend gebaartje met zijn hand om haar dichterbij te laten komen zodat niemand ze kan horen.

Na een korte aarzeling buigt ze naar voren, hoewel ze weet dat hij haar iets smerigs gaat voorstellen. Hij brengt zijn mond tot pal naast haar oor. 'Zorg voor m'n kleine meid. Lily. Ze is acht jaar, bijna negen. Ze heeft diabetes. Zorg dat ze haar medicijnen krijgt en zorg ervoor dat haar moeder die niet verkoopt voor crack.'

'Ik…' Kirby schiet naar achteren als Jamel begint te lachen.

'Vind je dat wat? Hebben we een zielig verhaal of wat? Je kunt er van die hartverscheurende foto's bij plaatsen van m'n kleintje met haar vingers door het hek heen. Misschien met één traan die over haar mollige wangetje rolt, haar haar keurig in vlechtjes. Al die elastiekjes in verschillende kleuren. Een petitie opstellen. Demonstranten voor de gevangenis met van die borden en zo. Dan kan ik in no time in beroep, toch?'

'Het spijt me,' zegt Kirby. Ze is absoluut niet voorbereid op zijn vijandigheid, voor de deprimerende ellende van deze plek.

'Het spijt je,' zegt hij botweg.

Ze duwt zich weg van de tafel en de bewaker schrikt op. 'Je hebt nog acht minuten,' zegt hij met een blik op de klok.

'Ik ben klaar. Sorry. Ik moet gaan.' Ze hijst haar tas op haar schouder en de bewaker haalt de deur van het slot en rukt het handvat naar beneden om haar naar buiten te laten.

'Aan sorry heb ik geen ene reet!' roept Jamel haar na. 'Neem de volgende keer chocola voor me mee. Reese's Peanut Butter Cups! En gratie! Hoor je me?'

Harper 16 augustus 1932

Dikke pluimen van boomvarens krullen aan weerszijden van de etalage van de bloemist in het Congress Hotel, als gordijnen op een toneel. Het maakt van de transactie een optreden voor mensen die door de foyer lopen. Hij voelt zich kwetsbaar. Het is te warm. De geur van bloemen is te zoet. Die kruipt achter zijn ogen, zwaar en benauwd. Hij wil hier zo snel mogelijk weer weg.

Maar de dikke flikker met de schort om laat hem alle mogelijkheden zien, gerangschikt op kleur en soort. Anjers voor dankbaarheid, rozen voor romantiek, madeliefjes voor vriendschap of onbaatzuchtige liefde. Door de opgerolde mouwen van de man zijn stugge donkere krullen zichtbaar, als schaamhaar dat over zijn polsen tot halverwege zijn knokkels loopt.

Het is onbezonnen. Een risico terwijl hij met al het andere zo voorzichtig is geweest. Hij heeft vier maanden gewacht om geen achterdocht te wekken, of te gretig te lijken.

Er bevindt zich geen licht in haar. Niet zoals in zijn meisjes. En toch is ze meer waard dan de verachtelijke slome duikelaars die de dagen door sjokken, en als je voorbij hun kleding kijkt zijn ze in elke versie van Chicago hetzelfde. Hij houdt van haar onvolwassen venijnigheid. Hij houdt van het gevoel dat hij iets tart.

Harper negeert de takken met lichtroze en gele bloemen en betast de blaadjes van een lelie die obsceen openliggen. Bij zijn aanraking dwarrelt het poederige goud van de meeldraden over de zwart-witte tegels.

'Wilt u uw medeleven betuigen?' vraagt de bloemist.

'Nee, het is een uitnodiging.'

Hij knijpt het hoofdje van de bloem dicht en iets erin bijt hem. Zijn hand schiet terug en slaat een paar lange stelen uit de emmer.

De prik trilt na in zijn vingertopje en het gifzakje aan het uiteinde is leeggelopen. Uit de verfomfaaide bloemblaadjes op de grond komt een bij gekropen, de vleugels afgescheurd en zijn pootjes achter zich aan slepend.

De bloemist stampt erop. 'Verdraaid insect! Het spijt me heel erg, meneer. Die moet van buiten zijn gekomen. Zal ik wat ijs voor u halen?'

'Geef me de bloemen maar,' zegt Harper. Hij schudt met zijn hand en veegt de angel weg. Het prikt heftig, maar het zware gevoel in zijn hoofd verdwijnt erdoor.

'Verpleegster Etta,' staat er op het kaartje, want hij weet niet meer hoe ze van achteren heet. 'Elizabeth-kamer, Congress Hotel, 20.00 uur. Met vriendelijke groet, uw bewonderaar.'

Op weg naar buiten, met een hand die nog steeds klopt door het gif, blijft hij even voor de juwelier staan en hij koopt het met bedeltjes behangen zilveren armbandje uit de etalage. Een beloning voor als ze komt opdagen. Dat hij sprekend lijkt op het kettinkje dat aan zijn muur hangt is toeval, houdt hij zichzelf voor.

Ze zit al aan het tafeltje als hij binnenkomt. Met haar handen stevig op het tasje op haar schoot gevouwen kijkt ze de ruimte rond. Ze draagt een beige jurk die haar goed staat, ook al zit hij een beetje strak rond de armen, waardoor hij denkt dat ze hem geleend heeft. Ze heeft haar roodbruine haar korter geknipt en er een slag in aangebracht. Een pianist speelt een lieftallig en nietszeggend deuntje terwijl de band zich klaarmaakt.

'Ik wist wel dat jij het was,' zegt ze, en ze grijnst ironisch.

'Is dat zo?'

'Ja.'

'Ik dacht: ik waag een gokje.' En vervolgens, omdat hij zich niet kan inhouden: 'Hoe gaat het met je vriend?'

'De dokter? Die is verdwenen. Wist je dat niet?' Haar ogen glinsteren in het gele licht van de kroonluchters.

'Denk je dat ik dan zo lang gewacht zou hebben?'

'Het gerucht ging dat hij een meisje zwanger had gemaakt en er met haar vandoor was gegaan. Of tijdens het gokken in de problemen was gekomen.'

'Dat gebeurt.'

'Rotvent. Ik wou dat hij dood was.'

De ober brengt bitter lemon. Met een schilletje citroen, waar Harper extra voor betaald heeft. Het is te zuur. Bijna spuugt hij de drank over het tafelkleed weer uit.

'Ik heb iets voor je.' Hij haalt het fluwelen doosje van de juwelier uit zijn zak en schuift het over de tafel.

'Wat heb ik het toch getroffen.' Ze maakt geen aanstalten het te pakken.

'Maak open.'

'Oké.' Ze pakt het doosje. Ze haalt de armband eruit en houdt hem op naar het kaarslicht. 'Waar heb ik dit aan te danken?'

'Je interesseert me.'

'Je wilt me alleen maar omdat je me eerder niet kon krijgen.'

'Misschien. Misschien heb ik die dokter wel vermoord.'

'Ja?' Ze doet de armband om haar pols en steekt die naar hem uit om hem te sluiten. Ze buigt haar hand naar de tafel, waardoor de pezen zich scherp aftekenen in het fijne netwerk van aderen onder haar huid. Ze bezorgt hem een onzeker gevoel. Zijn charme werkt niet bij haar zoals bij de anderen – ze heeft hem door.

'Dank je wel. Wil je dansen?' zegt ze.

'Nee.' De tafeltjes om hen heen raken bezet. De vrouwen zijn beter en uitdagender gekleed, met pailletten en jurken met dunne bandjes. De mannen dragen hun pakken met weerzinwekkend zelfvertrouwen. Dit is een vergissing.

'Laten we dan maar naar je huis gaan.'

Het is een test, beseft hij. Voor haar en voor hem. 'Weet je het zeker?' Zijn hand gonst nog na van de pijn van de bijensteek.

Hij neemt de lange route terug, zodat er minder mensen op straat zouden zijn, hoewel ze klaagt over haar hakken en ze die ten slotte uittrekt, en haar kousen ook, en op blote voeten verder loopt. De laatste paar straten houdt hij een hand voor haar ogen geslagen.

Een oude man kijkt hen achterdochtig aan, maar Harper kust Etta op haar hoofd. Zie je wel, zegt hij, het is maar een spelletje tussen twee geliefden. Op een bepaalde manier is het dat ook.

Hij houdt zijn hand voor haar ogen als hij de sleutel in het slot steekt en helpt haar onder de planken voor de deur door te gaan.

'Wat is er aan de hand?' Ze giechelt. Aan haar zacht hijgende ademhaling merkt hij dat ze opgewonden is.

'Dat zul je wel zien.'

Hij doet de deur achter hen op slot voordat hij de hand weghaalt. Hij neemt haar mee naar de salon, langs de donkere vlek op het gedeukte hout vol putjes in de gang.

'Mooi hier.' Ze kijkt om zich heen naar de inrichting. Ze ziet de karaf met whisky staan, die hij heeft bijgevuld. 'Zullen we iets drinken?'

'Nee,' zegt hij, en hij grijpt naar haar borsten.

'Laten we naar de slaapkamer gaan,' zegt ze als hij haar naar de bank brengt.

'Hier.' Hij duwt haar op haar buik en probeert haar jurk omhoog te trekken.

'Het is een rits,' zegt ze, en ze reikt naar achteren om de metalen tandjes open te trekken. Ze wurmt de jurk over haar heupen naar beneden. Hij voelt dat hij zijn zelfbeheersing begint te verliezen. Hij rukt haar handen achter haar rug.

'Stil blijven liggen,' sist hij. Hij sluit zijn ogen en roept beelden van de meisjes op. Hoe ze onder hem opengaan. Hun ingewanden die naar buiten stromen. De manier waarop ze huilen en vechten.

Het is te snel voorbij. Hij kreunt als hij met zijn broek om zijn enkels van haar af rolt. Hij wil haar slaan. Haar fout. Slet.

Maar ze draait zich om en kust hem met dat sluwe, heen en weer schietende tongetje. 'Dat was lekker.' Ze gaat met haar mond naar zijn schoot en hoewel het hem niet lukt stijf te blijven, schenkt het hem meer voldoening.

'Wil je iets zien?' zegt hij. Afwezig wrijft hij over de lippenstift op zijn ballen. Ze zit op de grond aan zijn voeten een sigaret te rollen, met haar jurk die half van haar schouders hangt.

'Ik heb het allemaal al gezien,' zegt ze grijnzend.

Hij stopt zijn pik weg. 'Kleed je aan.'

'Goed.' De armband rinkelt om haar pols als ze een lange haal van haar sigaret neemt. Ze blaast een wolkje rook door het volmaakte boogje van haar lippen.

'Het is een geheim.' Het windt hem op om het haar te vertellen. Het is een overtreding en dat weet hij. Maar hij moet het met iemand delen. Zijn grote, vreselijke geheim. Het zou godverdomme precies hetzelfde zijn als hij de rijkste man op aarde was en zijn geld nergens aan kon besteden.

'Goed,' zegt ze nog een keer, met bij haar mondhoek een veelbetekenend plooitje.

'Je mag niet kijken.' Hij zal haar niet te ver brengen. Hij moet zien waar haar grenzen liggen.

Hij houdt zijn hoed voor haar gezicht als hij haar mee de deur uit neemt, maar ze hapt nog steeds naar adem als ze ziet hoe licht het is. Ze stappen naar buiten in een zoele middag met een hardnekkig briesje en spatjes lenteregen. Ze begrijpt het al snel. Dat had Harper wel gedacht.

'Wat is dit?' zegt ze, en haar vingers drukken in zijn arm. Ze staart naar de straat. Haar mond staat een stukje open, ver genoeg voor hem om te zien dat haar tong langs haar tanden gaat, heen en weer, heen en weer.

'Je hebt nog niks gezien,' zegt hij.

Hij neemt haar mee naar het centrum, dat niet zo heel erg veranderd is, maar dan volgen ze de menigte naar het park op Northerly Island, waar de nieuwe Wereldtentoonstelling aan de gang is. Het voorjaar van 1934. Hij is hier tijdens zijn omzwervingen al eerder geweest.

'De eeuw van de vooruitgang,' verkondigen de banieren. 'De regenboogstad.' Ze lopen door een haag van vlaggen tussen de drommen mensen, opgewonden en blij. Ze kijkt hem met grote ogen aan en vervolgens naar de rode lichten die omhoogkruipen langs de smalle toren die er van de buitenkant uitziet als een thermometer.

'Dit is niet hier,' zegt ze vol verwondering.

'Gisteren niet, nee.'

'Hoe heb je dit gedaan?'

'Dat kan ik je niet vertellen,' zegt hij.

Hij is de wonderen, die maar ouderwets op hem overkomen, al snel beu. De gebouwen zijn vreemd en hij weet dat ze er maar tijdelijk staan.

Ze gilt en grijpt zijn arm bij de dinosaurussen die met hun staarten zwaaien en hun kop heen en weer bewegen, maar hij is niet onder de indruk van de primitieve mechanieken.

Er is een nagebouwd fort met indianen, en een goudkleurig Japans gebouw dat eruitziet als een kapotte paraplu – een en al spaken die uitsteken. Het Huis van de Toekomst is dat niet. De tentoonstelling van General Motors is lachwekkend. Een reusachtige jongen met een vervormd poppengezicht zit schrijlings op een bovenmaatse rode kar die nergens heen rijdt.

Hij had haar hier niet mee naartoe moeten nemen. Het is belachelijk. De grenzen van de verbeelding, de toekomst opzichtig beschilderd als een goedkope hoer, terwijl hij de realiteit heeft gezien, snel en compact en lelijk.

Ze voelt zijn humeur aan en probeert hem op te vrolijken. 'Moet je dat zien!' roept ze uit, en ze wijst naar de raketvormige karretjes van de Sky Ride die heen en weer schuiven tussen de twee enorme masten aan weerzijden van de lagune. 'Zullen we daarin gaan? Het uitzicht is vast adembenemend.'

Met tegenzin koopt hij hun kaartjes, en ze zoeven duizelingwekkend snel omhoog in de lift. En misschien is de lucht daar frisser of misschien was het alleen maar een kwestie van zijn blikveld verruimen. De hele stad ligt voor hen uitgespreid, de hele tentoonstelling, van deze hoogte bezien vreemd en nieuw.

Etta pakt zijn arm, drukt haar lichaam tegen dat van hem zodat hij door de jurk heen de warmte en druk van haar borsten kan voelen. Haar ogen glinsteren. 'Besef je wel wat je hebt?'

'Ja,' zegt hij. Een partner. Iemand die het zal begrijpen. Hij weet al dat ze wreed is.

Kirby 14 januari 1993

Sebastian 'noem me maar Seb' Wilson barst meteen los als hij de deur opendoet: 'Hé, Kirsty, sorry, ik was het helemaal vergeten. Opeens was het al laat.'

'Het is Kirby,' verbetert ze hem. Ze had een halfuur in de lobby zitten wachten tot ze de receptioniste had gevraagd naar zijn kamer te bellen.

'Ja, natuurlijk, sorry. Ik weet niet waar ik zit met m'n gedachten. Of nou ja, eigenlijk wel, ik ben met een belangrijke deal bezig. Hé, kom binnen. Neem me niet kwalijk voor de troep.'

Zijn suite moet een van de chicste van het hele hotel zijn, op de bovenste verdieping met uitzicht over de rivier en een aangrenzende lounge, zo eentje met een glazen salontafel waarop ongetwijfeld krasjes zaten van een scheermes en een flinterdun laagje cocaïne.

Op dat moment gaat de tafel schuil onder een laag met spreadsheets en papieren met data. Rondom de bovenmaatse lamp op het bijzettafeltje ligt een verzameling lege miniflesjes drank. Hij schuift zijn koffertje opzij zodat ze plaats kan nemen op de witleren bank.

'Kan ik iets voor je halen? Een drankje? Als er nog iets over is…' Hij werpt een opgelaten blik op de lege flesjes, en haalt zijn vingers door zijn onberispelijk warrige haar. Ze ziet dat het bij de slapen al vroeg begint te wijken. Peter Pan, helemaal volwassen en het bedrijfsleven in gegaan, denkt ze, hoewel hij nog steeds doet alsof hij de bad boy van de middelbare school is.

Zelfs onder het dure pak kan Kirby zien dat de ooit zo strakke spieren beginnen te verweken, vooral rond zijn middel. Ze vraagt zich af wanneer hij voor het laatst aan een motor heeft gesleuteld. Of dat hij zich voorhoudt dat hij dat gaat doen zodra hij dat eerste miljoen binnen heeft en op zijn vijfendertigste met pensioen gaat.

'Bedankt dat je even tijd voor me vrijmaakt.'

'Tuurlijk. Ik doe alles om Julia te helpen. Het is tragisch. Ik ben nog steeds... je weet wel, ik ben er nog niet overheen.' Hij schudt zijn hoofd. 'Die dag.'

'Het viel niet mee om je te bereiken.'

'Ik weet het, ik weet het. Deze grote fusie. Normaal zou de firma geen interesse hebben in het centrale deel van het land. We richten ons meer op de kust. Maar boeren hebben net als iedereen hypotheken nodig. Je weet waarschijnlijk niet eens waar ik het over heb. Wat studeer je ook alweer?'

'Journalistiek. Maar ik ben net gestopt.' Het kwam pas bij haar op dat ze dat had besloten toen de woorden al waren uitgesproken, opgebiecht aan deze volkomen vreemdeling. Maar ze is een maand geleden voor het laatst naar college geweest. Twee maanden geleden voor het laatst een opdracht ingeleverd. Als ze geluk heeft, krijgt ze proeftijd.

'Hé, dat snap ik. Ik werd meegezogen in politieke demonstraties en dat soort shit. Het leek me iets nuttigs dat ik kon doen met alle woede die ik voelde.'

'Je bent er heel openhartig over.'

'Ik praat met iemand die het begrijpt, toch? Maar weinig mensen begrijpen me.'

'Nou en of.'

'Ik bedoel, je hebt het zelf meegemaakt.'

De deur gaat open en een Filipijns dienstmeisje steekt haar hoofd om de hoek. 'O, sorry,' zegt ze, en ze trekt zich snel weer terug.

'Een uur, oké?' roept Sebastian, overdreven hard. 'Kom over een uur maar schoonmaken!' Hij lacht flauwtjes naar Kirby. 'Waar had ik het over?'

'Julia. Politiek. Boos zijn.'

'Ja, dat is het. Maar wat moest ik dan? Mijn hele leven stopzetten? Jules zou gewild hebben dat ik doorging, iets van mijn toekomst zou maken. En moet je me nu eens zien. Volgens mij zou ze trots op me zijn, toch?'

'Tuurlijk,' verzucht Kirby. Misschien brengt de dood alles terug tot de essentie. Maakt die je nog meer een egoïstische brulaap, zelfs al ben je eronder gekwetst en eenzaam.

'Dus jij gaat op bezoek bij de familie van de slachtoffers? Dat moet deprimerend zijn.'

'Niet zo deprimerend als de moordenaar die ermee wegkomt. Ik weet dat het lang geleden is, maar weet je nog of je iets vreemd vond aan de manier waarop de politie het lichaam had aangetroffen?'

'Meen je dat nou? Dat ze er twee dagen over gedaan hadden. Dat is onrechtvaardig. Als ik aan haar denk zoals ze daar in het bos ligt, helemaal alleen.'

De woorden zijn versleten genoeg om Kirby te irriteren – hij heeft ze al zo vaak gebruikt dat ze niets meer betekenen. 'Ze was dood. Dat deed haar niks.'

'Dat is kil.'

'Maar het is wel waar. Daarom heet het ook ermee leren leven.'

'Rustig maar. Jezus. Ik dacht dat we met elkaar konden praten.'

'Was er iets ongebruikelijk? Iets bij haar gevonden wat daar niet thuishoorde, wat niet van haar was? Een aansteker. Sieraden. Iets ouds.'

'Ze had niks met sieraden.'

'Oké, bedankt.' Kirby voelt zich moe. Hoeveel van deze gesprekken heeft ze nu gevoerd? 'Hier kom ik veel verder mee. Bedankt voor je tijd.'

'Heb ik je over het liedje verteld?' meldt hij opeens.

'Dat zou ik wel onthouden hebben.'

'Het betekent nu heel veel voor me. "Get It While You Can" van Janis Joplin.'

'Joplin lijkt me niks voor jou.'

'En ook niet voor Julia. Het was niet eens haar handschrift.'

'Wat niet?' Kirby klampt zich vast aan een sprankje hoop. Niks, het is niks. Net als Jamel.

'Op het bandje in haar tas? Dat zal iemand haar wel gegeven hebben. Je weet hoe studentes onder elkaar zijn.'

'Ja, al dat uitwisselen van cassettebandjes en die kussengevechten in hun ondergoed,' snauwt Kirby, om niet te laten merken hoeveel belangstelling ze heeft. 'Heb je dat tegen de politie gezegd?'

'Wat?'

'Dat het haar handschrift niet was?'

'Denk je dat een van de klootzakken die haar vermoord hebben fan van Joplin was? Volgens mij was het meer als…' Hij doet alsof hij een pistool uit zijn broek trekt. 'Beng-beng! De politie kan de tering krijgen!' Hij lacht om zijn eigen slechte parodie, en dan vertrekt zijn gezicht van verdriet. 'Hé, weet je zeker dat je niet even wilt blijven? Dan drinken we wat.'

Ze weet wat hij bedoelt.

'Dat zou niet helpen,' zegt Kirby.

Harper 1 mei 1993

Het verbaast hem dat ze zo dichtbij blijven, ondanks auto's en treinen en de gonzende razernij van luchthaven O'Hare. Hij merkt dat ze gemakkelijk te vinden zijn. De meesten voelen zich aangetrokken tot de stad, die zich maar blijft uitbreiden, steeds verder naar het platteland, als schimmel dat aanspraak maakt op een stuk brood.

Het telefoonboek is meestal zijn uitgangspunt, maar Catherine Galloway-Peck staat niet in de lijst met namen. En dus belt hij haar ouders.

'Hallo?' De stem van haar vader klinkt zo duidelijk door het apparaat dat het lijkt alsof hij vlak naast hem staat.

'Ik ben op zoek naar Catherine. Kunt u me vertellen waar ik haar kan vinden?'

'Dat heb ik jullie al eerder verteld, ze woont hier niet en we hebben niks, hoor je me, helemaal niks met haar schulden te maken.' Een harde klik, gevolgd door een lieftallig monotoon zoemen. Hij beseft dat de man niet langer aan de andere kant van de lijn is, dus hij doet nog een kwartje in het kleine gleufje en doorloopt het hele proces opnieuw, welbewust op de zilveren knopjes drukkend, de cijfers smoezelig en versleten door andere vingers. De telefoonhoorn trilt langdurig.

'Ja?' Meneer Peck klinkt behoedzaam.

'Weet u waar ze is? Ik moet haar vinden.'

'In godsnaam,' zegt de man. 'Je moet naar me luisteren. Laat ons met rust.' Hij wacht tevergeefs op antwoord, lang genoeg om bang te worden. 'Hallo?'

'Hallo.'

'O, ik wist niet zeker of u er nog was.' Hij klinkt onzeker. 'Gaat het goed met haar? Is er iets gebeurd? O god. Heeft ze iets gedaan?'

'Waarom zou Catherine iets doen?'

'Dat weet ik niet. Ik weet nooit waarom ze iets doet. We hebben geregeld dat ze daarheen kon, en ervoor betaald. We hebben geprobeerd het te begrijpen. Ze zeiden dat het niet haar schuld was, maar…'

'Waarheen?'

'Ontwenningskliniek New Hope.'

Harper hangt de hoorn voorzichtig terug.

Hij vindt haar daar niet, maar hij gaat naar een van de bijeenkomsten die georganiseerd worden door het doorgangshuis van New Hope, waar hij zwijgend en anoniem gaat zitten en luistert naar snotterende jankverhalen, tot hij haar adres krijgt van een heel behulpzame oude vrouw, een voormalige junk die Abigail heet en verrukt is dat Catherines 'oom' contact met haar zoekt.

Catherine 9 juni 1993

Catherine Galloway-Peck loopt heen en weer voor het lege doek. Morgen zal ze het naar Huxley brengen en voor twintig dollar verkopen, hoewel alleen het opspannen al zoveel kostte. Maar hij zal medelijden met haar hebben en haar een shot geven. Misschien zou ze hem ook nog pijpen, maar ze is geen hoer. Het is een gunst. Vrienden helpen elkaar. Je kunt een vriend best helpen om zich goed te voelen.

En bovendien: moet kunst niet gevoed worden door depressie en drugsmisbruik? Kijk maar naar Kerouac. Of Mapplethorpe. Haring! Bacon! Basquiat! Hoe komt het dan dat als ze naar het lege doek kijkt, het weefsel in haar hoofd klinkt als getingel op een valse piano die op één noot blijft hangen?

Het is niet eens een kwestie van beginnen. Ze is al tien keer begonnen. Brutaal, briljant, met een duidelijk idee waar het heen gaat. Ze ziet het hele ding zich in gedachten ontvouwen. Hoe de kleuren lagen over elkaar zullen vormen als bruggen die haar helemaal naar het einde zullen voeren. Maar dan wordt het glibberig. Het slipt weg en ze kan het niet vasthouden en de kleuren worden troebel. Ze maakt uiteindelijk halfbakken collages van pagina's die uit goedkope romannetjes zijn gescheurd die ze voor een dollar per doos heeft gekocht en die ze vele malen overschildert om de woorden te laten verdwijnen. Het idee was om er een lichtdoos van te maken met speldenprikjes waarmee nieuwe zinnen werden gevormd die alleen zij zou kennen.

Het is een verademing om de deur te openen en hem daar te zien staan. Ze had gedacht dat het Huxley misschien was, die aanvoelde dat ze hem nodig had. Of Joanna, die soms koffie en een boterham langs komt brengen, hoewel de laatste tijd minder vaak, en haar blik wordt ook steeds norser.

'Mag ik binnenkomen?' vraagt hij.

'Ja,' zegt ze, en ze trekt de deur open, ook al heeft hij een mes in zijn hand en een roze haarspeld in de vorm van een konijntje van wat was het, acht jaar geleden, maar dat eruitziet alsof hij hem gisteren heeft gekocht. Ze beseft dat ze hem al verwacht had. Sinds ze twaalf jaar was geweest en hij tijdens het vuurwerk op het gras naast haar was gaan zitten. Ze wachtte tot haar vader terugkwam uit de mobiele toiletten, want hij kon altijd slecht tegen hotdogs met chili con carne. Ze zei dat ze niet met vreemdelingen mocht praten en dat ze de politie zou bellen, maar eerlijk gezegd voelde ze zich gevleid door zijn belangstelling voor haar.

Hij legde uit dat zij meer licht had dan alle explosies in de hemel boven de gebouwen die weerspiegeld werden in het glas. Hij kon haar daarvandaan helemaal zien stralen. Wat betekende dat hij haar moest vermoorden. Niet nu, maar later. Als ze volwassen was. Maar ze zou naar hem moeten uitkijken. Hij had zijn hand uitgestoken en ze was achteruitgedeinsd. Hij had haar niet aangeraakt, maar alleen het speldje uit haar haar gehaald. En meer daardoor dan door de vreselijke, onverklaarbare dingen die hij tegen haar had gezegd moest ze onbedaarlijk huilen, tot ontzetting van haar vader toen die eindelijk terugkeerde, bleek en zweterig en met zijn handen op zijn buik.

En was ze daardoor deze richting niet ingeslagen, in deze neerwaartse spiraal geraakt? De man in het park die tegen haar had gezegd dat hij haar ging vermoorden.

Het is vreselijk om zoiets tegen een kind te zeggen, denkt ze, maar wat ze zegt is: 'Wil je wat drinken?' Ze speelt de beleefde gastvrouw, alsof ze hem iets anders kan aanbieden dan water in een glas met verfvlekken.

Ze had twee weken geleden haar bed verkocht, maar ze was op het trottoir op een kapotte bank gestuit en had Huxley overgehaald haar te helpen hem de trap omhoog te slepen en vervolgens in te wijden, want kom op nou, Cat, hij deed dat soort shit niet voor niks.

'Je zei dat ik scheen. Als vuurwerk. Tijdens de Taste of Chicago.

Weet je nog?' Ze maakt midden in de kamer een pirouette en valt bijna om. Wanneer had ze voor het laatst iets gegeten? Dinsdag?

'Maar het is niet waar.'

'Nee,' zegt ze, en ze laat zich moeizaam op de bank zakken. De kussens liggen op de grond. Ze had de naden opengescheurd, op zoek naar restjes. Een beetje crack dat ze over het hoofd had gezien. Ze had vroeger een kruimeldief zodat ze de naden van de vloer kon stofzuigen en als ze echt wanhopig was pluisde ze de zak door. Maar ze heeft geen idee wat ermee gebeurd is. Als verdoofd staart ze naar de paperbacks waar de helft van de verhalen uit gescheurd zijn en die overal verspreid liggen. Het had zuiverend gewerkt om de pagina's eruit te scheuren, ook al gaat ze er toch niet overheen schilderen. Vernietiging is een natuurlijk instinct.

'Je schijnt niet meer.' Hij reikt haar het speldje aan. 'Ik moet nog steeds terug,' zegt hij, boos op haar. 'Om de lus te sluiten.'

Zwijgend pakt ze het speldje aan. Het roze konijntje heeft haar ogen dicht, twee kleine x'jes en nog eentje voor haar mond. Catherine overweegt hem op te eten. Hostie voor de consumptiemaatschappij. Dat was best een goed idee voor een werk, eigenlijk. 'Dat weet ik. Sorry. Ik denk dat het door de drugs komt.' Maar ze weet dat het niet waar is. Het is de reden dat ze drugs gebruikt. Net als de visie op haar kunstwerk dat wegglipt, krijgt ze geen greep op de wereld. Het is te veel voor haar. 'Ga je me nog wel vermoorden?'

'Waarom zou ik mijn tijd verspillen.' Het is niet eens een vraag.

'Je bent gekomen. Toch? Ik bedoel: je bent er. Ik beeld me dit niet in.' Ze vouwt haar hand om het lemmet en hij trekt het weg. De brandende sensatie in haar handpalm geeft haar voor het eerst in tijden het gevoel dat ze leeft. Het is helder en heftig. Niet als de naald die in de huid tussen haar vingers bijt, de crack vermengd met witte azijn om het te kunnen injecteren. 'Je hebt het beloofd.'

Ze pakt zijn hand en hij grijnst, maar er glijdt ook paniek vermengd met afkeer over zijn gelaatstrekken. Ze kent die blik, ze heeft hem gezien in de ogen van mensen als ze haar verhaal afdraait dat ze geld nodig heeft voor de bus omdat ze is beroofd en

naar huis moet. Dit is toch waar ze op gewacht heeft? Tijd om vermoord te worden. Want ze moet naar de plek waar ze wijs kan
worden uit de beelden in haar hoofd. Hij moet haar daarheen
brengen. Bloed dat op het doek spatte. Nu jij weer, Jackson Pol-
lock.

Jin-Sook 23 maart 1993

Chicago Sun-Times
Door Richard Gane

CABRINI GREEN: Een jonge maatschappelijk werkster is gisterochtend om vijf uur aangetroffen onder het spoor van de El op de hoek van West Schiller and North Orleans. Ze was doodgestoken.

Jin-Sook Au (24) was maatschappelijk werker voor de Chicago Housing Authority (CHA) in een van de beruchtste woningbouwprojecten. Maar de politie wil niet ingaan op de vraag of het om een bendemoord gaat.

'In het kader van het onderzoek maken we geen details bekend,' aldus inspecteur Larry Amato. 'We willen iedereen die informatie heeft dringend verzoeken die met ons te delen.'

Haar lichaam bevond zich twee straten van Old Town, de trendy wijk met restaurants en comedyclubs. Er hebben zich nog geen getuigen gemeld.

Personeel van de CHA en de bewoners van Cabrini Green hebben geschokt gereageerd op de moord. Woordvoerder van de CHA Andrea Bishop: 'Jin-Sook was een slimme jonge vrouw en haar passie en inzichten hadden grote invloed. We zijn diepbedroefd en geschokt door het nieuws over haar dood.'

Tonya Gardener, een bewoner van Cabrini, zei dat mevrouw Au erg gemist zal worden in de gemeenschap. 'Ze kon alles heel goed uitleggen. Ze was goed met de kinderen, nam altijd een cadeautje voor ze mee. Boeken en zo, hoewel ze eigenlijk om snoep vroegen. Inspirerende dingen, zoals de biografie van Martin Luther King of cd's van Aretha Franklin. Sterke zwarte rolmodellen waar de kinderen naar op konden kijken, weet je?'

De ouders van mevrouw Au waren niet bereikbaar voor commentaar. De Koreaanse gemeenschap heeft zich verenigd om de familie te steunen en houdt donderdag een herdenkingsdienst met kaarslicht in de Bethany Presbyterian Church. Iedereen is welkom.

De foto bij het artikel toonde een lichaam onder een deken in het niemandsland tussen een parkeerplaats en een gammel huis onder de steunbalken van de El. Het terrein is omheind, maar dat weerhoudt mensen er niet van het te gebruiken als een geïmproviseerde stortplaats: een zak met afval dat het net niet tot de hoek heeft geschopt om opgehaald te worden, ligt tegen een kapotte wasmachine die op zijn kant ligt.

Een geërgerde jonge wijkagent zwaait naar de lens, in de hoop te verhinderen dat de foto gemaakt wordt of de fotograaf te ontmoedigen.

Als het fototoestel van de verslaggever twee centimeter naar links was gegaan, zou hij een paar vlindervleugels hebben gezien dat door de wind tegen het hek gedrukt wordt, onherkenbaar aan stukken gescheurd en half verscholen onder een plastic tas van Walgreen die vastzit in het elastiek, maar nog steeds met een glans van radiumverf.

Maar dan dendert de rode El bovenlangs en de windvlaag rukt de vleugels weg, waarna ze zich bij de rest van het drijfhout van de stad voegen.

Het lijkt geen overval te zijn geweest. Haar tas met boeken is naast haar leeggekiept, maar haar portemonnee is ongemoeid gelaten en zit nog dichtgeritst met drieënzestig dollar en kleingeld erin. Verder zijn er een borstel met een paar lange zwarte haren die van haar blijken te zijn, een pakje met zakdoekjes, lippenbalsem met cacaoboter, dossiers van de CHA over de families met wie ze werkte, een bibliotheekboek (*Parable of the Sower* van Octavia Butler) en een videoband, 'Live from All Jokes Aside', een plaatselijke zwarte comedyclub. De inspirerende dingen waar ze bekend om stond. De agenten beseffen niet dat er een honkbalplaatje ontbreekt – van een beroemde Afro-Amerikaanse speler.

Kirby 23 maart 1993

Kirby gaat meteen naar Chet. 'Ik wil alles hebben wat je maar kan vinden.'

'Relax, dit is jouw verhaal niet eens.'

'Kom op, Chet. Iemand moet toch een human-interestverhaal over haar hebben geschreven. Koreaans-Amerikaans meisje dat in een van de gevaarlijkste wijken van de stad werkt? Daar moet je wel over schrijven.'

'Nee.'

'Waarom niet?'

'Omdat Dan me vanochtend heeft gebeld en zei dat hij me op zou hangen aan mijn eigen ballen en die dan met een kinderschaartje af zou knippen. Hij wil niet dat je erbij betrokken raakt.'

'Dat is heel lief van hem, maar het gaat hem niks aan.'

'Je bent zijn stagiaire.'

'Chet. Je weet dat ik enger ben dan Dan.'

'Goed dan!' Hij gooit zijn handen in de lucht, een beweging die bemoeilijkt wordt door het gewicht van zijn sieraden. 'Wacht hier. En mondje dicht tegen Velasquez.' Ze wist dat hij de verleiding niet zou kunnen weerstaan zijn geheimzinnige kunsten te beoefenen in het depot.

Tien minuten later keert hij terug met verschillende knipsels over Cabrini en de flaters van de CHA.

'Ik heb ook spullen over Robert Taylor Homes voor je gezocht. Wist je dat er oorspronkelijk voornamelijk Italianen woonden?'

'Nee.'

'Nu wel. Ik heb daar een artikel over voor je, en over de witte vlucht naar de buitenwijken in het algemeen.'

'Je bent wel grondig, zeg.'

Met een zwierig gebaar produceert hij ook een envelop. 'Ta-da!

Koreaanse Dag 1986. Je meisje werd tweede in de opstelwedstrijd.'

'Hoe heb je dat voor elkaar gekregen?'

'Als ik je dat zou vertellen, zou ik je moeten vermoorden,' zegt hij, en zijn doelbewust warrig gemaakte haar verdwijnt weer achter *Swamp Thing*. 'Nee, echt.'

Ze begint met inspecteur Amato.

'Ja?' zegt hij.

'Ik bel over de moord op Jin-Sook Au.'

'Ja?'

'Ik zou graag wat meer willen weten over hoe ze vermoord…'

'Krijg je daar een kick van? Dan ben je aan het verkeerde adres.' Hij hangt op.

Ze belt terug en legt de dienstdoende agent uit dat haar telefoontje per ongeluk was onderbroken. Ze wordt weer doorverbonden naar zijn bureau. Hij neemt meteen op.

'Amato.'

'Hang alstublieft niet op.'

'Je hebt twintig seconden om me te overtuigen.'

'Ik denk dat u te maken heeft met een seriemoordenaar. Als u inspecteur Diggs in Oak Park belt, zal hij mijn zaak bevestigen.'

'En jij bent?'

'Kirby Mazrachi. Ik ben in 1989 aangevallen. En ik weet zeker dat het dezelfde man was. Is er iets achtergelaten bij het lichaam?'

'Ik bedoel het niet vervelend, hoor, maar we hebben procedures. Zulke informatie kan ik niet zomaar verschaffen. Maar ik zal inspecteur Diggs bellen. Heb je een nummer waar ik je kan bereiken?'

Ze geeft hem haar nummer en voor de zekerheid het nummer van de *Sun-Times*. Ze hoopt dat hij haar daardoor serieus neemt.

'Bedankt, ik bel je terug.'

Kirby neemt de artikelen door die Chet voor haar heeft opgediept. Er staat niets in over Jin-Sook Au, hoewel ze meer te weten komt over onethische praktijken op het gebied van onroerend goed en de veelbewogen geschiedenis van de CHA dan ze ooit had gewild. Je moest wel heel erg koppig en idealistisch zijn om voor die organisatie te willen werken.

Ze kan niet stilzitten. Ze wil naar de plaats delict, maar in plaats daarvan pakt ze het telefoonboek. Er staan vier Au's in. Het is niet moeilijk om te vinden welke ze moet hebben. Dat is het nummer dat voortdurend in gesprek is omdat de hoorn naast de haak ligt.

Uiteindelijk neemt ze een taxi naar Lakeview, naar het huis van Don en Julie Au. Ze nemen niet op en doen niet open. Ze gaat aan de achterkant van het huis zitten wachten, het doet er niet toe dat het vriest en het gevoel in haar vingertopjes langzaam afneemt, ook al begraaft ze die in haar oksels. En achtennegentig minuten later, als mevrouw Au in een kamerjas en met een roomkleurig gehaakt mutsje met aan de voorkant een roos, de achterdeur uit glipt, wacht ze haar op. De vrouw doet er heel lang over om naar de buurtwinkel te lopen, alsof elke stap een plicht is waaraan ze zichzelf moet herinneren. Kirby moet haar best doen uit het zicht te blijven.

In de winkel treft ze mevrouw Au aan in het gangpad met thee en koffie. Ze heeft een doosje jasmijnthee in haar handen en staart er wezenloos naar, alsof dat misschien antwoorden heeft.

'Neem me niet kwalijk,' zegt ze, en ze legt een hand op haar arm.

De vrouw draait zich om naar haar en lijkt haar amper te zien. Haar gezicht is een masker van verdriet, vol diepe groeven. Kirby kan haar ontzetting niet verhullen.

'Geen verslaggevers!' De vrouw komt tot leven en schudt driftig met haar hoofd. 'Geen verslaggevers!'

'Alstublieft, dat ben ik niet, technisch gezien niet. Iemand heeft geprobeerd me te vermoorden.'

De oudere vrouw kijkt nu doodsbang. 'Is hij hier? We moeten de politie bellen.'

'Nee, wacht.' Dit loopt uit de hand. 'Ik denk dat uw dochter vermoord is door een seriemoordenaar die mij jaren geleden ook heeft aangevallen. Maar ik moet weten hoe ze neergestoken is. Heeft de moordenaar geprobeerd haar buik open te snijden? Heeft hij iets bij haar achtergelaten? Iets wat daar niet hoorde? Waarvan u weet dat het niet van haar was?'

'Gaat het, mevrouw?' Een man is achter de kassa vandaan gekomen en slaat een beschermende arm om mevrouw Au heen, want de oude vrouw heeft een rode kleur en ze beeft en huilt. Kirby beseft dat ze heeft staan roepen.

'Je bent ziek!' schreeuwt mevrouw Au naar Kirby. 'Heeft de man die dit gedaan heeft iets achtergelaten op het lichaam? Ja! Mijn hart. Zo uit mijn borst gerukt. Mijn enige kind! Begrijp je?'

'Het spijt me heel erg.' Shitshitshit. Hoe kan ze het nou zo mis hebben?

'Jij gaat nú weg,' waarschuwt de winkelier. 'Ben je wel goed bij je hoofd?'

Als ze nog een antwoordapparaat had gehad, had ze er misschien aan kunnen ontkomen. Maar als ze de volgende ochtend aankomt bij de *Sun-Times* wacht Dan haar al op in de lobby. Hij grijpt haar bij de elleboog en sleurt haar mee naar buiten.

'Rookpauze.'

'Je rookt niet.'

'Spreek me voor één keer in je leven niet tegen. We gaan een stukje wandelen. Sigaret niet verplicht.'

'Oké, oké.' Ze trekt haar arm los en hij neemt haar mee naar de oever van de rivier. De gebouwen weerspiegelen elkaar, een oneindige stad gevangen in het glas.

'Heb je weleens gehoord van paniekverkoop? Onfrisse makelaars verhuizen een zwarte familie naar een witte wijk en praten de andere bewoners dan aan dat de buurt naar de klote gaat, waardoor ze met verlies verkopen en zij een vette commissie opstrijken.'

'Niet nu, Kirby.'

De lucht die van het water komt is vinnig, de soort die doordringt tot in je botten en je beenmerg. Een vrachtschip vaart langs en glijdt soepel onder de brug door. Het water in zijn kielzog kolkt.

Kirby bezwijkt voor zijn zwijgende beschuldiging. 'Heeft Chetty me verlinkt?'

'Waarvoor? Oude knipsels inzien? Dat is niet illegaal. Maar de moeder lastigvallen van iemand die vermoord is…'

'Kut.'

'De politie heeft gebeld. Ze zijn niet blij. Harrison is apocalyptisch. Wat dacht je nou?'

'Bedoel je niet apoplectisch?'

'Ik weet precies wat ik bedoel. Als in: het gaat straks vuur en zwavel regenen.'

'Maar dit is niet echt iets nieuws. Ik doe dit al het hele jaar, Dan. Ik heb zelfs de ex van Julia Madrigal opgespoord. Die op een heel treurige manier vreselijk was.'

'*Bendito sea Dios, dame paciencia.* Je maakt het niet makkelijk.' Dan wrijft over de achterkant van zijn hoofd.

'Niet doen, je maakt jezelf kaal,' snauwt Kirby.

'Je moet het rustiger aan doen.'

'Echt? Ga je me dat vertellen?'

'Of op zijn minst redelijk zijn. Besef je niet hoe gestoord je gedrag overkomt?'

'Nee.'

'Goed. Doe het dan maar op jouw manier. Harrison wacht op je in de directiekamer.'

Een inspecteur, een stadsredacteur en een sportverslaggever lopen een kamer in. Er is geen clou. Ze krijgt alleen een enorme lading stront over zich heen.

Inspecteur Amato is in uniform, compleet met kogelvrij vest, om haar duidelijk te maken hoezeer hij het meent. Hij heeft oude littekens van acne op zijn wangen, alsof hij zijn gezicht heeft geschuurd. Het geeft hem een verweerd uiterlijk, als een cowboy. Een stukje groezelige geschiedenis geeft je karakter, denkt Kirby. Maar zijn pafferige wangen en de wallen onder zijn ogen maken duidelijk dat hij maar weinig slaap krijgt. Ze weet hoe hij zich voelt. Tijdens de preek kijkt ze vooral naar zijn handen. Daardoor kan ze haar hoofd naar beneden houden, waardoor ze er berouwvoller uitziet.

Zijn trouwring is van goud met krasjes erin en knijpt zijn vinger af, wat aantoont dat hij hem al jaren draagt.

Er zit een veeg zwarte inkt op de rug van zijn hand, de restanten van een telefoonnummer of een kenteken dat hij heel snel had moeten noteren. Het maakt hem sympathieker. De preek – ze hoeft niet te antwoorden, alleen maar af en toe kort knikken – is een herhaling van alles wat ze al van Andy Diggs heeft gehoord, toen hij haar telefoontjes nog beantwoordde en haar niet afscheepte door een of andere ondergeschikte een bericht te laten noteren.

Het is ongepast, zegt inspecteur Amato. Hij heeft inspecteur Diggs gesproken, die aan haar zaak werkt. Ja, nog steeds. Hij heeft hem bijgepraat. Niemand begrijpt beter wat ze doormaakt dan zij. Ze hebben hier voortdurend mee te maken. Dat ze de schurken te grazen willen nemen. Alles doen wat ze maar kunnen om ze te vinden. Maar er zijn procedures.

Ze vertekent het bewijsmateriaal met alle speculatie en door er getuigen bij te betrekken. Ja, het slachtoffer was neergestoken en meerdere keren in de buik en het bekken gesneden. Dat hebben de zaken gemeen. Maar er was geen voorwerp achtergelaten op het lichaam. De methode was heel anders dan de aanval op haar. Ze was niet vastgebonden. Niets wees erop dat het gepland was. En het spijt hem dat hij er niet omheen kan draaien, maar de aanval was amateuristisch vergeleken bij die op haar. Slordig zelfs. Een moordenaar die net kwam kijken. Het was een afschuwelijk, opportunistisch misdrijf. Ze sluiten een imitatiemoord niet uit. En dat is precies de reden waarom de politie de lippen stijf op elkaar houdt, omdat ze niet nog meer van die moorden willen veroorzaken, en begrijp alsjeblieft dat hij hier buiten diensttijd is en dit allemaal vertrouwelijk is.

Het is een steekpartij. Maar er zijn heel veel steekpartijen. Ze moet erop vertrouwen dat de politie haar werk doet. En ze zullen hun werk doen. Geloof hem alsjeblieft.

Vervolgens biedt Harrison tien minuten zijn verontschuldigingen aan terwijl de inspecteur onrustig heen en weer schuift. Hij wil duidelijk weg nu hij zijn zegje heeft gedaan. Harrison zegt dat ze niet officieel in dienst is, en de *Sun-Times* staat natuurlijk vierkant achter het werk van de politie van Chicago, en als ze iets kunnen doen, hier is zijn visitekaartje, hij mag hem altijd bellen.

Als de agent weggaat knijpt hij even in Kirby's schouder. 'We krijgen hem wel te pakken.' Maar ze weet niet hoe dat haar gerust moet stellen als ze dat nog niet gedaan hebben.

Harrison kijkt haar vol verwachting aan, hij wil duidelijk dat ze iets zegt. En dan gaat hij over de rooie. 'Waar dacht je godverdomme nou dat je mee bezig was?'

'U hebt gelijk, ik had me beter moeten voorbereiden. Ik wilde haar spreken terwijl het nog vers was. Ik had niet verwacht dat het zo rauw zou zijn.' Haar maag krimpt ineen. Ze vraagt zich af of Rachel er hetzelfde had uitgezien.

'Dit is niet het moment om terug te praten!' raast Harrison. 'Je hebt deze krant in diskrediet gebracht. Je hebt onze relatie met de politie in gevaar gebracht. Je hebt misschien een moordzaak bemoeilijkt. Je hebt een rouwende oude vrouw van streek gemaakt die wel zonder die onzin van jou kon. En je bent je boekje te buiten gegaan.'

'Ik schreef er niet over.'

'Dat kan me niet schelen. Je schrijft over sport. Je rent niet rond om de nabestaanden van mensen die vermoord zijn te interviewen. Daar hebben we ervaren, verstandige misdaadverslaggevers voor. Je blijft vanaf nu heel erg bij je leest, begrepen?'

'U hebt wel het artikel over Naked Raygun geplaatst.'

'Wat?'

'De punkband.'

'Probeer je me gek te maken?' vraagt Harrison ongelovig. Dan doet zijn ogen dicht en kijkt gepijnigd.

'Het zou een goed verhaal zijn,' zegt ze halsstarrig.

'Wat zou een goed verhaal zijn?'

'Onopgeloste moorden en de nasleep ervan. Met een tragische persoonlijke insteek. Pulitzer-materiaal.'

'Is ze altijd zo onmogelijk?' vraagt Harrison aan Dan, maar ze ziet dat hij het idee overweegt.

Maar Dan speelt het spelletje niet mee. 'Vergeet het maar. Uitgesloten.'

'Het is interessant,' zegt Harrison. 'Ze zou het moeten doen met een ervaren verslaggever. Emma misschien, of Richie.'

'Ze doet het niet,' zegt Dan stellig.

'Hé, je spreekt niet namens mij.'

'Je bent mijn stagiaire.'

'Wat krijgen we nou, Dan?' Kirby schreeuwt bijna.

'Daar heb ik het nou over, Matt. Ze is een ramp. Wil je een echt schandaal? Een kop in de *Tribune*: Cubs-verslaggever Draait Door. Stadsredacteur verantwoordelijk gehouden voor zenuwinzinking. Moeder van vermoorde jonge vrouw in shock opgenomen in het ziekenhuis. Koreaans-Amerikaanse gemeenschap verontwaardigd. Moordonderzoeken in de stad twintig jaar teruggezet.'

'Oké, oké, ik snap het.' Harrison zwaait met zijn hand alsof hij een vlieg wegwuift.

'Je moet niet naar hem luisteren! Waarom luister je naar hem? Luister je naar die onzin? Dat is niet eens geloofwaardig. Kom op, Dan.' Ze dwingt hem haar aan te kijken. Als hij haar maar aankeek, zou ze kunnen zien dat hij bluft. Maar Dan kijkt Harrison strak aan en geeft de genadeklap.

'Ze is labiel. Ze gaat niet eens meer naar colleges. Ik heb haar professor gesproken.'

'Wát heb je gedaan?'

Hij kijkt haar aan. 'Ik wilde dat ze een aanbeveling schreef. Om te kijken of je hier een echte baan kon krijgen. Je blijkt al een heel semester niet meer naar college te zijn geweest of een opdracht te hebben ingeleverd.'

'Krijg de tering, Dan.'

'Genoeg, Kirby,' zegt Harrison, op de toon die hij gebruikt voor deadlines. 'Je hebt een goed gevoel voor een verhaal, maar Velasquez heeft gelijk. Je bent hier te diep in verwikkeld. Ik ga je niet ontslaan.'

'U kunt me niet ontslaan! Ik werk voor niks!'

'Maar je gaat even pauze nemen. Time-out. Ga terug naar school. Ik meen het. Ga een tijdje nadenken. Ga als dat nodig is naar een psycholoog. Wat je niet gaat doen is een verhaal schrijven over moorden of rondsnuffelen bij de families, en je komt dit gebouw pas weer in als ik dat zeg.'

'Ik kan desnoods naar de overkant gaan. Of ermee naar *The Reader* gaan.'

'Goed punt. Ik bel ze en laat ze weten dat ze zich niet met je in moeten laten.'

'Dat is echt oneerlijk.'

'Ja, natuurlijk. Dat krijg je er nou van als je een baas hebt. Ik wil je hier niet meer zien tot je weer de oude bent, begrepen?'

'Ja, meneer, begrepen, meneer.' Kirby doet niet eens moeite de verbittering te onderdrukken. Ze staat op om weg te gaan.

'Hé, zullen we ergens koffie gaan drinken?' probeert Dan nog. 'Om erover te praten? Ik sta aan jouw kant.'

Hij zou zich ook slecht moeten voelen, denkt ze met een scherpe vlaag woede. Hij zou zich moeten voelen als een warme drol die over de voorruit van een ex die is vreemdgegaan is gesmeerd.

'Niet met jou.' Kwaad stapt ze op.

Harper 20 augustus 1932

Harper haalt Etta na haar dienst op uit het ziekenhuis en neemt haar mee terug naar het Huis. Altijd met zijn hand voor haar ogen, altijd een andere route, en na afloop brengt hij haar terug naar haar pension. Ze heeft een nieuwe huisgenoot. Molly was na het spaghetti-incident verhuisd, vertelt ze hem.

Hij reageert zijn ongemakkelijke gevoel op haar af. Het gegrom en gegrauw dat eindigt met een heet gevoel van opluchting sluit al het andere buiten. Als hij in haar op en neer gaat, hoeft hij niet aan de kaart te denken die hij verkeerd had geïnterpreteerd en Catherine die niet had gestraald. Hij had haar snel vermoord, zonder genot of ritueel, door het mes tussen haar ribben haar hart in te drijven. Hij had niets meegenomen en niets achtergelaten.

Puur voor de vorm was hij teruggegaan naar haar jongere ik in het park met het knallende vuurwerk aan de avondlucht om haar konijnenspeldje af te pakken. De kleine Catherine had wel degelijk gestraald. Had hij haar moeten waarschuwen dat ze haar gave zou kwijtraken? Het is zijn schuld, denkt hij. Hij had nooit moeten proberen de jacht om te draaien.

Ze neuken in de salon. Hij staat Etta niet toe naar boven te gaan. Als ze moet plassen, zegt hij dat ze dat in de wasbak moet doen, en ze hijst haar jurk omhoog en hurkt daar, rokend en kletsend terwijl ze haar blaas leegt. Ze vertelt hem over haar patiënten. Een mijnwerker uit de Adirondacks met roet en bloed in zijn speeksel. Een doodgeboren kind. Vandaag een amputatie: een kleine jongen die op straat in een kapot rooster was gevallen en met zijn been vast was komen te zitten. 'Heel treurig,' zegt ze, maar ze lacht als ze het zegt. Ze blijft maar kletsen zodat hij niets hoeft te zeggen. Ze bukt voorover en hijst haar rokken op zonder dat hij erom hoeft te vragen.

'Neem me ergens mee naartoe, lieverd,' zegt ze als hij na afloop zijn pik wegstopt. 'Waarom doe je dat niet? Je plaagt me.' Ze glijdt met haar hand om zijn middel naar de voorkant van zijn spijkerbroek, een irritante herinnering dat hij haar nog iets verschuldigd is.

'Waar wil je naartoe?'

'Een spannende plek. Jij mag kiezen. Waar je maar heen wilt.'

Uiteindelijk is de verleiding te groot. Voor allebei.

Hij neemt haar mee op korte uitstapjes. Niet zoals de eerste keer. Een halfuur, twintig minuten, wat betekent dat ze in de buurt moeten blijven. Hij neemt haar mee naar de snelweg en ze drukt haar kin tegen zijn schouder en verbergt haar gezicht voor het brullende verkeer, of ze klapt in haar handen en hupt op en neer van berekenend vrouwelijk plezier bij de ronddraaiende trommels van de wasmachines in de wasserette. De schijnvertoning van haar reactie is een achterbaks pleziertje dat ze met elkaar delen. Ze doet alsof ze het soort vrouw is dat hem nodig heeft, maar hij weet hoe verrot haar hart is.

Misschien is dit wel mogelijk, denkt hij. Misschien was Catherine het einde. Misschien schijnt geen van de meisjes meer en kan hij ervan bevrijd zijn. Maar de Kamer zoemt nog steeds als hij naar boven gaat. En die verdomde verpleegster houdt er maar niet over op. Ze wrijft over haar blote borsten die uit haar uniform zijn gefloept, tegen de huid van zijn arm waar hij zijn mouwen heeft opgerold, en vraagt met die stem van een klein meisje: 'Is het moeilijk? Is er boven een knop waaraan je moet draaien, zoals bij een fornuis?'

'Het werkt alleen voor mij,' zegt hij.

'Dan kan het geen kwaad om me te vertellen hoe.'

'Je hebt er een sleutel voor nodig. En de wilskracht om de tijd te verplaatsen naar waar die heen moet.'

'Mag ik het eens proberen?' dringt ze aan.

'Het is niet voor jou.'

'Net als de kamer boven?'

'Je moet niet zo veel vragen stellen.'

Hij wordt wakker op de vloer van de keuken, met zijn wang tegen het koele linoleum gedrukt en mannetjes met hamers die achter zijn oogleden timmeren. Versuft gaat hij overeind zitten en veegt met de rug van zijn hand het speeksel van zijn kin. Het laatste wat hij zich herinnert is dat Etta een drankje voor hem maakte. Dezelfde krachtige alcohol die hij had gedronken toen ze die eerste keer samen op stap waren gegaan, maar met een bittere nasmaak.

Ze zou natuurlijk aan slaapmiddelen kunnen komen. Hij vervloekt zichzelf, hoe had hij zo stom kunnen zijn?

Ze schrikt even als hij de Kamer binnenkomt. De koffer ligt open op de matras waar hij die heen heeft gesleept toen hij merkte dat er dingen verdwenen waren. Het geld is gerangschikt in stapeltjes.

'Dit is mooi,' zegt ze. 'Moet je kijken. Dit geloof je toch niet?' Ze loopt door de kamer om hem te kussen.

'Waarom ben je hierheen gekomen? Ik zei dat je hier niet heen mocht komen.' Hij slaat haar en ze valt op de grond.

Met beide handen grijpt ze naar haar wang, op de grond, met haar benen onder zich gevouwen. Ze lacht naar hem, maar voor het eerst heeft het iets onzekers.

'Lieverd,' zegt ze op sussende toon, 'ik weet dat je dit vervelend vindt. Het geeft niet. Je wilde het me niet laten zien, maar nu heb ik het gezien en ik kan je helpen. Jij en ik kunnen de hele wereld veroveren.'

'Nee.'

'We zouden moeten trouwen. Je hebt me nodig. Met mij ben je beter.'

'Nee,' zegt hij nog een keer, ook al is het waar. Hij draait zijn vingers in haar haar.

Hij moet lang met haar hoofd tegen het stalen bedframe slaan voordat haar schedel splijt. Alsof hij voorgoed in dit moment gevangen is.

Hij ziet niet de dakloze jonge junk met de uitpuilende ogen die het huis weer binnengeslopen is. De knul was afgezet toen hij zijn laatste drugs had gekocht en hoopt nu op een mazzeltje. Doods-bang kijkt hij toe vanuit de gang. Harper hoort niet dat Mal zich omdraait en de trap af vlucht. Want Harper huilt van zelfmedelij-den, met tranen en snot die over zijn gezicht stromen. 'Je hebt me hiertoe gedwongen. Echt. Gore trut.'

Alice 1 december 1951

'Alice Templeton?' zegt hij, een beetje onzeker.

'Ja?' Ze draait zich om.

Het is het moment waar ze haar hele leven al op heeft gewacht. Ze heeft het afgespeeld in de bioscoop in haar hoofd, de filmrol teruggespoeld en keer op keer afgedraaid.

Hij komt de chocoladefabriek binnen en alle machines komen welwillend tot stilstand. Alle andere meisjes kijken op als hij op haar af beent en haar diep naar achter buigt, en voordat hij zijn lippen op die van haar drukt en haar de adem beneemt, zegt hij: 'Ik zei toch dat ik je zou komen halen.'

Of hij leunt zwierig over de cosmeticatoonbank terwijl ze rouge aanbrengt bij een of andere societydame die meer geld gaat uitgeven aan een lippenstift dan zij in een week verdient en zegt: 'Neem me niet kwalijk, juffrouw, ik heb overal gezocht naar de liefde van mijn leven. Kunt u me helpen?' En hij steekt zijn hand naar haar uit en ze klimt over de toonbank, langs de getrouwde dame die afkeurend mompelt. Hij draait haar rond in zijn armen en zet haar op haar voeten terwijl hij haar zielsgelukkig aankijkt, en hand in hand rennen ze lachend door het warenhuis, en de bewaker zegt: 'Maar Alice, je dienst is nog niet voorbij,' en ze maakt de goudkleurige badge met haar naam los en smijt die voor hem neer. 'Charlie, ik neem ontslag!'

Of hij loopt de typekamer in en zegt: 'Ik heb een meisje nodig. En zij is de ware.'

Of hij pakt haar handen waarmee ze als Assepoester op haar knieen heeft geschrobd (ook al had ze een zwabber gebruikt) en zegt met de grootst mogelijke tederheid: 'Dat is nu niet meer nodig.'

Ze had niet verwacht dat hij naar haar toe zou komen terwijl ze op weg was naar haar werk. Ze wil huilen van opluchting, maar ook van frustratie, omdat ze op dat moment het tegenovergestelde van bekoorlijk is. Ze heeft een sjaal om haar haar gebonden om niet te laten zien dat het ongewassen en slap is. Haar tenen in haar laarzen zijn ijskoud. Haar handen zijn gekloofd en haar nagels afgebeten. Ze draagt nauwelijks make-up. Een baan aan de telefoon betekent dat mensen haar alleen beoordelen op haar stem. 'Wish Book van Sears, wat wilt u bestellen?'

Ze had ooit een boer gehad die belde om een nieuwe toerenteller voor zijn John Deere te bestellen en haar uiteindelijk ten huwelijk vroeg. 'Met die stem in mijn oren wil ik elke dag wel wakker worden,' zei hij. Hij smeekte haar te mogen zien wanneer hij naar de stad kwam, maar ze lachte hem weg. 'Zo bijzonder ben ik niet,' zei ze.

Alice heeft slechte ervaringen gehad met mensen die verwachtten dat ze meer en minder was dan ze was. Ze heeft ook een paar goede ervaringen gehad, maar meestal wanneer ze al wisten waar ze aan begonnen, en meestal alleen voor korte, hartstochtelijke affaires. Ze wil 'A Sunday Kind of Love', zoals het liedje gaat. Eentje die langer duurt dan zoenen met de smaak van jenever op een zaterdagavond. Haar langste relatie duurde tien maanden en hij brak voortdurend haar hart en kwam dan weer terug.

Alice wil meer. Ze wil het allemaal. Ze spaart om naar San Francisco te gaan, waar het volgens de geruchten makkelijker is voor vrouwen als zij.

'Waar ben je geweest?' Ze kan het niet laten. Ze vindt het vreselijk dat haar stem opeens zo prikkelbaar klinkt. Maar ze heeft meer dan tien jaar gewacht en gehoopt en zich berispt omdat ze haar hoop heeft gevestigd op een man die haar op een kermis eenmaal heeft gekust en daarna is verdwenen.

Hij glimlacht meewarig. 'Ik moest een paar dingen doen. Die lijken nu niet zo belangrijk meer.' Hij steekt zijn arm in de hare en draait haar rond in de richting van het meer. 'Kom mee,' zegt hij.

'Waar gaan we heen?'

'Naar een feest.'

'Ik ben niet gekleed op een feest.' Ze blijft staan en jammert: 'Ik ben een slons!'

'Het is een privépartijtje. Alleen wij tweeën. En je ziet er geweldig uit.'

'Jij ook,' zegt ze blozend, en ze laat zich meevoeren naar Michigan Avenue. Ze weet heel zeker dat het er voor hem niet toe zal doen. Dat had ze gezien in de manier waarop hij destijds naar haar gekeken had, al die jaren geleden. En het is nog steeds zichtbaar in zijn ogen: fel verlangen en aanvaarding.

Harper 1 december 1951

Ze zwieren de lobby van het Congress Hotel in, langs de liften die niet werken en waarover als lijkkleden doeken zijn gehangen. Niemand keurt het paar een blik waardig. Het hotel wordt gerenoveerd. De soldaten moeten tijdens de oorlog huisgehouden hebben in de kamers, stelt Harper zich voor. Al die drank en sigaretten en hoererij.

Op de wijzer boven de liftdeuren, die versierd is met kransen van klimop en griffioenen, lichten één voor één de verdiepingen op, steeds eentje lager. De minuten die haar nog resten. Harper slaat zijn handen voor zijn broek om zijn opwinding te verbergen. Zo brutaal is hij nog nooit geweest. Hij streelt met zijn vingers over het witte plastic van Julia Madrigals pillendoosje in zijn zak. Het kan niet meer ongedaan gemaakt worden. Alles is zoals het hoort te zijn. Zoals hij het bepaalt.

Ze stappen uit op de derde verdieping en hij duwt de zware dubbele deur wijd genoeg open om haar de Gouden Kamer binnen te laten. Tastend zoekt hij naar de verlichting. Er is niets veranderd sinds hij hier een week geleden, twintig jaar geleden, met Etta het drankje met iets erin had gedronken, hoewel de tafels en stoelen nu staan opgestapeld en de dikke gordijnen boven de balkons dicht zijn getrokken. Renaissancistische bogen met naakte figuren te midden van gebeeldhouwd groen reiken door de ruimte naar elkaar. Klassiek romantisch, veronderstelt Harper, hoewel ze gekweld op hem overkomen en streven naar een troost die hun onthouden wordt, verloren zonder de muziek.

Alice staat paf. 'Wat is dit?'

'De feestzaal. Een van de feestzalen.'

'Hij is prachtig,' zegt ze. 'Maar er is niemand anders.'

'Ik wil je niet delen,' zegt hij, en hij draait haar rond om het

275

vleugje twijfel in haar stem tegen te gaan. Hij begint te neuriën, een liedje dat hij gehoord heeft en dat nog niet geschreven is, en hij beweegt haar over de vloer. Niet echt een wals, maar iets wat er op lijkt. Hij heeft de pasjes geleerd zoals hij alles leert: door naar andere mensen te kijken en iets te construeren wat erop lijkt.

'Heb je me hierheen gebracht om me te verleiden?' vraagt Alice.

'Zou je je door me laten verleiden?'

'Nee!' zegt ze, maar ze bedoelt ja, dat merkt hij. Zenuwachtig kijkt ze weg, en ze werpt hem schalkse zijdelingse blikken toe, haar wangen nog steeds roze van de kou. Het maakt hem kwaad en in de war, omdat hij haar misschien wel wil verleiden. Na Etta voelde hij zich ellendig.

Hij vecht zich erdoorheen. 'Ik heb iets voor je.' Hij haalt het fluwelen sieradendoosje uit zijn zak, knipt hem open en onthult zo de armband met bedeltjes. Hij glinstert naargeestig in het licht. Hij was al die tijd van haar geweest. Het was een vergissing geweest hem aan Etta te geven.

'Dank je wel,' zegt ze, enigszins geschokt.

'Doe hem om.' Hij is te agressief. Hij grijpt haar pols, te strak merkt hij, door de manier waarop ze een pijnlijke grimas trekt. Er verandert iets in haar. Ze is zich er nu van bewust dat ze zich met een vreemdeling van tien jaar geleden in een verlaten balzaal bevindt.

'Ik geloof niet dat ik dat wil,' zegt ze voorzichtig. 'Het was heel leuk om je weer te zien... O god, ik weet niet eens hoe je heet.'

'Harper. Harper Curtis. Maar dat doet er niet toe. Ik moet je iets laten zien, Alice.'

'Nee, echt...' Ze draait haar hand los uit zijn greep en als hij naar haar uithaalt, trekt ze een van de stapels met stoelen voor hem neer. Terwijl hij zich een weg door de wirwar van meubels baant, rent ze naar de zijdeur.

Harper gaat achter haar aan en duwt de deur open. Erachter ligt een personeelsgang met een steiger waaraan bedrading hangt. Hij knipt het mes open.

'Alice!' roept hij, zijn stem vriendelijk en vrolijk. 'Kom terug, lieverd.' Hij loopt langzaam en niet dreigend door de gang, zijn hand een stukje achter zijn rug. 'Sorry, schatje. Ik wilde je niet bang maken.'

Hij gaat de hoek om. Er staat een matras met een bruinige vlek tegen de muur. Als ze slim was, had ze zich erachter kunnen verstoppen om te wachten tot hij erlangs was gelopen. 'Ik weet dat ik een beetje te gretig was. Ik heb al zo lang op je moeten wachten.'

Verderop is er een berging. De deur staat een stukje open en er staan nog meer stapels stoelen in. Ze zou zich daar hebben kunnen verstoppen, ertussen gehurkt en door de poten naar buiten turend.

'Weet je nog wat ik tegen je zei? Je straalt, lieverd. Ik zag je in het donker.' Op een bepaalde manier is dat waar. Het is het licht dat haar verraadt, en de schaduw die dat werpt op de trap naar het dak.

'Als je de armband niet mooi vond, hoefde je dat alleen maar te zeggen.' Hij doet alsof hij naar rechts gaat en dieper het gebouw in loopt, maar schiet dan met drie treden tegelijk de gammele houten trap op, naar de plek waar ze zich schuilhoudt.

De neonverlichting is fel en ongenadig. Ze ziet er nog banger in uit. Hij haalt uit met het mes, maar raakt slechts de mouw van haar jas terwijl ze gilt. Ze vlucht verder omhoog, langs de kletterende ketel met de koperen kranen en de roetvlekken op de muren.

Ze rukt aan de zware deur naar het dak en stormt in verblindend daglicht naar buiten. Hij bevindt zich slechts een seconde achter haar, maar ze slaat de deur dicht tegen zijn linkerhand. Hij schreeuwt het uit en rukt hem los. 'Trut!'

Met zijn ogen half toegeknepen tegen het zonlicht en zijn gewonde hand onder zijn oksel gestoken komt hij naar buiten. Hij is alleen maar gekneusd, niet gebroken, maar het doet vreselijk pijn. Hij doet geen moeite meer het mes aan het zicht te onttrekken. Ze staat bij het muurtje aan de rand tussen een rij ronde ventilatoren waarvan de bladen loom ronddraaien. Ze heeft haar vuist om een stuk steen geklemd.

'Kom hier.' Hij gebaart met het mes.

'Nee.'

'Wil je dit moeilijk maken, lieverd? Wil je op een slechte manier sterven?'

Ze keilt de steen naar hem. Hij stuit over de teer van het dak en landt meters van hem vandaan.

'Goed,' zegt hij. 'Goed, ik zal je geen pijn doen. Het is maar een spelletje. Kom hier. Alsjeblieft.' Hij houdt zijn handen uitgestoken en werpt haar zijn onschuldigste glimlach toe. 'Ik hou van je.'

Ze lacht stralend terug. 'Ik zou willen dat dat waar was.' En dan draait ze zich om en springt van het dak. Hij schrikt zo dat hij haar niet eens naroept.

Duiven schieten ergens beneden de lucht in. En dan is er op hem en het lege dak na helemaal niets meer. Op straat schreeuwt een vrouw. Het houdt maar aan, als een sirene.

Zo hoort het niet te gaan. Hij haalt de anticonceptiestrip uit zijn zak en staart ernaar, alsof het schijfje met gekleurde pillen voor de verschillende dagen van de week wellicht een voorteken vormde dat hij kon lezen. Maar het zegt hem niets. Het is een saai, dood voorwerp, meer niet. Hij knijpt er zo hard in dat het plastic kraakt, en dan gooit hij het haar vol walging na. Het zweeft naar beneden, wervelend als een stuk speelgoed.

Kirby 12 juni 1993

Het is wreed warm, en nog erger in de kelder waar de troep van Rachel de hitte lijkt te absorberen en met weeïge nostalgie weer te verspreiden. Op een dag zal haar moeder dood zijn, en dan zal het Kirby's taak zijn om al deze troep uit te zoeken. Hoe meer ze nu weg kan gooien, hoe beter.

Ze is begonnen dozen naar het gazon te slepen zodat ze die uit kan pluizen. Het is niet goed voor haar rug om ze de gammele houten trap op te slepen, maar het is beter dan daar beneden gevangen te zitten met torens van spullen die dreigen in te storten. Dit is de laatste tijd haar leven: dozen met overblijfselen doorspitten. Ze vermoedt dat deze nog pijnlijker herinneringen boven zullen brengen dan de geruïneerde levens die gedocumenteerd waren in de in onbruik geraakte dossiers van inspecteur Michael Williams.

Rachel komt naar buiten en gaat in kleermakerszit naast haar zitten in een spijkerbroek en een zwart T-shirt, als een serveerster, met haar haar in een warrige paardenstaart. Haar lange voeten zijn bloot en op de nagels zit glanzend rode nagellak, zo donker dat het bijna zwart is. Het is een teken des tijds dat ze tegenwoordig zelf haar haar verft, dus in het bruin, dat meer dan gewoonlijk naar kastanje neigt, zit her en der wat grijs.

'Jemig, wat een rommel,' zegt ze. 'We zouden het maar beter allemaal kunnen verbranden.' Ze diept vloeitjes op uit haar broekzak.

'Breng me niet in de verleiding,' zegt Kirby. Het komt er giftiger uit dan de bedoeling was, maar Rachel merkt het niet eens. 'Als we slim waren, zouden we een tafel neerzetten om spullen te verkopen en ze rechtstreeks daarop zetten.'

'Ik wou dat je niet door al die spullen ging,' verzucht Rachel. 'Je kunt er veel makkelijker mee uit de voeten als het allemaal ingepakt is.' Ze scheurt het uiteinde van een sigaret en besprenkelt het papier voor de helft met marihuana en de helft met tabak.

'Hoor je jezelf wel, ma?'

'Niet de therapeut gaan uithangen. Dat past niet bij je.' Ze steekt de joint aan en overhandigt hem afwezig aan Kirby. 'O sorry, ik was het vergeten.'

'Geeft niet,' zegt ze, en ze neemt een trekje. Ze houdt de rook in haar longen tot de binnenkant van haar hoofd zoet en statisch aanvoelt, alsof je de televisie aanzet en er alleen maar ruis te zien is. Alsof ruis gecodeerde berichten van de CIA blijken te zijn die via stroop worden overgedragen. In tegenstelling tot haar moeder heeft ze nooit zo goed tegen marihuana gekund. Ze wordt er meestal paranoïde van en gaat alles stuk analyseren. Maar ze is nog nooit eerder stoned geworden met haar moeder. Misschien doet ze al jaren iets verkeerd en mist ze geheime kennis tussen moeders en dochters die jaren geleden al overgedragen had moeten worden, zoals hoe je je haar moet invlechten of jongens in het ongewisse laat.

'Ben je nog steeds niet welkom bij de krant?'

'Ik ben op proef. Ze hebben me een lijst laten opstellen van sportprijzen op middelbare scholen, maar ik mag daar pas komen als ik vaak genoeg naar college ben geweest.'

'Ze zijn bezorgd. Ik vind het lief.'

'Ze behandelen me als een kind.'

Rachel begint een paar oude onderdelen van bordspellen en kerstversiering uit een doos te trekken, helemaal verstrikt in een menora. Felgekleurde stukjes plastic van Ludo schieten alle kanten op.

'We hebben nooit een bat mitswa voor je gedaan. Wil je een bat mitswa?'

'Nee ma, daar is het nu te laat voor,' zegt Kirby, en ze rukt de tape van een andere doos, die in de loop der jaren zijn kleefvermogen is kwijtgeraakt, maar nog steeds een vreselijk scheurend geluid maakt. Gouden Boekjes en Dr Seuss. Max en de Maximonsters, Gruwelijke Rijmen.

'Die heb ik voor je bewaard. Voor als je kinderen krijgt.'

'De kans is klein.'

'Je weet maar nooit. Jij was niet gepland. Je schreef je vader vroeger brieven. Weet je dat nog?'

'Wat?' Kirby vecht tegen het gezoem in haar hoofd. Haar jeugd is glibberig. Het geheugen wordt beheerd. Het verzamelen van al deze parafernalia is om het vergeten tegen te gaan.

'Ik heb ze natuurlijk weggegooid.'

'Waarom zou je dat doen?'

'Doe niet zo belachelijk. Waar moest ik die heen sturen? Je had net zo goed naar de Kerstman kunnen schrijven.'

'Ik heb heel lang gedacht dat die John mijn vader was. Je weet wel. Peter Collier. Ik heb hem opgespoord.'

'Dat weet ik, dat heeft hij me verteld. Je hoeft niet zo verbaasd te kijken. We houden contact met elkaar. Hij zei dat je hem kwam opzoeken toen je zestien was en ontzettend veel indruk op hem maakte door te eisen dat hij een vaderschapstest deed en alimentatie zou betalen.'

Kirby herinnert zich dat ze eigenlijk vijftien was geweest. Ze had uitgedokterd wie hij was door een hartstochtelijk verscheurd tijdschriftartikel dat ze uit de vuilnisbak had gevist weer aan elkaar te plakken nadat haar moeder drie dagen lang met potten en pannen had gesmeten en had gehuild. Peter Collier, volgens het ronkende stuk een creatief genie op een groot reclamebureau in Chicago. De afgelopen dertig jaar was hij verantwoordelijk geweest voor baanbrekende campagnes en hij was de liefhebbende echtgenoot van een vrouw die op tragische wijze verlamd was door multiple sclerose. Wat het artikel niet vermeldde was dat hij een eersteklas motherfucker was (letterlijk) door wie Kirby een groot deel van haar jeugd geobsedeerd was geweest.

Ze had zijn secretaresse gebeld en haar diepste en meest professionele stem opgezet, en ze had een afspraak gemaakt om 'nieuw werk voor een potentieel zeer lucratief account' te bespreken (jargon dat ze uit het artikel had gestolen) in het chicste restaurant dat ze kon bedenken.

Aanvankelijk was hij verbaasd geweest toen er een tiener aanschoof, vervolgens geïrriteerd en ten slotte geamuseerd toen ze haar lijst met eisen opsomde: dat hij weer met Rachel zou gaan omdat ze zich zonder hem ellendig voelde, dat hij alimentatie zou betalen en in hetzelfde tijdschrift een brief zou laten afdrukken waarin stond dat hij een buitenechtelijke dochter had verwekt. Ze deelde hem mee dat ze ondanks die bekentenis haar naam niet zou veranderen, omdat ze gewend was geraakt aan Mazrachi en die naam bij haar paste. Hij betaalde haar lunch en legde uit dat hij Rachel had leren kennen toen ze al vijf was. Maar hij mocht haar wel, en als ze ooit iets nodig had... Ze had geantwoord met een bijtende oneliner, iets Mae Westerigs over vissen en fietsen, en was met haar voorsprong en haar trots intact vertrokken, dat dacht ze in elk geval.

'Wie denk je dat er meegeholpen heeft je ziekenhuisrekeningen te betalen?'

'Jezus.'

'Waarom vat je dat zo persoonlijk op?'

'Omdat hij je gebruikt, ma. Al bijna tien jaar.'

'Volwassen relaties zijn ingewikkeld. We hebben van elkaar gekregen wat we nodig hadden. Passie.'

'O god, ik wil het niet horen.'

'Een vangnet. Een soort troost. Het is een eenzame wereld. Maar het had zijn beloop. Het was mooi voor zolang het duurde. Maar alles is eindig. Het leven. De liefde. Dit allemaal.' Ze gebaart vaag naar de dozen. 'Verdriet ook. Hoewel dat moeilijker los te laten is dan geluk.'

'O, ma toch.' Kirby legt haar hoofd in de schoot van haar moeder. Het komt door de wiet. Ze zou dit normaal gesproken nooit doen.

'Het geeft niet,' zegt Rachel. Ze lijkt verrast, maar niet onaangenaam. Ze streelt Kirby's haar.

'Die gekke krullen van je. Ik heb nooit geweten wat ik ermee aan moest. Die heb je niet van mij.'

'Van wie dan wel?'

'O, dat weet ik niet. Er waren een paar mogelijkheden. Ik was in een kibboets in de Hulavallei. Daar kweekten ze vis in vijvers. Maar het zou ook later in Tel Aviv geweest kunnen zijn. Of ergens in Griekenland. De data zijn niet helemaal helder meer.'

'O, ma.'

'Ik meen het. Dat zou trouwens beter voor je zijn.'

'Wat?'

'Op zoek gaan naar je vader in plaats van de man die... je pijn heeft gedaan.'

'Je hebt me nooit de mogelijkheid gegeven.'

'Ik kan je namen geven. Hoogstens vijf. Vier. Vijf. Van sommigen weet ik alleen de voornaam. Maar de kibboetsim hebben waarschijnlijk een register, als het een van hen was. Je zou op pelgrimstocht kunnen gaan. Naar Israël, Griekenland en Iran.'

'Ben je naar Iran geweest?'

'Nee, maar het zou fascinerend zijn. Ik heb hier ergens foto's. Wil je die zien?'

'Eigenlijk wel, ja.'

'Ergens...' Rachel duwt Kirby zachtjes van haar schoot en graait door de dozen tot ze een fotoalbum vindt, met rood plastic dat bedrukt is als nepleer. Ze slaat hem open bij een foto van een jonge vrouw met haar dat om haar heen wappert, in een wit badpak, lachend en met gefronst voorhoofd in de zon kijkend die een scherpe diagonaal vormt over haar lichaam en de betonnen strekdam waar ze tegenop klautert. De hemel is verschoten azuur. 'Dat was in de haven van Corfu.'

'Je ziet eruit alsof je je ergert.'

'Ik wilde niet dat Amzi een foto van me maakte. Dat deed hij al de hele dag en ik werd er gek van. Dus dat was natuurlijk de foto die hij me gaf.'

'Is hij een van de mannen?'

Rachel denkt even na. 'Nee, ik was toen al misselijk. Ik dacht dat het door alle ouzo kwam.'

'Geweldig, ma.'

'Ik wist het nog niet. Je moet er al zijn geweest. Een geheim voor mij.'

Ze bladert verder – de foto's hebben geen enkele chronologische volgorde, want ze gaan langs Kirby's gênante schoolbal als punk naar een foto van haar als een naakte kleuter, staand in een opblaasbaar zwembad, met een tuinslang in haar hand en een ondeugende blik in de camera. Rachel zit in een gestreepte ligstoel naast het zwembadje. Ze heeft een jongensachtig kort kapsel en rookt een sigaret achter een buitensporig grote schildpadzonnebril. De bekoorlijke malaise van de voorsteden. 'Moet je zien hoe schattig je was,' zegt ze. 'Je was altijd een zoet kind, maar ook een bengel. Je straalt het uit. Ik wist niet wat ik met je aan moest.'

'Dat merk ik.'

'Niet zo gemeen doen,' zegt Rachel, maar ze meent het niet echt.

Kirby pakt het album uit haar handen en begint het door te bladeren. Het probleem met kiekjes is dat ze de plek van daadwerkelijke herinneringen innemen. Je bevriest het moment en dat wordt het enige wat ervan over is.

'O god, moet je m'n haar zien.'

'Ik heb niet gezegd dat je het af moest scheren. Je werd bijna van school gestuurd.'

'Wat is dit?' Het komt er scherper uit dan ze van plan was. Maar het is dan ook een vreselijke schok. Afgrijzen als een moeras.

'Hmmm?' Rachel pakt de foto van haar aan. Hij heeft een kader van vergeeld karton met een krullerig, vriendelijk lettertype: GROETEN UIT GREAT AMERICA! 1976. 'Dat pretpark. Je huilde omdat je niet in de achtbaan durfde. Ik vond het vreselijk dat je altijd wagenziek werd als we ergens naartoe gingen.'

'Nee, wat is dat in mijn hand?'

Rachel kijkt naar de foto van een jammerend meisje in een pretpark. 'Dat weet ik niet. Een plastic paard?'

'Hoe kwam je daaraan?'

'Ik weet echt niet waar al je speelgoed vandaan komt.'

'Denk alsjeblieft na, Rachel.'

'Je hebt hem ergens gevonden. Je hebt er tijden mee rondgelopen, tot je verliefd werd op iets anders. Zo wispelturig was je wel.

Een pop met haar dat je kon veranderen, van blond naar bruin. Melody? Tiffany? Zoiets. Ze had prachtige kleren.'

'Waar is hij nu?'

'Als hij niet in een van deze dozen zit, moet hij weggegooid zijn. Ik bewaar niet alles. Wat doe je?'

Kirby graait door de dozen en gooit de inhoud over het lange gras.

'Nu doe je egoïstisch,' zegt Rachel kalm. 'Het is een stuk minder leuk om dat straks op te ruimen.'

Er zijn kartonnen kokers voor posters, een lelijk theeservies met bruine en oranje bloemen van Kirby's grootmoeder in Denver, bij wie ze een tijdje gewoond had toen ze veertien was, een grote koperen waterpijp waarvan de punt van het mondstuk is afgebroken, verbrokkelde wierook die naar vergane keizerrijken ruikt, een gebutste zilveren mondharmonica, oude penselen en opgedroogde pennen, kleine dansende poesjes die Rachel had geschilderd op vierkante tegeltjes en die een tijdje goed verkochten in het plaatselijke kunstwinkeltje. Indonesische vogelkooitjes, een gegraveerd stukje slagtand van een olifant of misschien wel van een wrattenzwijn (maar sowieso echt ivoor), een bleekgroene boeddha, een la van een printer, Letraset, en zo ongeveer een ton aan dikke boeken over kunst en design, met afgescheurde stukjes papier als boekenleggers, een wirwar van namaaksieraden, een nest van een wevervogel en een paar dromenvangers die ze gemaakt hadden in de zomer toen Kirby tien was. Sommige kinderen hebben kraampjes met limonade, Kirby probeerde nepspinnenwebben te verkopen waar kristallen aan bungelden. En ze vraagt zich af hoe ze zo geworden is.

'Waar is mijn speelgoed, ma?'

'Ik was van plan het allemaal weg te geven.'

'Daar zou je niet aan toegekomen zijn,' zegt Kirby, en ze veegt het gras van haar knieën. Met de foto in haar hand gaat ze weer terug naar de kelder.

Na een tijdje vindt ze de verkleurde plastic koffer, in de kapotte vrieskist die Rachel gebruikt als opslag. Hij ligt onder een vuilniszak vol met allerlei hoeden waarmee Kirby vroeger verkleedpartijtjes had gehouden, en wordt half in elkaar gedrukt door een houten spinnewiel dat wel iets waard moet zijn voor een antiekverzamelaar. Rachel zit boven aan de trap met haar kin op haar knieën naar haar te kijken. 'Je bent nog steeds een geheim voor me.'

'Hou je mond, ma.'

Kirby wrikt het deksel open alsof het een grote lunchtrommel is. Hij zit vol met al haar speelgoed. Een babypop die ze nooit echt had gewild, maar iedereen op school had er een. Barbies met hun goedkope nichtjes, in allerlei loopbaanvariaties. Zakenvrouw met een roze koffertje, of zeemeermin. Geen ervan heeft schoenen. De helft mist een arm of een been. De pop met het omkeerbare haar, naakt nu, een robot die in een ufo veranderde, een orka in een vrachtwagen met het logo van Sea World, een houten pop met zelfgemaakte vlechten van rode wol, prinses Leia in haar witte skipak en Evil Lyn met haar goudkleurige huid. Er waren nooit genoeg meisjes om mee te spelen.

En onder een half gebouwde toren van Lego bemand door dappere loden indianen, ook van haar grootmoeder, ligt een plastic pony. Het oranje haar zit samengeklit met iets droogs en plakkerigs. Vruchtensap misschien. Maar hij heeft nog dezelfde treurige ogen en de sullige melancholieke lach en vlinders op zijn kont.

'Jezus,' fluistert Kirby.

'Daar heb je hem.' Rachel schuift ongeduldig heen en weer op de trap. 'En nu?'

'Hij heeft deze aan me gegeven.'

'Ik had je niet moeten laten roken. Je bent er niet aan gewend.'

'Luister naar me!' schreeuwt Kirby. 'Hij heeft deze aan me gegeven. Die klootzak die me probeerde te vermoorden.'

'Ik snap niet wat je bedoelt!' gilt Rachel terug, verward en boos.

'Hoe oud was ik op die foto?'

'Zeven? Acht?'

Kirby controleert de datum op de kaart: 1976. Ze was negen. Maar jonger toen hij hem aan haar had gegeven. 'Je kunt echt niet rekenen, ma.' Ze kan niet geloven dat ze er al die jaren niet aan ge-dacht heeft. Ze draait het paard om. Op elk van zijn hoeven staat een stempeltje met in hoofdletters: VERVAARDIGD IN HONGKONG. PATENT AANGEVRAAGD. HASBRO 1982.

Alles wordt koud. De ruis van de wiet draait het volume om-hoog en zoemt in haar hoofd. Ze gaat vlak onder Rachel op de trap zitten. Ze pakt de hand van haar moeder en drukt die tegen haar gezicht. Haar aderen komen duidelijk uit tussen de fijne ge-arceerde lijntjes en de eerste levervlekjes. Ze wordt oud, denkt Kirby, en op de een of andere manier is dat nog onverdraaglijker dan de plastic pony.

'Ik ben bang, mam.'

'Dat zijn we allemaal,' zegt Rachel. Ze drukt haar hoofd tegen haar borst en wrijft over haar rug terwijl Kirby's hele lichaam rilt en huivert. 'Sst. Rustig maar, lieverd. Dat is het grote geheim, wist je dat niet? Dat is iedereen. Altijd.'

Harper 28 maart 1987

Eerst Catherine, toen Alice. Hij overtrad de regels. Hij had Etta de armband nooit moeten geven. Hij voelt alles wegglippen, als de as van een truck die van een krik glijdt.

Er is nog maar één naam over. Hij weet niet wat er daarna gaat gebeuren, maar hij moet het goed doen. Zoals dat van hem verwacht wordt. Hij moet alles goedmaken, de sterrenbeelden op één rij brengen. Hij moet het Huis vertrouwen. Geen weerstand meer bieden.

Hij probeert het niet te forceren als hij de deur opent. Hij laat hem opengaan naar waar hij moet zijn: 1987. Hij gaat naar een lagere school waar hij zich mengt onder de ouders en onderwijzers tussen de tafeltjes in de gang onder een met de hand beschreven banier waarop WELKOM OP ONZE WETENSCHAPSDAG! staat. Hij loopt langs een vulkaan van papier-maché, draden en klemmetjes aan een houten plank die een gloeilampje laten branden als je ze tegen elkaar houdt en posters over hoe hoog een vlo kan springen of de aerodynamica van straalvliegtuigen.

Hij voelt zich aangetrokken tot een kaart met sterren, echte sterrenbeelden. De kleine jongen die achter het tafeltje staat begint verlegen en eentonig van een kaartje te lezen. 'Sterren bestaan uit ballen brandend gas. Ze zijn heel ver weg en soms is de ster al dood en weten we dat nog niet als zijn licht ons bereikt. Ik heb ook een telescoop en…'

'Hou je mond,' zegt hij. De jongen ziet eruit alsof hij elk moment in tranen kan uitbarsten. Hij staart hem met trillende onderlip aan en rent dan de menigte in. Harper merkt het nauwelijks. Als aan de grond genageld laat hij zijn vingertopje over de lijnen glijden die tussen de sterren zijn getekend. Grote Beer. Kleine Beer. Wagen. Orion met zijn gordel en zwaard. Maar als je de puntjes anders met elkaar verbond konden ze net zo goed iets anders zijn. En wie beslist er dat iets überhaupt een beer of een krijger is? Wat hem betreft lijken ze er helemaal niet op. Er zijn patronen omdat we die proberen te vinden. Een wanhopige poging om orde aan te brengen omdat we het vreselijke niet onder ogen durven komen: dat het misschien wel allemaal willekeurig is. Hij voelt zich verloren door de openbaring. Hij heeft het gevoel dat hij zijn evenwicht verliest, alsof de hele verdomde wereld hapert.

Een jonge lerares met een blonde paardenstaart neemt hem zachtjes bij de arm. 'Gaat het?' vraagt ze vriendelijk, op een toon die voor kinderen bedoeld is.

'Nee…' begint Harper.

'Kunt u het project van uw kind niet vinden?' De mollige jongen staat naast haar, snikkend, en met zijn hand klemt hij zich vast aan haar rok. Harper houdt zich vast aan de realiteit daarvan, de manier waarop hij met zijn mouw langs zijn neus wrijft en er een veeg snot achterblijft op de donkere stof.

'Mysha Pathan,' zegt hij, alsof hij uit een droom komt.

'Bent u haar…?'

'Oom,' zegt hij, terugvallend op de verklaring die altijd zo goed heeft gewerkt.

'O.' De lerares is van haar stuk gebracht. 'Ik wist niet dat ze familie in de Verenigde Staten had.' Ze neemt hem even verbaasd op. 'Ze is een heel veelbelovende leerling. U vindt haar project bij het podium naast de deuren.' Behulpzaam wijst ze waar hij moet zijn.

'Dank u,' zegt Harper, en hij slaagt erin zich los te rukken van de sterrenkaart, die niet meer is dan een nutteloze fixatie.

Mysha is een klein meisje met een bruine huid en metaal in haar mond als een minuscuul spoorweggetje, een beetje als de draden die Harpers kaken bij elkaar hadden gehouden. Ze hupt een beetje op en neer op haar hielen, hoewel ze zich er niet van bewust lijkt, voor een bureau waarop potten met vetplanten staan, met achter haar hoofd een poster met cijfers en kleuren die hem niets zeggen, ook al kijkt hij er aandachtig naar.

'Hallo! Mag ik u over mijn project vertellen?' zegt ze, vol vurig enthousiasme.

'Ik ben Harper,' zegt hij.

'Oké!' zegt ze vrolijk. Dit maakt geen onderdeel uit van haar script en het brengt haar even van haar stuk. 'Ik ben Mysha en dit is mijn project. Eh… Zoals u kunt zien heb ik cactussen laten groeien in verschillende soorten grond met een verschillende zuurgraad.'

'Deze is dood.'

'Ja, ik heb geleerd dat sommige bodemgesteldheden heel slecht zijn voor cactussen. Zoals u kunt zien op de resultaten die ik heb aangegeven op deze grafiek.'

'Dat begrijp ik.'

'De verticale as vertegenwoordigt de zuurgraad van de grond en de horizontale…'

'Doe me een plezier, Mysha.'

'Eh…'

'Ik kom terug. Heel snel. Zodra ik kan. Maar zo zal het niet voor je aanvoelen. Maar je moet iets voor me doen terwijl ik weg ben. Het is heel belangrijk. Je moet blijven stralen.'

'Oké!' zegt ze.

Eenmaal terug in het Huis lijkt het alsof alle voorwerpen in zijn hoofd in brand staan. Hij kan het spoor van de banen nog steeds volgen, maar voor het eerst ziet hij dat de kaart nergens naartoe gaat. Hij omsluit zichzelf. Een lus waaraan hij niet kan ontsnappen. Er zit niets anders op dan zich eraan over te geven.

Harper 12 juni 1993

Hij stapt de vroege avond van 12 juni 1993 in. De datum is zichtbaar in het raam van het postkantoor. Het is nog maar drie dagen geleden dat hij Catherine heeft gedood. Hij schuurt tegen de grens van alles aan. Hij weet al waar hij Mysha Pathan kan vinden. Het staat duidelijk vermeld op het laatst overgebleven symbool. Milkwood Pharmaceuticals.

Het bedrijf ligt aan de andere kant van de stad, diep in de West Side. Een lang, plomp, grijs gebouw. Hij zit achter het raam van Dominos-pizzeria in het winkelcentrum aan de overkant en prikt met zijn vork in de draderige kaas. Hij kijkt en wacht en ziet dat de parkeerplaats op zaterdagavond zo goed als leeg is, dat de bewaker zich verveelt en steeds naar buiten komt om een sigaret te roken en de restjes netjes weggooit in een van de gele prullenbakken met een deksel aan de zijkant van het gebouw. Dat hij het plaatje om zijn nek gebruikt om weer naar binnen te gaan.

Hij zou kunnen wachten. Tot ze naar buiten komt. Haar thuis of onderweg te grazen nemen. Hij zou kunnen inbreken in haar auto. De kleine blauwe, de enige die er nog staat, pal naast de ingang geparkeerd. Zich schuilhouden op de achterbank. Maar hij voelt zich meer gespannen dan ooit. De hoofdpijn graaft zich een weg door zijn schedel en naar zijn ruggengraat. Het moet nu gebeuren.

Als de pizzeria om elf uur dichtgaat, loopt hij om het gebouw heen, een langzaam rondje, zo getimed dat het samenvalt met de rookpauze van de bewaker.

'Weet je hoe laat het is?' vraagt hij, en hij loopt snel op hem af. Hij knipt het mes al met één hand open, verstopt achter zijn ruisende jas. De bewaker schrikt van Harpers tempo, maar de vraag is zo onschuldig, zo gewoon, dat hij automatisch naar zijn pols kijkt, en Harper steekt het mes in zijn nek en trekt het opzij, zodat hij door spieren, pezen en slagaders snijdt. Tegelijkertijd draait hij de man rond, zodat de straal bloed over de bakken spettert en niet op hem. Hij schopt hem achter zijn knieën zodat hij naar voren tuimelt tussen de vuilnisbakken, die Harper naar voren trekt om het lichaam aan het zicht te onttrekken. Hij rukt het naamplaatje af en veegt het bloed af aan de broek van de man. Het duurt allemaal nog geen minuut. De bewaker maakt nog een zacht gorgelend geluid als Harper naar de glazen deuren loopt en het pasje door een gleuf haalt.

Hij neemt de trap omhoog door het lege gebouw naar de vierde verdieping en laat zich leiden door het gevoel, als een herinnering, langs rijen dichte deuren, tot hij bij Laboratorium Zes komt, dat openstaat en al op hem wacht. Er brandt binnen een enkele lamp, boven haar werkbank. Ze staat met haar rug naar hem toe en zingt hard en vals en danst een beetje op de iele muziek die uit de koptelefoon sijpelt die half onder haar hoofddoek zit. 'All That She Wants'. Ze verpulvert bladeren en verplaatst plukjes van de brij voorzichtig met een soort plastic naald naar taps toelopende buisjes die gevuld zijn met goudkleurige vloeistof.

Het is de eerste keer dat hij geen wijs kan worden uit de context. 'Waar ben je mee bezig?' vraagt hij, luid genoeg om boven de muziek uit hoorbaar te zijn. Ze schrikt op en frummelt de oordopjes uit.

'God, wat gênant. Hoe lang sta je daar al te kijken? Jemig. Wauw. Ik dacht dat er niemand anders in het gebouw was. Eh. Wie ben jij?'

'De nieuwe bewaker.'

'O. Je draagt geen uniform.'

'Ze hadden mijn maat niet.'

'Goed,' zegt ze met een kort knikje. 'Nou eh, ik zoek uit of ik een variant van tabak kan kweken die resistent is tegen droogte, gebaseerd op een proteïne uit een bloem in Namibië die zichzelf weer tot leven kan brengen. Ik heb het gen in de chromosomen van de plant laten opnemen, en ik kweek de tabak nu al een maand, en nu onderzoek ik of het eiwit waarvoor het gen codeert ook tot expressie komt in de plant.' Ze draagt de buisjes naar een platte grijze machine ter grootte van een koffer en opent de klep om ze in de bak te laten zakken. 'Ik doe ze in de spectrofotometer voor analyse…' Ze drukt knopjes in en het apparaat begint te zoemen. 'En als het eiwit met succes tot expressie is gebracht, wordt het substraat blauw.' Ze lacht tevreden naar hem. 'Heb ik dat goed uitgelegd? Want volgende week komt er een groep middelbare scholieren en – o.' Ze ziet het mes. 'Je bent geen bewaker.'

'Nee. En jij bent de laatste. Ik moet het afmaken. Snap je dat?'

Ze probeert ervoor te zorgen dat er een werkbank tussen hen in komt te staan en kijkt om zich heen of ze dingen ziet die ze naar hem toe zou kunnen gooien, maar hij heeft haar de pas al afgesneden. Hij is efficiënt geworden. Hij doet wat hij moet doen. Hij stompt haar in het gezicht om haar op de grond te krijgen. Hij bindt haar polsen vast met de koordjes van haar koptelefoon omdat hij zijn draad in het Huis heeft laten liggen. Hij propt haar hoofddoek in haar mond om haar geschreeuw te dempen.

Maar er is niemand die haar kan horen en ze doet er lang over om te sterven. Hij probeert uitgebreider te werk te gaan ter compensatie van het gebrek aan vreugde die dit hem bezorgt. Hij ontrolt haar darmen en legt ze in een spiraal om haar heen. Hij snijdt haar organen uit haar lichaam en legt die op de tafel waaraan ze onder het licht van de lamp gewerkt had. Hij pint het Pigasus-speldje aan haar laboratoriumjas. Hij hoopt dat het genoeg is.

Hij wast zich in het damestoilet. Hij weekt zijn jas in een wastafel en propt zijn met bloed doordrenkte overhemd in de afvalbak voor maandverband. Hij trekt een laboratoriumjas over zijn bebloede jasje en loopt het gebouw uit, met het pasje omgedraaid zodat de foto niet te zien is.

Tegen de tijd dat hij klaar is, is het vier uur 's ochtends en is er een andere bewaker. Hij staat achter zijn balie en praat met een verbijsterde blik in zijn zender. 'Ik zei al dat ik in het herentoilet had gekeken. Ik weet niet waar…'

'Nou, welterusten,' zegt Harper opgewekt, en hij loopt zo langs hem heen.

'Welterusten,' zegt de bewaker afwezig. Hij ziet slechts de jas en het naamplaatje en steekt automatisch zijn hand op. De onzekerheid slaat een seconde later toe, want het is al heel laat en hoe kan het dat hij die man niet herkende en waar is Jackson in godsnaam? Dat verandert over vijf uur in een verpletterend schuldgevoel als hij op het politiebureau zit en naar de bewakingsbeelden van het farmaceutische bedrijf kijkt nadat het lichaam van de jonge bioloog is gevonden en hij beseft dat hij de moordenaar zo langs hem heen naar buiten heeft laten lopen.

In de buizen boven in het lab verspreidt zich door het goud een wolk van blauw.

Dan 13 juni 1993

Dan ziet haar gekke haar direct. Het is moeilijk over het hoofd te zien, zelfs niet in het gewoel van de aankomsthal. Hij overweegt serieus het vliegtuig weer in te gaan, maar dan is het al te laat, ze heeft hem gezien. Ze steekt half haar hand op, bijna als een vraag.

'Ja goed, ik zie je al, ik kom eraan,' mompelt hij in zichzelf. Hij wijst naar de loopband en doet alsof hij een koffer optilt. Ze knikt heftig en begint zich door de menigte heen een weg naar hem toe te banen. Een vrouw in een chador, alsof ze haar eigen draagstoel met de gordijnen dicht met zich meedraagt, een gejaagd gezin dat moeite moet doen bij elkaar te blijven, een deprimerend aantal zwaarlijvige reizigers. Hij heeft nooit de gedachte begrepen dat luchthavens aantrekkelijke plekken zouden zijn. Mensen die dat geloven zijn nog nooit op Minneapolis-St Paul geweest. Het is minder gedoe om een bus te nemen. Beter uitzicht ook. Het enige wonderbaarlijke aan vliegen is dat er niet meer passagiers zijn die elkaar wurgen uit pure verveling en frustratie.

Kirby materialiseert bij zijn elleboog. 'Hé, ik heb je geprobeerd te bellen.'

'Ik zat in het vliegtuig.'

'Ja, het hotel zei dat je al weg was gegaan. Sorry. Ik moest je spreken, ik kon niet wachten.'

'Geduld is nooit je sterkste punt geweest.'

'Dit is serieus, Dan.'

Hij slaakt een diepe zucht en kijkt naar een stuk of tien koffers die langskomen op de transportband. 'Gaat dit over die kunstzinnige junkie van een paar dagen geleden? Want dat was niet best, maar het is niet jouw man. De agenten hebben haar dealer er al voor opgepakt. Een charmant mannetje dat Huxtable of zo heet.'

'Huxley Snyder. Geen geschiedenis van geweld.'

Eindelijk komt zijn koffer door het kunststof gordijn en ploft op de band. Hij pakt hem op en neemt Kirby mee naar de uitgang en de El.

'Geschiedenis moet toch ergens beginnen?'

'Ik heb de vader van het meisje gesproken. Hij zei dat iemand naar hun huis had gebeld en om Catherine had gevraagd.'

'Tuurlijk. Ik word ook vaak gebeld, en meestal willen ze me een verzekering aansmeren.' Hij zoekt in zijn zak naar muntjes voor de El, maar Kirby heeft al genoeg voor hen allebei in het gleufje laten vallen.

'Hij zei dat hij iets onheilspellends had.'

'Verkopers van verzekeringen hebben ook iets onheilspellends,' antwoordt Dan. Hij gaat haar niet aanmoedigen.

Er staat een trein te wachten die al aardig vol is. Hij laat haar zitten en leunt tegen de paal als de bel rinkelt dat de deuren gaan sluiten. Hij haat het om die paal aan te raken. Er zitten meer bacteriën op handstangen dan op wc-brillen.

'En ze was neergestoken, Dan. Niet in de buik, maar…'

'Heb je je al ingeschreven voor het nieuwe semester?'

'Wat?'

'Omdat ik weet dat je niet weer over die shit gaat beginnen. Je hebt bijna een straatverbod.'

'Jezus, ik ben hier niet heen gekomen om het met je over Catherine Galloway-Peck te hebben, hoewel er overeenkomsten zijn, en…'

'Ik wil het niet horen.'

'Goed,' zegt ze koeltjes. 'Dit is de reden dat ik je op ben komen halen van het vliegveld.' Ze trekt haar rugzak op haar schoot. Afgedragen, zwart, anoniem. Ze ritst hem open en trekt zijn jas eruit.

'Hé, die was ik kwijt.'

'Dat is niet wat ik je wilde laten zien.'

Ze vouwt de jas open alsof het een of ander heilig doodskleed is. Hij verwacht op zijn minst een bewijs van de wederkomst. Jezus' gezicht in een zweetvlek. Maar wat er tevoorschijn komt is een stuk speelgoed. Een plastic paard dat er gehavend uitziet.

'En wat is dat?'

'Deze heeft hij aan mij gegeven toen ik een klein meisje was. Ik was zes jaar. Hoe had ik hem moeten herkennen? Ik herinnerde me de pony niet eens tot ik een foto zag.' Ze aarzelt, onzeker. 'Shit. Ik weet niet hoe ik dit moet zeggen.'

'Het kan niet erger zijn dan al het andere dat je me al verteld hebt. Al die gekke theorieën, bedoel ik.' Niet het moment waarop ze zich in de directiekamer tegen hem keerde, een gevoel van verraad dat dwars door hem heen trok en waarbij hij elke keer dat hij aan haar denkt een restje pijn voelt. En dat is de hele tijd.

'Deze theorie is de ergste van allemaal. Maar je moet naar me luisteren.'

'Ik kan niet wachten,' zegt hij.

Ze legt het voor hem uit. Haar onmogelijke pony, die gekoppeld is aan het onmogelijke honkbalplaatje bij de vrouw uit de Tweede Wereldoorlog, die op de een of andere manier gekoppeld is aan de aansteker en een cassettebandje waar Julia niet naar geluisterd zou hebben. Het kost hem steeds meer moeite zijn stijgende ontzetting voor zich te houden.

'Het is heel interessant,' zegt hij voorzichtig.

'Dat moet je niet doen.'

'Wat niet?'

'Medelijden met me hebben.'

'Het heeft allemaal een logische verklaring.'

'Logica kan de klere krijgen.'

'Luister. We gaan het volgende doen. Ik heb zesenhalf uur doorgebracht op luchthavens en in vliegtuigen. Ik ben moe. Ik stink. Maar voor jou – en echt, je bent de enige op de hele wereld voor wie ik dit zou doen – zie ik ervan af naar huis te gaan voor het eenvoudige maar zeer noodzakelijke genot van een douche. We gaan rechtstreeks naar kantoor en ik ga de speelgoedfabrikant bellen en dit uitzoeken.'

'Denk je niet dat ik dat al gedaan heb?'

'Ja, maar je hebt niet de juiste vragen gesteld,' zegt hij geduldig.

'Zoals bijvoorbeeld: was er een prototype? Was er een verkoper die er misschien al in 1974 aan kon komen? Is het mogelijk dat het getal "1982" verwijst naar een gelimiteerde oplage of een productienummer in plaats van een jaartal?'

Ze zwijgt geruime tijd en staart naar haar voeten. Ze draagt dikke zware laarzen vandaag. De veters zitten los. 'Het is gestoord, hè? Jezus.'

'Volkomen begrijpelijk. Het is een rare samenloop van omstandigheden. Natuurlijk wil je proberen die te begrijpen. En waarschijnlijk ben je iets op het spoor met die pony. Als er een verkoper met een prototype geweest blijkt te zijn, kan dat ons rechtstreeks naar hem leiden. Oké? Je hebt goed werk gedaan. Maak je niet druk.'

'Jij bent degene die zich druk maakt,' zegt ze met een afgemeten lachje dat niet doordringt tot haar ogen.

'We gaan het uitzoeken,' zegt hij. En tot ze aankomen bij de *Sun-Times*, gelooft hij het nog ook.

Harper 13 juni 1993

Harper zit achter in het Griekse restaurant, onder de muurschildering van de witte kerk en het blauwe meer, met een stapeltje pannenkoekjes en knapperig bacon. Hij kijkt door het raam naar voorbijgangers en wacht tot de zwarte man met de gekromde schouders klaar is met de krant. Hij neemt voorzichtige slokjes van zijn koffie, die nog steeds te warm is om te kunnen drinken, en vraagt zich af waarom het Huis hem niet verder laat gaan dan deze dag. Want hij gaat er godverdomme nooit meer naar terug. Hij is opmerkelijk kalm. Hij is wel eerder weggelopen van alles in zijn leven, meer keren dan hij kan tellen. Hij zou in deze tijd makkelijk een zwerver kunnen zijn, zelfs met de drommen mensen en de razernij en de herrie. Hij wou dat hij meer geld bij zich had, maar er zijn manieren om aan cash te komen, vooral met een mes in je zak.

De oude man staat eindelijk op en Harper pakt nog een zakje suiker en grist de krant mee. Het is te vroeg voor berichten over Mysha, maar misschien staat er iets in over Catherine, en dat vleugje nieuwsgierigheid maakt hem duidelijk dat hij nog niet klaar is. Hij zou hier kunnen blijven, maar uiteindelijk zou hij andere constellaties vinden. Of zelf nieuwe kunnen verzinnen.

Omdat de *Sun-Times* dichtgevouwen is bij de sportpagina's valt zijn blik toevallig op haar naam. Het is niet eens een artikel, maar een lijst met alle middelbare scholieren in Chicago en omstreken die een sportprijs hebben gewonnen.

Hij leest hem nauwkeurig, twee keer, en mompelt de namen alsof die een verklaring kunnen vormen voor de smerigheid die erboven staat: 'Door Kirby Mazrachi'.

Hij controleert de datum. Het is de krant van vandaag. Langzaam staat hij op van het tafeltje. Zijn handen trillen.

'Ben je daar klaar mee, vriend?' vraagt een man met een baard om het vet rond zijn nek te verbloemen.

'Nee,' snauwt Harper.

'Oké, rustig maar, man. Ik wilde alleen de koppen maar lezen. Als je klaar bent.'

Hij loopt voorzichtig door het restaurant naar de betaaltelefoon bij de toiletten. Het telefoonboek hangt aan een groezelig kettinkje. Er staat maar één Mazrachi in het telefoonboek. R. Oak Park. De moeder, denkt hij. De gore trut die tegen hem gelogen heeft dat Kirby dood was. Hij scheurt de pagina uit het boek.

Terwijl hij naar de deur loopt, ziet hij dat de man de krant toch gepakt heeft. Overmand door woede beent hij op hem af, grijpt hem bij zijn baard en ramt zijn voorhoofd op de tafel. Zijn hoofd veert omhoog in zijn handen en bloed gulpt uit zijn neus. Hij begint ongelovig te jammeren, een merkwaardig hoog geluid voor zo'n potige man. Het hele restaurant valt stil en iedereen staart Harper na als hij door de draaideur gaat.

De kok met de snor (grijs, terugwijkende haargrens) komt achter de toonbank vandaan en roept: 'Wegwezen jij! Wegwezen!'

Maar Harper is al op weg naar het adres op het verfrommelde papier in zijn hand.

Rachel 13 juni 1993

Glasscherven van de ingegooide ruit liggen vlak achter de voordeur dof op het geweven tapijt. De doeken, uitgestald, maar niet in lijsten, aan één kant van de gang, zijn met nonchalante vijandigheid stukgesneden door iemand die een mes langs de muur haalde toen hij ervoorbij liep. In de keuken kijken de replica's van Degas' ballerina's en de eilandmeisjes van Gauguin, die in een merkwaardige tegenstelling op de deuren van de kastjes zijn geschilderd, met sierlijke onverschilligheid neer op de dozen die omver zijn geschopt, waarbij de inhoud op de grond is gestroomd.

Het open fotoalbum ligt op het aanrecht. Foto's zijn eruit gehaald, verscheurd en als confetti op de tegels gegooid. Een vrouw in een wit badpak die in de zon kijkt, haar gezicht doorkliefd.

In de woonkamer ligt de gestroomlijnde ronde jarenzeventigtafel ondersteboven met zijn poten in de lucht, als een schildpad die op zijn rug ligt. De snuisterijen en kunstboeken en tijdschriften die erop lagen zijn op de grond gevallen. Een bronzen vrouw met een bel verstopt onder haar rok ligt op haar kant naast een porseleinen vogel waarvan de kop is afgebroken – er rest slechts een puntige wond van wit keramiek. De vogel staart wezenloos naar een modereportage van hoekige jonge vrouwen in lelijke kleren.

De bank is opengesneden, lange gewelddadige halen die de zachte synthetische ingewanden en het frame blootleggen.

Boven staat de deur naar de slaapkamer een stukje open. Op de tekentafel lekt gemorste zwarte inkt in het papier over de illustratie van een meedogenloos nieuwsgierig eendje dat het skelet van een dode wasbeer in de buik van een beer ondervraagt. Sommige met de hand geschreven woorden zijn nog leesbaar.

Het is echt rot, en ik ben dan ook kapot.
Maar ik was verzot op mijn leven tot het slot.

Een ornament van gekleurd glas zwaait langzaam heen en weer in het zonlicht dat door het raam valt en veroorzaakt gekke cirkels van licht in de verwoeste kamer.

De buren waren niet komen kijken wat de herrie te betekenen had.

Kirby 13 juni 1993

'O, hé,' zegt Chet, en hij kijkt op van *Black Orchid*, met een paars meisje op de omslag. 'Ik heb iets heel erg cools gevonden dat in dezelfde lijn ligt als dat mysterieuze honkbalplaatje. Kijk maar.' Hij legt het stripboekje opzij en produceert een uitdraai van een microfiche met het jaartal 1951. 'Dit was een heel schandaal. Een transseksueel sprong van het Congress Hotel en niemand wist dat deze zij een hij was, tot de lijkschouwing. Maar het beste is wat ze in haar hand had.' Hij wijst naar de foto van een slappe vrouwenhand die onder een jas uitsteekt die iemand over haar heen heeft gegooid. Er ligt een wazig rond plastic ding in de buurt. 'Ziet dat er niet net zo uit als een strip met anticonceptiepillen van tegenwoordig?'

Dan heeft zo zijn bedenkingen: 'Of misschien een leuk spiegeltje met een patroon van kraaltjes.' Het laatste wat hij kan gebruiken is dat Anwar Kirby's waanzin stimuleert. 'Ga nu maar iets nuttigs doen en zoek alle informatie voor me op die je kunt vinden over Hasbro en wanneer ze hun pony's introduceerden en patenten van speelgoed in het algemeen.'

'Zo, er is iemand aan de verkeerde kant van z'n futon af gerold.'

'Verkeerde kant van de tijdzone,' moppert Dan.

'Alsjeblieft, Chet,' komt Kirby tussenbeide. 'Vanaf 1974. Het is echt belangrijk.'

'Goed hoor. Ik begin wel met hun advertenties en zoek daarvandaan verder. En o, trouwens, Kirby, je hebt een eersteklas gek gemist die op zoek naar je was.'

'Naar mij?'

'Heel intens. Hij had alleen geen koekjes bij zich. Kun je hem de volgende keer vragen of hij koekjes meeneemt? Ik kan slecht tegen dat niveau van gestoordheid als er niet iets met veel calorieën tegenover staat.'

Dan kijkt op. 'Hoe zag hij eruit?'

'Wat zal ik zeggen. Gewoon, als een gestoorde vent. Best goed gekleed. Donker tweedjasje. Spijkerbroek. Aan de magere kant. Felblauwe ogen. Hij wilde iets weten over dat gedoe over de beste atleten op middelbare scholen. Hij hinkte.'

'Shit,' zegt Dan, hoewel hij dit nog moet verwerken. Kirby reageert sneller. Zij verwacht hem immers al vier jaar.

'Wanneer is hij weggegaan?' Ze is bleek geworden en haar sproeten steken scherp af.

'Wat is er met jullie aan de hand?'

'Jezus, wanneer is hij weggegaan, Chet?'

'Vijf minuten geleden.'

'Wacht, Kirby.' Dan wil haar arm pakken, maar hij grijpt mis. Ze rent de deur al uit. 'Kut!'

'Zo hé, wat een drama. Wat is er aan de hand?' vraagt Chet.

'Bel de politie, Anwar. Vraag naar Andy Diggs of, shit, hoe heet-ie ook alweer? Amato. De man die het onderzoek over de Koreaanse moord leidt.'

'En wat moet ik tegen ze zeggen?'

'Wat dan ook om ze maar hier te krijgen!'

Kirby vliegt de trap af en de deur door. Ze moet een richting kiezen, dus ze rent North Wabash op en blijft midden op de brug staan om naar de mensen beneden te kijken. De rivier is mediterraan groenblauw vandaag, precies dezelfde kleur als het hoekige bovendek van de toeristenboot die er net onderdoor vaart. Een blikkerige stem door een megafoon wijst op de twee maïskolven van Marina City.

Er lopen nog meer toeristen langs de rivier, net zo herkenbaar aan hun slappe zonnehoeden en korte broeken als de camera's om hun nek. Een kantoorman met de mouwen van zijn pak omhooggeschoven zit op de rode balk bij de reling. Hij eet een boterham en zwaait waarschuwend met zijn voet naar de zeemeeuw die steeds dichterbij komt. Mensen steken in dichte groepjes de straat over na het piepen van het signaal dat ze mogen lopen en ze vallen uiteen zodra ze van het zebrapad komen. Het maakt het moeilijk een enkeling in de kudde te onderscheiden. Haar blik gaat langs ze heen en sorteert iedereen naar ras, geslacht en bouw. Zwarte man. Vrouw. Vrouw. Dikke man. Man met koptelefoon. Man met lang haar. Man in pak. Man in kastanjebruin T-shirt. Nog een pak. Het zal wel bijna lunchtijd zijn. Bruinleren jasje. Net zwart overhemd. Blauwe overall. Groene strepen. Zwart T-shirt. Rolstoel. Pak. Hij zit er niet tussen. Hij is weg.

'Kuuuuut!' schreeuwt ze naar de lucht, en de man met de sandwich schrikt op. De meeuw gaat de lucht in en krijst bij wijze van vermaning.

Bus 124 rijdt voor haar langs en belemmert haar het zicht. Het is alsof haar hersens teruggezet worden op nul. Een seconde later ziet ze hem. De ongelijke beweging van een honkbalpetje dat licht op en neer gaat, alsof de man hinkt. Ze rent weer verder en hoort Dan niet roepen. Een lichtbruine met witte taxi weet haar maar net te ontwijken als ze zonder te kijken Wacker Drive oversteekt. De chauffeur stopt midden op de kruising met zijn hand op de claxon, en hij draait zijn raampje naar beneden om haar uit te schelden. Aan weerszijden begint onrustig getoeter.

'Ben je gek? Je was er bijna geweest,' zegt een vrouw met een glimmende broek tegen haar. Ze grijpt Kirby's arm en trekt haar van de weg.

'Laat me los!' Kirby duwt haar weg. Ze baant zich een weg door het publiek dat tijdens de lunchpauze winkelt en probeert hem in het oog te houden. Ze haalt een stel met een kinderwagen in en loopt opeens in de schaduw van het hoger gelegen spoor. De beklemmende duisternis overvalt haar. Haar ogen passen zich niet meteen aan en in die fractie van een seconde raakt ze hem kwijt.

Ze kijkt wanhopig om zich heen en catalogiseert en verwerpt mensen als ze haar blik over hen heen laat glijden. En dan valt haar oog op het opvallende rood van een McDonald's-bord en ze richt haar aandacht omhoog, op de zwevende trap naar de El aan de andere kant. Ze ziet alleen zijn spijkerbroek uit het zicht verdwijnen, maar hij hinkt op de trap nog duidelijker.

'Hé!' roept ze, maar haar stem gaat verloren in het lawaai van het verkeer. Boven haar komt een trein binnen. Ze sprint erheen en de trap op, terwijl ze in haar zak naar muntjes zoekt. Uiteindelijk springt ze over het draaihekje, schiet nog een trap op naar het perron en wurmt zich tussen de dichtgaande deuren de trein binnen, zonder te zien welke lijn het is.

Hijgend haalt ze adem. Ze staart naar haar laarzen, te bang om op te kijken voor het geval hij vlak voor haar staat. Kom op, denkt ze kwaad bij zichzelf. Godverdomme, kom op nou. Ze kijkt uitdagend op en laat haar blik door de wagon gaan. De andere passagiers hebben het er maar druk mee haar te negeren, zelfs degenen die haar aanstaarden toen ze zich tussen de deuren door perste. Een kleine jongen in een blauwe camouflagetrui kijkt haar aan met de zelfingenomenheid van een kind. Kindsoldaatje in het blauw, denkt ze, en ze moet bijna lachen, van opluchting of door de schok.

Hij is hier niet. Misschien heeft ze zich vergist. Of hij is in de trein die de andere kant op gaat. Haar hart maakt een vrije val. Ze begeeft zich door de ratelende wagon, op weg naar de tussenliggende deuren, en grijpt zich vast als de trein een scherpe bocht maakt. Het perspex is bekrast, en het is niet eens graffiti. Het zijn groeven die tijdens honderden ritten in het oppervlak zijn getrokken door verschillende mensen die met zakmessen of scheermesjes gehoor gaven aan de oproep.

Ze gluurt voorzichtig in de volgende wagon en duikt meteen weer weg. Hij staat bij de deur, met zijn hand om de paal en zijn pet ver naar voren getrokken. Maar ze herkent zijn bouw, de afhangende schouders, de hoek van zijn kaak en zijn ongelijke profiel, van haar weggedraaid. Hij kijkt naar de daken die voorbij scheren.

Haar gedachten schieten alle kanten op. Ze graait in haar tas en trekt Dans jas aan om zichzelf een andere vorm te geven. Ze doet haar sjaal om als een hoofddoek. Als vermomming stelt het niet veel voor, maar meer heeft ze niet. Ze houdt haar hoofd weggedraaid, ver genoeg om vanuit haar ooghoeken in de gaten te houden wanneer hij uitstapt.

Dan 13 juni 1993

Dan verliest haar ergens op Randolph Street uit het oog. Met zijn gedachten in een knoop van paniek was hij erin geslaagd door het verkeer heen te komen en had zodoende opnieuw kwaad getoeter veroorzaakt, maar hij kon haar gewoon niet bijhouden. Hij leunt op een van de groene vuilnisbakken, uit het Chicago van vroeger, net als de straatlantaarns met hun gaslampen die eruitzien als opgeblazen condooms. Hij hijgt en voelt een steek in zijn ribben, alsof Dolph Lundgren hem een zwaaistoot tegen zijn borst heeft verkocht. Boven ratelt een trein voorbij en door de trillingen schudden zijn vullingen bijna los.

Als Kirby hier al geweest is, is ze er nu niet meer.

Hij waagt een gok en loopt naar Michigan Avenue, met zijn hand in zijn zij en ademhalend door zijn tanden. Hij is misselijk van paniek en woede. Hij ziet haar dood in een steegje liggen, ergens achter een hoop vuilnis. Hij is haar waarschijnlijk zo voorbijgelopen. Ze zullen die vent nooit te pakken krijgen. Wat deze stad nodig heeft is op elke hoek camera's, net als bij een benzinestation.

Alstublieft God, hij belooft dat hij aan zijn conditie gaat werken. Hij zal groenten eten. Hij zal naar de mis gaan en het graf van zijn moeder bezoeken. Geen stiekeme sigaretten meer. Als Kirby maar niets overkomt. Is dat al met al nou echt zo veel gevraagd?

Als hij weer aankomt bij de *Sun-Times* is de politie er nog steeds niet. Chetty is nijdig en probeert Harrison uit te leggen wat er gebeurd is. Richie komt binnen, bleek en van streek, en zegt dat er die ochtend een meisje is vermoord. Doodgestoken in een farmaceutisch laboratorium op de West Side. Het lijkt op dezelfde methode. Erger nog. De details zijn nog gruwelijker. En een vrouw uit een van de hulpgroepen van dat junkiemeisje heeft een man die hinkt geïdentificeerd die naar haar was komen vragen.

Niemand weet precies hoe ze het kunnen bevatten, beseft Dan. Dat ze godverdomme al die tijd gelijk had gehad over die vent. Hij kan niet geloven wat een lef die *pendejo* heeft om hier naar binnen te komen en naar haar te vragen. Hij gaat naar de elektronicazaak aan de overkant en koopt een semafoon. Roze, omdat die in de etalage had gestaan en meteen gebruikt kan worden. Hij gaat terug naar Chet en geeft hem het nummer en strikte instructies om hem op te piepen als ze iets horen, vooral van Kirby. Hij probeert zijn bezorgdheid de kop in te drukken. Zolang hij bezig is, voelt hij die niet.

Hij loopt naar zijn auto en haalt thuis iets op. Dan rijdt hij naar Wicker Park, waar hij inbreekt in haar appartement.

Het is nog een grotere rommel dan voorheen. Al haar kleren lijken verhuisd te zijn naar de woonkamer en hangen over de meubels. Hij wendt zijn blik af van een rood slipje, binnenstebuiten op de rug van een stoel.

Ze heeft echt inspecteurtje gespeeld, ziet hij. De inhoud van de dozen met bewijsmateriaal ligt overal over de grond verspreid. Op de deur van de bezemkast hangt een kaart van de stad. Elke moord waarbij een vrouw is doodgestoken is gemarkeerd met een rode stip. Er zijn heel veel stippen.

Hij slaat de map open op de geïmproviseerde schraagtafel. Die zit vol met uitgetikte gesprekken, keurig genummerd en gedateerd en met paperclips aan de oorspronkelijke nieuwsartikelen bevestigd. Gezinnen van slachtoffers, beseft hij. Tientallen mensen die ze heeft opgespoord en geïnterviewd. Ik ben hier al een jaar mee bezig, had ze gezegd. Je meent het.

Hij laat zich moeizaam op de geschilderde stoel zakken en bladert door de getuigenissen.

Ik ben haar niet 'kwijtgeraakt'. Sleutels raak je kwijt. Ze is afgepakt.

Elke dag denk ik na over hoe ik ga reageren als hij gepakt wordt. Dat verandert, weet je dat? Soms denk ik dat ik hem dood zou willen martelen. Andere keren denk ik dat ik hem zou vergeven. Want dat zou nog erger zijn.

Hij heeft mijn investering in de toekomst gestolen. Vind je dat vreemd klinken?

In films maken ze het sexy.

Het is vreselijk om te zeggen, maar op een bepaalde manier was het ook een opluchting. Want als je maar één kind hebt, weet je dat je dat telefoontje nooit meer zult krijgen.

Harper 13 juni 1993

Razende woede kolkt door Harpers hoofd. Hij had die Indiase jongen bij de krant moeten doden. Hij had hem naar een raam moeten sleuren en hem er dwars doorheen op straat moeten smijten. Hij was terughoudend met hem geweest. Hij was toegeeflijk geweest. Alsof hij een of andere idioot met een lege blik uit het Manteno State Hospital was met speeksel dat langs zijn kin droop en poep in zijn broek.

Het had het laatste restje van zijn zelfbeheersing gekost om redelijke vragen te stellen. Niet: hoe kan ze godverdomme nog in leven zijn en waar is die kut? Maar: is ze er ook? Hij wil haar graag spreken over de prijzen. Hij is heel erg geïnteresseerd in de prijzen. Zou hij haar alsjeblieft kunnen spreken? Is ze er?

Hij drong te veel aan. Hij zag de jongen overgaan van verveelde minachting naar behoedzame alertheid. 'Ik bel de bewaking wel even om haar voor u te halen,' had hij gezegd, wat Harper maar al te goed begrepen had.

'Dat is niet nodig. Zeg maar dat ik geweest ben, goed? Ik kom wel terug.' Het is meteen duidelijk wat een vergissing het was om dat te zeggen. Het is zo erg dat hij op straat een honkbalpet van de White Sox koopt en die diep over zijn ogen trekt, want hij rekent er min of meer op dat dat klotejong de politie gaat bellen. Hij loopt rechtstreeks naar de trein. Hij moet terug naar het Huis om na te denken.

Ze zal moeilijker te vinden zijn als ze bang is, maar hij kan het gif niet terugdringen. Hij wil dat ze het weet. Laat haar maar rennen. Laat haar zich maar verstoppen. Hij graaft haar uit zoals hij dat vroeger met konijnen deed. Hij trekt haar aan haar nekvel uit haar hol terwijl ze gillend wild om zich heen slaat en dan snijdt hij haar keel door.

Hij ziet de stad langs de ramen van de trein glijden en streelt zichzelf met de rug van zijn hand door zijn broek heen. Maar hij is overmand door verslagenheid. Alles glipt weg. Dat komt door haar. Hij had haar moeten vermoorden toen ze de hond nog niet had. Er waren andere mogelijkheden geweest.

Hij voelt zich vreselijk alleen. Hij wil zijn mes in iemands gezicht boren om de druk te verlichten die zich opbouwt achter zijn ogen. Hij moet terug naar het Huis. Hij moet dit goedmaken. Hij gaat terug om haar te vinden en uit te zoeken waar hij een fout heeft gemaakt. De sterren moeten zich hergroeperen.

Kirby ziet hij niet. Niet eens als hij de trein uit stapt.

Kirby 13 juni 1993

Ze zou weg moeten lopen en de politie bellen. Diep vanbinnen weet ze dat. Ze heeft hem gevonden. Ze weet waar hij is. Maar er knaagt iets aan haar: wat als het een list is? Het huis heeft alle schijn van een verlaten krot. Een van meerdere in deze straat. Hij zou er naar binnen gegaan kunnen zijn omdat hij besefte dat ze hem volgde. Ze valt behoorlijk op in deze buurt. Wat inhoudt dat hij misschien wel op de loer ligt.

Haar handen zijn gevoelloos. Bel de politie, idioot. Maak het hun probleem. Je bent onderweg langs twee betaaltelefoons gekomen. Tuurlijk, denkt ze. En ze waren allebei vernield. Het glas gebroken en de hoorn eraf getrokken. Ze steekt haar handen onder haar oksels. Ze voelt zich ellendig en beverig, onder een boom waarvan er in Englewood nog genoeg staan, in tegenstelling tot de West Side. Ze weet bijna zeker dat hij haar kan zien, want ze kan de gebroken ruiten op de bovenverdieping niet zien. Maar ze weet niet of hij door een spleet in de planken voor de ramen beneden kijkt, of jezus, dat hij haar op de treden voor het huis zit op te wachten.

De eenvoudige, vreselijke waarheid is dat ze hem kwijt zou zijn als ze weggaat.

Shit-shit-shit-shit.

'Ga je naar binnen?' zegt iemand bij haar schouder.

'Jezus!' Ze schrikt op. De ogen van de dakloze man puilen een beetje uit, waardoor hij er onschuldig of ongelooflijk geïnteresseerd uitziet. De helft van de tanden in zijn glimlach zijn weg en hij draagt een verschoten t-shirt van Kris Kross en ondanks de hitte een rode muts.

'Ik zou niet naar binnen gaan als ik jou was. Ik wist niet eens zeker welke het was. Maar ik bleef hem in de gaten houden. Hij komt op vreemde tijden naar buiten, met rare kleren aan. Ik ben binnen geweest. Je zou het van de buitenkant niet zeggen, maar het is helemaal mooi ingericht. Wil je naar binnen? Dan heb je wel een kaartje nodig.' Hij houdt een verfrommeld stukje papier op. Pas na een paar seconden ziet ze dat het geld is. 'Voor honderd dollar verkoop ik er eentje aan je. Anders werkt het niet. Dan zie je het niet.'

Ze is opgelucht dat hij duidelijk niet goed bij zijn hoofd is. 'Ik geef je twintig dollar als je me vertelt waar ik heen moet.'

Hij verandert van gedachten. 'Nee. Nee, wacht. Ik ben binnen geweest. Het is er vervloekt. Het spookt er. De duivel woont daar. Je wilt daar niet naar binnen. Geef me twintig dollar voor de goede raad en ga daar niet naar binnen, hoor je me?'

'Ik moet wel.' God sta haar bij.

Alles bij elkaar opgeteld heeft ze zeventien dollar en wat kleingeld in haar portemonnee. De dakloze is niet erg onder de indruk, maar hij neemt haar toch mee naar de achterkant en helpt haar de houten trap op die zigzaggend omhoogloopt naar de achterkant van het pand.

'Je ziet trouwens toch geen fuck. Niet zonder kaartje. Dan ben je nu dus toch wel veilig. Maar zeg straks niet dat ik je niet heb gewaarschuwd.'

'Hou alsjeblieft je mond.'

Ze gebruikt de jas van Dan om over het prikkeldraad te klimmen dat over de onderkant van de trap is gewikkeld om te voorkomen dat mensen binnenkomen. Sorry Dan, denkt ze als het prikkeldraad zijn mouw openscheurt. Je hebt toch nieuwe kleren nodig.

De verf bladdert van de planken. De treden zijn verrot. Ze beklagen zich onder elke stap terwijl ze voorzichtig omhooggaat naar het raam op de begane grond, dat gapend openligt, als een gat in je hoofd. Overal op de richel ligt gebroken glas. De scherven zijn vies en natgeregend.

'Heb jij het raam gebroken?' fluistert ze naar de gek beneden.

'Je moet me niks vragen,' zegt hij nukkig. 'Als je naar binnen wilt moet je dat zelf weten.'

Shit. Het huis is donker binnen, maar door het open raam ziet ze dat het een puinhoop is. Junks hebben hier huisgehouden. De vloerplanken zijn losgetrokken, net als de leidingen, muren zijn ingebeukt en afgestript. Door een deur aan de andere kant kan ze het weerloze porselein van een kapot toilet zien. De bril is eraf gerukt, het wastafeltje op de grond geschopt en in stukken gebroken. Het is absurd om te denken dat hij zich hier schuil zou houden. Haar opwachtte. Ze blijft op het randje staan aarzelen. 'Kun je de politie bellen?' fluistert ze.

'Nee, mevrouw.'

'Voor het geval hij me vermoordt.' Dat komt er nuchterder uit dan ze zou hebben gewild.

'Er zijn daarbinnen al dooie mensen,' fluistert Mal nijdig terug.

'Alsjeblieft. Geef ze het adres.'

'Oké, oké!' Hij maait door de lucht. Haalt uit naar beloftes. 'Maar ik blijf hier niet rondhangen.'

'Goed hoor,' mompelt Kirby zachtjes. Ze kijkt niet meer achterom. Ze legt Dans jas over het gebroken glas op de vensterbank. Er zit een bult in de zak. Haar pony, beseft ze. Ze hijst zich het huis in.

Kirby en Harper 22 november 1931

De tijd heelt alle wonden. Het bloed van de wond stolt uiteindelijk. De naden groeien dicht.

Zodra ze voorbij het kozijn is, bevindt ze zich ergens anders. Ze denkt dat ze gek wordt.

Misschien sterft ze al de hele tijd en is al het andere een ultieme trip, de laatste oprisping van haar hersens terwijl ze doodbloedt in het vogelreservaat terwijl haar hond met draad om zijn hals zit vastgebonden aan een boom.

Ze moet zware gordijnen opzijschuiven die er eerder nog niet waren en komt uit in een salon, ouderwets maar nieuw. Vuur knettert in de haard. Ervoor staat een fluwelen stoel naast een tafeltje met daarop een karaf whisky.

De man die ze het huis in is gevolgd is alweer weg. Harper is naar 9 september 1980 gegaan om naar de meisjesversie van Kirby te kijken vanaf de parkeerplaats bij een benzinestation, nippend van een blikje cola omdat hij iets in zijn handen moet hebben om te voorkomen dat hij de straat oversteekt en het kind zo stevig bij de keel grijpt dat ze van de grond komt, en hij pal voor de donutwinkel keer op keer op keer zijn mes in haar ramt.

In het huis begeeft Kirby zich naar boven, waar ze een slaapkamer aantreft die versierd is met voorwerpen die zijn afgepakt van dode meisjes, meisjes die nog niet dood zijn, voortdurend doodgaan of ten dode zijn opgeschreven. Glinsterend worden ze scherper en vervagen dan weer. Drie voorwerpen zijn van haar. Een plastic pony. Een zwart met zilveren aansteker. Een tennisbal waardoor haar littekens pijn doen en haar hoofd begint te tollen.

Beneden wordt er een sleutel in het slot gestoken. Ze raakt in paniek, ze kan geen kant op. Ze rukt aan het raam, maar dat geeft geen krimp. Doodsbang klautert ze de kast in, waar ze in een hoekje kruipt en probeert niet na te denken. Probeert niet te schreeuwen.

'*Co za wkurwiające gówno!*'

Een Poolse ingenieur, euforisch dankzij zijn winst bij het gokken, en daarnaast ook nog gewoon dronken, rommelt in de keuken. Hij heeft de sleutel in de zak van zijn jas, maar niet lang meer. De deur gaat achter hem open en Harper hinkt uit 23 maart 1989 binnen op zijn kruk, met een stukgekauwde tennisbal in zijn zak en Kirby's bloed nog nat op zijn spijkerbroek.

Hij heeft er lang voor nodig om Bartek dood te slaan, terwijl Kirby zich verstopt in de kast en haar mond dichtgedrukt houdt. Als het gillen begint, kan ze niet voorkomen dat ze tegen haar handpalm kreunt.

Hij komt met zijn kruk de trap op stampen en sleept met zijn been, één trede per keer. Tok-tok. Het doet er niet toe dat dat in zijn verleden eerder is gebeurd, omdat het als origami over haar heden heen is gevouwen.

Hij bereikt de drempel van de kamer en ze bijt zo hard op haar tong dat die begint te bloeden. De binnenkant van haar mond is droog en voelt aan als koper. Maar hij loopt zo langs haar heen.

Ze buigt naar voren en doet haar uiterste best om te luisteren. Er zit een boze beer bij haar in de kast. Haar ademhaling, beseft ze. Ze hyperventileert. Ze moet stil zijn. Ze moet zichzelf in bedwang krijgen.

Er klinkt het onmiskenbare geluid van een wc-bril die omhoog wordt gedaan. Het gekletter van pis. Een open kraan als hij zijn handen wast. Hij vloekt zachtjes. Geritsel. Het zachte gekletter van de gesp van een riem die de grond raakt. Hij draait de douche open. De ringen van het douchegordijn ratelen als hij het opentrekt.

Dit is het dan. Je enige kans, denkt ze. Ze zou de badkamer in kunnen lopen, de kruk kunnen pakken en hem ermee op zijn kop timmeren. Hem bewusteloos slaan. Hem vastbinden. De politie bellen. Maar als hij hem al niet uit haar handen rukt, weet ze dat ze doorgaat tot hij nooit meer opstaat. De verbindingen tussen haar hersens en haar lichaam zijn versteend. Haar hand weigert in beweging te komen om de deur van de kast te openen. Kom op nou, denkt ze.

Het water sputtert. Ze heeft te lang gewacht. Hij komt straks uit de badkamer en loopt naar de kast om schone kleren te pakken. Misschien kan ze naar hem toe rennen. Hem omverduwen en wegrennen. De tegels zullen nat zijn. Misschien heeft ze wel een kansje.

Het gesis van de douche begint opnieuw. De leidingen hebben kuren. Of hij speelt een spelletje met haar. Nu. Ze moet hier weg. Met haar voet duwt ze de deur van de kast open en klautert de vloer op.

Ze moet iets meenemen. Bewijsmateriaal. Ze graait de aansteker van de plank. Het is precies dezelfde. Ze weet niet hoe dat mogelijk is.

Ze sluipt de gang in. De deur van de badkamer staat open. Ze kan hem onder de straal van het water horen fluiten. Een leuk en vrolijk deuntje. Als ze überhaupt adem kon halen zou ze op dat moment huilen.

Met haar rug tegen het behang schuift ze langs de badkamer. Ze klemt de aansteker zo stevig vast dat haar hand pijn doet. Ze heeft het nauwelijks in de gaten. Ze dwingt zichzelf nog één stap te zetten. Nog eentje. Min of meer hetzelfde als de vorige. En nog eentje. Ze dwingt haar hersens de man te negeren van wie de hersens over de grond onder aan de trap zitten gesmeerd.

De kraan wordt dichtgedraaid als ze halverwege de trap is. Ze rent naar de voordeur. Ze probeert over het lichaam van de Pool te stappen, maar ze gaat te snel om voorzichtig te kunnen zijn en stapt op zijn arm. De veerkracht is afschuwelijk, te zacht onder haar laarzen. Nietnadenkennietnadenkennietnadenken.

Ze reikt naar de klink.

De deur gaat open.

Dan 13 juni 1993

'Hier,' zegt de eigenaar van de Finmark Deli, en hij neemt Dan mee naar het kantoortje achter. 'Ze was er niet best aan toe toen ik haar vond.'

Door het raam van de deur ziet Dan Kirby in een bureaustoel van nepleer op wieltjes aan een houten bureau zitten, onder een kalender met kunstwerken waarop momenteel een doek van Monet te zien is. Of een Manet. Dan had nooit het verschil geweten. Het is een impressie van goede smaak die tenietgedaan wordt door de poster op de muur ertegenover van een meisje dat op een Ducati zit en haar tieten tegen elkaar drukt. Kirby ziet er bleek uit en ze zit ineengedoken, alsof ze weg zou willen kruipen. Haar vuist ligt gebald in haar schoot. Ze praat zachtjes in de telefoon.

'Ik ben blij dat alles goed met je is, ma. Nee, kom alsjeblieft niet hierheen. Serieus.'

'Denk je dat het vanavond op het nieuws is?' vraagt de vent van de broodjeszaak.

'Wat?'

'Want dan moet ik me namelijk scheren. Als ze me willen interviewen.'

'Als je het niet erg vindt…' Dan gaat hem neerslaan als hij zijn mond niet houdt.

'Helemaal niet. Burgerplicht.'

'Nee, hij bedoelt of je ons alsjeblieft even alleen wilt laten,' zegt Kirby, die de telefoon ophangt.

'O. Nou ja, het is wel mijn kantoor,' antwoordt hij stekelig.

'En we zijn je heel erg dankbaar dat we dat even mogen gebruiken,' zegt Dan, en hij duwt hem min of meer naar buiten.

'Wist je dat ik moest smeken om de telefoon te gebruiken?' Deze keer slaat haar stem over.

'Jezus, ik was doodsbang. Hij kust haar op het hoofd en grijnst van opluchting.

'Ik ook.' Ze lacht, maar het is niet echt een lach.

'De politie is er nu heen.'

'Dat weet ik,' zegt ze met een afgemeten knikje. 'Ik heb net m'n moeder gesproken. Die klootzak heeft bij haar ingebroken.'

'Jezus.'

'De hele boel overhoopgehaald.'

'Zocht hij iets?'

'Mij. Maar ik was bij jou. En Rachel was op bezoek bij een ex. Ze kwam er pas achter toen ze thuiskwam en alles vernield was. Ze wil hierheen komen. Ze wil weten of ze hem al opgepakt hebben.'

'Dat willen we allemaal. Ze houdt van je.'

'Dat kan ik nu niet aan.'

'Je weet dat je hem straks moet identificeren. Op het bureau. Denk je dat je dat aankunt?'

Ze knikt weer. Haar krullen hangen, slap en donker van het zweet.

'Goeie look,' zegt hij plagerig, en hij veegt haar haar weg uit het holletje van haar nek. 'Je moet vaker op moordenaars gaan jagen.'

'Dat zal nog niet het laatste zijn. Dan komt het proces nog.'

'Tuurlijk, daarvoor moet je er ook zijn. Maar we kunnen het mediacircus vermijden. Stel een officiële verklaring op en we kunnen ervandoor. Ben je ooit naar Californië geweest?'

'Ja.'

'O ja, was ik vergeten.'

'Het was het niet waard om te onthouden.'

'Jezus, ik was echt doodongerust.'

'Dat zei je al.' Deze keer is de glimlach oprecht. Moe maar oprecht. Hij kan er niets aan doen. Hij kan het niet tegenhouden. Hij kust haar. Alles in haar trekt hem naar zich toe. Haar lippen zijn ondraaglijk zacht en warm en gevoelig. Ze beantwoordt zijn kus.

'Eh…' zegt de eigenaar van de broodjeszaak.

Kirby drukt de rug van haar hand tegen haar mond en kijkt weg.

'¡*Por Dios!* Kun je niet kloppen?' roept Dan.

'De, eh, inspecteur wil jullie spreken.' Angstig kijkt hij van de een naar de ander, in een poging erachter te komen hoe hij dit kan vertalen in een soundbite die het goed doet op tv. 'Ik, eh, ik ben buiten.'

Kirby knijpt in de huid tussen haar sleutelbeenderen en wrijft afwezig met haar duim over het litteken. 'Dan.' De manier waarop ze zijn naam uitspreekt brengt hem uit zijn evenwicht.

'Zeg het niet. Dat hoeft niet. Niet doen.'

'Ik kan het nu niet. Snap je?'

'Ja, natuurlijk. Sorry. Ik was gewoon… Kut.' Hij kan niet eens een fatsoenlijke zin vormen. Van alle slechte momenten kiest hij dit.

'Daar komt het wel op neer, ja,' zegt ze, maar ze kijkt hem niet aan. 'Hé. Ik ben blij dat je er bent.' Ze slaat tegen zijn arm. Ze poeiert hem af. En er knapt iets in hem door de luchtigheid en beslistheid van het moment.

Er wordt kort op de deur geroffeld en nog geen seconde later doet inspecteur Amato hem open.

'Mevrouw Mazrachi. Meneer…'

'Velasquez.' Dan leunt tegen de muur en slaat zijn armen over elkaar, waarmee hij duidelijk maakt dat hij nergens heen gaat.

'Hebben jullie hem? Waar is hij?' Kirby kijkt angstig naar het zwart-witscherm dat verbonden is met de beveiligingscamera van de winkel.

Inspecteur Amato gaat op de rand van het bureau zitten. Te vrijpostig, denkt Dan, alsof hij haar nog steeds niet serieus neemt. Amato schraapt zijn keel. 'Wat een verhaal. Dat die man je op kantoor kwam opzoeken.'

'En het huis?'

Hij kijkt ongemakkelijk. 'Luister, het zal wel heel zwaar voor je zijn geweest. En het was heel moedig en dom van je om hem op die manier te achtervolgen.'

'Hoe bedoelt u?'

'Je raakt er makkelijk de weg kwijt. Je kent de buurt niet.'

'Hebben jullie het niet gevonden?' Bleek van woede staat Kirby op. 'Ik heb jullie het adres gegeven. Willen jullie dat ik hem inpak en godverdomme voor jullie onder de kerstboom leg?'

'Rustig maar.'

'Ik ben hartstikke rustig!' schreeuwt Kirby.

'Goed, luister,' zegt Dan. 'We staan aan dezelfde kant, weet je nog?'

'We hebben de junk die je gesproken hebt niet gevonden. Mannen van me vragen nog steeds rond of iemand hem gezien heeft.'

'En het huis?'

'Wat kan ik zeggen? Het staat leeg. Het is een ruïne. Leidingen zijn eruit getrokken, alle koperen draden zijn weggehaald, vloerplanken losgerukt. Alles van waarde is meegenomen en de rest is voor de kick vernield. Er woont daar niemand. Maar kinderen roken er misschien of gaan er met elkaar naar bed. We hebben boven een matras gevonden.'

'Jullie zijn naar binnen gegaan,' zegt Kirby op vlakke toon.

'Natuurlijk zijn we naar binnen gegaan. Hoe bedoel je?'

'En het was er een puinhoop?'

'Kom op nou. Ik weet dat dit je zwaar valt. Het is niet jouw schuld als je de huizen door elkaar haalt. Het is allemaal heel traumatisch. De meeste mensen zijn op een goede dag al slechte getuigen, laat staan als ze de man hebben gezien die geprobeerd heeft ze te vermoorden.'

'Die terug is gekomen om het af te maken.'

'Wat gebeurt er nu?' vraagt Dan.

'We gaan van deur tot deur. We hebben de beschrijving. Hopelijk kunnen we je junk vinden en kan hij ons naar de juiste plek brengen.'

'De juiste plek,' zegt ze verbitterd. 'En dan?'

'We hebben een opsporingsbevel voor hem uitgevaardigd. Alle bureaus. We vinden hem, we pakken hem op. Je moet ons wel ons werk laten doen.'

'Omdat jullie dat tot nu toe zo goed hebben gedaan.'

'Help me eens?' zegt Amato tegen Dan.

'Kirby…'

'Ik begrijp het.' Boos schudt ze zijn hand van haar schouder.

'Heb je ergens waar je vannacht kunt slapen? Ik kan een agent je laten helpen.'

'Ze kan bij mij blijven.' Dan bloost als Amato's wenkbrauwen omhoogschieten. 'Ik heb een slaapbank. Daar slaap ik dan wel op. Dat spreekt voor zich.'

'Hebben jullie hem al opgepakt? Waar is hij?' zegt Rachel op hoge toon als ze het kamertje in een walm van patchoeli binnenstormt.

'Ma! Ik zei toch dat je niet hierheen moest komen?'

'Ik krab zijn ogen uit. Hebben we de doodstraf nog in Chicago? Ik duw die knop godverdomme met m'n eigen handen naar beneden.' Ze is een en al vuur en bravoure, maar Dan ziet dat ze elk moment kan instorten. Haar ogen zijn wild. Haar handen trillen. En alleen haar aanwezigheid al maakt Kirby nog zenuwachtiger.

'Ga zitten, mevrouw Mazrachi,' zegt Dan, en hij duwt haar voorzichtig naar een stoel.

'Ik zie dat de aasgieren al rondcirkelen,' bijt ze hem toe. 'Kom op, Kirby, we gaan naar huis.'

'Rachel!'

De mond van de inspecteur versmalt zich tot een streepje nu hij met nóg een gestoorde vrouw te maken heeft. 'Mevrouw, ik raad het af om naar huis te gaan. We weten niet of hij daar niet naar teruggaat. U moet overwegen vannacht naar een hotel te gaan. En u moet hulp zoeken. Dit is voor jullie allebei traumatisch geweest. Cook County kan u doorverbinden met iemand van de eerste hulp. Dag en nacht. Of hier. Bel dit nummer. Dat is een vriend van me. Hij werkt met veel slachtoffers van misdrijven.'

'Hoe zit het met de klootzak die dit gedaan heeft?' Kirby is woedend.

'Daar houden wij ons wel mee bezig. Zorg jij maar voor je moeder. Je moet niet proberen dit allemaal zelf op te lossen.' Hij kijkt haar fronsend maar niet onvriendelijk aan. 'Nu stuur ik iemand om een compositietekening te maken en een paar foto's met je te bekijken, en dan ga je naar die hulpverlener en check je in bij een hotel en neem je een paar slaappillen. En vanavond ga je hier niet meer over nadenken, begrepen?'

'Ja, meneer,' zegt Kirby, hoewel ze er geen woord van meent.

'Goed zo,' zegt Amato vermoeid, en hij klinkt ook niet oprecht.

'Schijnheilige lul!' zegt Rachel, en ze laat zich in de vrijgekomen stoel vallen. 'Wie denkt hij godverdomme wel dat hij is? Hij kan niet eens zijn werk doen.'

'Ma, je moet hier niet zijn. Je maakt me van streek.'

'Ik ben óók van streek!'

'Maar jíj hoeft de politie geen samenhangend verhaal te vertellen. Dit is heel erg belangrijk. Ik moet dit goed aanpakken. Ik smeek het je, ma. Ik bel je wel als ik klaar ben.'

'Ik pas wel op haar, mevrouw Mazrachi,' zegt Dan.

Rachel snuift. 'Jij!'

'Ma. Alsjeblieft.'

'De Day's Inn is goed,' zegt Dan. 'Daar sliep ik toen ik in scheiding lag. Het is er schoon en niet al te duur. Ik weet zeker dat een van de agenten u wel naar het centrum wil rijden.'

Ze komt tot bedaren. 'Goed. Oké. Maar kom je daar straks meteen naartoe?'

'Tuurlijk, Rachel,' zegt Kirby als ze met haar naar de deur loopt. 'Maak je alsjeblieft geen zorgen. Ik zie je later.'

De sfeer in de kamer verandert zodra Rachel weg is. Dan kan de temperatuur bijna voelen dalen. Er hangt nu een ander soort intensiteit, eentje van enorme concentratie. Hij weet wat er komt.

'Nee,' zegt hij.

'Ga je me tegenhouden?' zegt Kirby, en zo kil heeft hij haar nog nooit gezien.

'Denk nou na. Het wordt donker. Je hebt geen zaklamp. Of een pistool.'

'Ja, en?'

'En ik heb die allebei in mijn auto liggen.'

Kirby lacht van opluchting en ontspant haar vuist voor het eerst sinds ze uit het huis is gekomen. Ze houdt een zwart met zilveren aansteker omhoog. Een art deco Ronson Princess De-Light.

'Een replica?'

Ze schudt haar hoofd.

'Toch niet uit de kamer met bewijsmateriaal?'

Ze schudt opnieuw haar hoofd. 'Het is dezelfde. Ik weet niet hoe ik het moet uitleggen.'

'En je hebt dit niet aan de politie laten zien?'

'Zou dat zin hebben? Ik geloof mezelf niet eens. Het is allemaal zo verknipt, Dan. Het is binnen niet aan puin geslagen. Het is iets anders. Ik ben zo bang dat we erheen gaan en dat je het dan niet ziet.'

Dan vouwt zijn handen over die van haar en om de aansteker. 'Ik geloof je, meid.'

Kirby en Dan 13 juni 1993

Ze is gespannen in de auto en speelt voortdurend met de aansteker. Knip. Knip-knip-knip. Hij kan het haar niet kwalijk nemen. De druk is onverdraaglijk. Knip. Ze worden gelanceerd naar iets onvermijdelijks. Een auto-ongeluk in slow motion. En niet zomaar een lichte aanrijding, maar een kettingbotsing van tien auto's midden op de snelweg met helikopters en brandweerwagens en mensen die in shock huilend langs de kant van de weg staan. Knip. Knip. Knip.

'Kun je daarmee ophouden? Of er op zijn minst een sigaret mee aansteken? Ik kan er wel eentje gebruiken.' Hij probeert zich niet schuldig te voelen over Rachel. Over het feit dat hij haar dochter in gevaar brengt.

'Heb je die?' vraagt ze gretig.

'Kijk maar in het dashboardkastje.'

Ze maakt hem open en er valt allerlei troep in haar schoot. Allerlei pennen, zakjes met saus van Al's Beef, een geplette frisdrankbeker. Ze verfrommelt het lege pakje Marlboro Light.

'Nee. Sorry.'

'Shit.'

'Je weet toch wel dat er in de light-versie net zo veel kankerverwekkende troep zit?'

'Nooit gedacht dat kanker nog eens m'n dood zou worden.'

'Waar is je pistool?'

'Onder de stoel.'

'Hoe weet je dat je niet over een hobbel gaat rijden en per ongeluk je enkel aan flarden schiet?'

'Ik heb hem gewoonlijk niet bij me.'

'Dit zullen wel bijzondere omstandigheden zijn.'

'Ben je bang?'

'Als de dood. Echt, Dan. Maar dit is het dan. Mijn hele leven. Ik heb geen keuze.'

'Gaan we het nu over vrije wil hebben?'

'Ik moet teruggaan, meer is het niet. Als de politie dat niet doet.'

'Je bedoelt "we", maatje. Je sleept mij met je mee.'

'Slepen is een groot woord.'

'Dat is "eigenrichting" ook.'

'Word jij mijn Robin? Je zou er goed uitzien in een gele maillot.'

'Wacht even. Ik ben mooi wel Batman. En dan ben jij Robin.'

'Ik ben altijd meer een fan van de Joker geweest.'

'Dat is omdat je je in hem kunt inleven. Jullie hebben allebei vreselijk haar.'

'Dan?' Ze kijkt uit het raam naar de schemering die neerdaalt over de lege kavels en dichtgetimmerde huizen en krotten die op instorten staan. Haar gezicht wordt met het vlammetje weerspiegeld in het raam van de auto als ze de aansteker weer openknipt.

'Zeg het eens, meid,' zegt hij zachtjes.

'Jij bent Robin.'

Kirby laat hem een steeg in rijden die zelfs naar de maatstaven van deze buurt desolaat is, en Dan heeft opeens een stuk meer sympathie voor inspecteur Amato.

'Hier stoppen,' zegt ze. Hij zet de motor af en laat de auto tot stilstand komen achter een oud houten hek dat als een dronkenlap naar voren leunt.

'Die?' zegt Dan, en hij tuurt naar de verlaten rijtjeshuizen met de dichtgetimmerde ramen en onkruid dat zo dicht is als in een oerwoud en welig tiert tussen het afval. Het is duidelijk dat hier al heel lang niemand geweest is, laat staan dat iemand hier een chique schuilplaats uit een andere tijd heeft ingericht. Hij doet zijn best zijn twijfel niet te tonen.

'Kom op.' Kirby opent het portier en stapt uit.

'Wacht even.' Hij bukt naar de open deur aan de bestuurderskant en doet alsof hij zijn schoenveter vastmaakt terwijl hij zijn pistool onder de stoel vandaan haalt. Een Dan Wesson. Hij had de naam destijds amusant gevonden. Beatriz had er een bloedhekel aan gehad. En aan de gedachte dat ze hem misschien wel echt nodig zouden hebben.

Als hij overeind komt, wordt hij verblind door het felle licht in de achterruit van de zon die nu bijna onder is. 'Hadden we dit niet om elf uur 's ochtends op een zonnige dag kunnen doen?'

'Kom op.' Kirby begeeft zich door het onkruid naar de gammele houten treden die naar de achterkant van het huis lopen. Hij houdt het pistool bij zijn heup, uit het zicht van toevallige voorbijgangers. Hij zou op dat moment eigenlijk wel een voorbijganger kunnen gebruiken: de stilte bevalt hem naar niets.

Ze schudt zijn jasje van haar schouders en laat het op het prikkeldraad vallen die de trap blokkeert.

'Laat mij maar,' zegt hij. Met de hak van zijn schoen drukt hij op de jas en hij duwt de vlijmscherpe rollen plat, waarna hij zijn hand uitsteekt om haar eroverheen te helpen. Hij klautert achter haar aan en zodra de druk eraf is, veert het draad terug alsof er een veer in zit en het boort zich in de stof.

'Doet er niet toe. Die heb ik in de uitverkoop gekocht. De eerste de beste die me paste.' Hij beseft dat hij uit zijn nek kletst. Nooit gedacht dat hij nog eens een prater zou worden. Nooit gedacht dat hij zou inbreken in verlaten huizen.

Ze staan aan de achterkant van het huis. Het uitzicht door het raam is vreselijk onheilspellend: gedempt licht dat alles een groene kleur geeft, en overal ligt puin. Zo te zien bladderen de muren af en resten verf liggen als confetti op de grond.

Hij trekt de jas weer aan als Kirby een voet op de vensterbank zet. 'Niet bang zijn.' Dan hijst ze zich erdoorheen en verdwijnt. Letterlijk. Het ene moment wordt ze ingelijst door het venster, het volgende is ze weg.

'Kirby!' Hij duikt op het raam af en drukt zijn hand recht op een gekarteld stuk glas dat wonder boven wonder nog intact is. 'Jezuskutfuck!' Ze verschijnt weer en grijpt zijn arm. Hij tuimelt half naar binnen achter haar aan. En alles verandert.

Verbijsterd staat hij in de eetkamer. Ongeloof als een hersen-schudding. Ze weet hoe hij zich voelt. 'Kom mee,' fluistert ze.

'Dat zeg je steeds,' zegt hij, maar zijn stem klinkt zwaar en ver weg. Hij knippert heftig met zijn ogen. Bloed loopt uit zijn hand-palm en tikt in dikke druppels op de grond. Hij merkt het niet. De open haard werpt een flauwe oranje gloed over de vloer in de donkere gang. Ze had verteld dat er een dode man had gelegen over wie ze heen had moeten stappen toen ze weg probeerde te komen, maar er is geen enkel spoor van hem.

'Wakker worden, Dan. Ik heb je nodig.'

'Wat is dit?' zegt hij zacht.

'Dat weet ik niet. Ik weet alleen dat het echt is.' Dat is niet waar. Ze heeft de hele weg hiernaartoe aan zichzelf getwijfeld. Ze had gedacht dat iedereen misschien wel gelijk had en dat ze een freak is die aan waanvoorstellingen lijdt en dat ze antipsychotische me-dicijnen nodig heeft en een ziekenhuisbed met door de tralies heen uitzicht op de tuinen. Het is een vreselijke opluchting dat hij het ook ziet. 'En ik weet ook dat je bloedt. Je moet het pistool aan mij geven.'

'No way, je bent labiel.' Hij zegt het plagend, maar hij kijkt haar niet aan. Hij gaat met zijn hand langs het patroon op het behang. Controleert of het echt is. 'Je zei dat hij boven is?'

'Was. Drie uur geleden. Wacht. Dan.'

'Wat is er?' Hij draait zich aan de voet van de trap om.

Ze aarzelt. 'Ik kan niet terug naar boven.'

'Oké,' zegt hij. En nog een keer, gedecideerder: 'Oké.' Hij loopt de salon in en haar ribbenkast trekt zich samen. O god, als hij daar in de stoel zit te wachten. Maar Dan komt weer tevoorschijn met een stevige zwarte pook van de open haard. Hij reikt haar het pistool aan. 'Blijf hier. Als hij door de deur komt, schiet je hem neer.'

'Laten we gewoon gaan,' zegt ze, alsof dat nog een optie is. Hij steekt het pistool naar haar toe. Het is zwaarder dan ze had ge-dacht. Haar handen beven vreselijk.

'Hou alle ingangen in de gaten. Gebruik beide handen. Er is

geen veiligheidspal. Je richt en je schiet. Alleen niet op mij schieten, oké?'

'Deal,' zegt ze met een beverig stemmetje.

Hij gaat de trap op, de pook geheven als een honkbalknuppel. Ze drukt haar schouderbladen tegen de muur. Het is net alsof ze een potje poule speelt. Je moet uitademen als je richt en loslaten. Geen probleem, denkt ze met een opwelling van haat.

De sleutel krast in het slot.

Ze rukt aan de trekker op het moment dat de deur openzwaait.

Harper duikt weg als het schot langs de rand van de deurlijst schampt en het hout versplintert. (Hij scheurt door 1980 heen, knalt door de ruit van het huis aan de overkant en boort zich naast een beeld van de Maagd Maria in de muur.)

Beschoten worden lijkt hem niet te deren. 'Ik was naar je op zoek, meisje.' Hij reikt naar zijn mes. 'En je bent hier.'

Ze kijkt neer op de revolver, een milliseconde, meer niet, om te kijken of ze opnieuw moet laden of aan de trommel moet draaien. Zes kogels. Nog vijf over. Dan is al halverwege de kamer als ze opkijkt. Recht in haar vuurlijn.

'Ga uit de weg!'

Dan zwaait de pook met kracht naar beneden, maar Harper, die meer ervaring heeft met geweld, onderschept hem met zijn onderarm. Toch kraakt het bot. Hij brult het uit van de pijn en stoot het mes in Dans borst. Er waaiert een felle rode nevel uit. De beide mannen vallen tegen de deur. Die zit alleen op de knip. Hij zit niet op slot. Ze vallen samen en breken door de planken die voor de deur zijn gespijkerd, een andere tijd in. Achter hen zwaait de deur dicht.

'Dan!' Het is maar een paar meter, maar het voelt als een eeuwigheid. Dat zou het net zo goed kunnen zijn. Als de deur opengaat, komt die uit op de zomeravond waar ze vandaan kwam. Er is geen spoor van ze te bekennen.

Dan 3 december 1929

Ze houden elkaar vast als minnaars en tuimelen de treden naar de straat af en de koele duisternis van de vroege ochtend in. De sneeuw is een schok. Dan knalt zo hard op de grond dat hij even geen adem kan halen. Hij trekt zijn knie omhoog om de psychopaat van zich af te duwen en krabbelt als een hond op handen en knieën over straat in een poging afstand te creëren.

Alles is een puinhoop. Weer ergens anders. Waar eerst een lege kavel was, staat nu een stenen pakhuis. Hij overweegt om op de deur te bonken en om hulp te vragen, maar er hangt een hangslot met een zware ketting voor. De ramen van de huizen zijn dichtgespijkerd, maar de verf is nieuwer. Hij snapt er helemaal niets van, bloedend rondrollen in de sneeuw terwijl het een halfuur geleden nog juni was.

Dans overhemd is nat. De kou snijdt erdoorheen. Bloed loopt langs zijn arm, sijpelt tussen zijn vingers door en vormt roze kristallijnen structuren in de sneeuw. Hij zou niet eens kunnen zeggen waar het vandaan komt, uit zijn ribben of de snee in zijn hand. Alles voelt verdoofd en branderig aan. De moordenaar hijst zich met behulp van de leuning overeind en heeft nog steeds het mes vast. Dan is dat klotemes nu wel hartstikke zat.

'Geef het maar op, vriend,' zegt de man, en hij hinkt door de sneeuw naar hem toe. De man heeft zijn mes en Dan heeft geen reet. Hij zit op zijn hurken en zijn vingers graven in de sneeuw.

'Wil je het moeilijker maken?' Er is iets met de dictie van de man. Hij klinkt bijna ouderwets.

'Je krijgt geen kans om haar nog een keer pijn te doen,' zegt Dan. Nu die klootzak dichterbij is kan hij zien dat zijn lip tijdens de val is opengebarsten. Als hij lacht, zijn zijn tanden rood van het bloed.

'Het is een cirkel die gesloten moet worden.'

'Ik weet niet waar je het in godsnaam over hebt, man,' zegt Dan terwijl hij zich overeind hijst. 'Maar je maakt me nijdig.' Hij verplaatst zijn gewicht naar zijn rechtervoet en negeert de pijn in zijn zij, die naar boven kruipt. De samengeperste sneeuw zit vastgeklemd tussen zijn duim en twee vingers, alsof hij een fastball gaat gooien. Hij trekt zijn knie op en zwaait zijn arm omhoog en vanuit zijn heupen naar voren, en hij komt op zijn voorste been terecht, zodat de sneeuwbal op de meest effectieve plek van de boog uit zijn pols glijdt, in plaats van met een rukje weg te schieten. '*Vete pa'l carajo, hijo'e puta!*'

De geïmproviseerde bal suist de straat over, de volmaakte worp waar Mad Dog Maddux nog een puntje aan kan zuigen, en knalt in het gezicht van de psychopaat.

De moordenaar waggelt geschrokken naar achteren, schudt zijn hoofd en veegt de sneeuw weg. Het duurt lang genoeg. Dan rent de straat over en overbrugt de kloof tussen hen. Hij stort zich boven op hem, brengt zijn arm weer omhoog en ramt zijn vuist op de neus van de man. Hij richt laag, in de hoop het tussenschot rechtstreeks zijn hersens in te slaan, maar als dat zo makkelijk was, zou het veel vaker gedaan worden. De man draait zijn kaak opzij als de vuist hem raakt en Dan voelt het jukbeen verbrijzelen onder zijn knokkels. *Puñeta*, dat doet pijn.

Hij schuift zichzelf naar achteren, het mes ontwijkend dat door de lucht maait, en valt als een krab op zijn rug. Hij rolt op zijn buik, haalt uit met zijn schoen en raakt iets stevigs. Niet de knieschijf van de man of zijn ballen, dat zou nuttig zijn geweest. Zijn dij misschien.

De gek grijnst nog steeds door het bloed dat uit zijn neus langs zijn gezicht stroomt. Het mes in zijn hand is glibberig. Bij die gedachte voelt Dan zich misselijk en heel erg moe worden. Of dat zou door het bloedverlies kunnen komen. Het is moeilijk te zeggen hoe erg het is. Niet al te best, denkt hij als hij naar het rood in de sneeuw kijkt. Met tegenzin gaat Dan weer staan. Hij snapt niet waarom Kirby niet uit het huis komt en die eikel gewoon doodschiet.

Hij kijkt naar de hand met het mes. Misschien kan hij hem wegschoppen, als de een of andere kungfumeester. Wie houdt hij nou voor de gek? Hij neemt een besluit. Hij doet een uitval, grijpt de gewonde arm van de man, knijpt erin en probeert hem om te draaien om hem uit balans te brengen terwijl hij met zijn andere vuist op de borst van die klootzak slaat.

De moordenaar maakt een verbaasd blazend geluid als de lucht uit hem geslagen wordt. Hij valt een stap naar achteren en sleurt Dan met zich mee, maar hij is sterker en heeft meer ervaring. Toch slaagt hij er nog in het mes naar boven te zwaaien. Hij rijt Dans buik open en trekt het met een scheurend geluid als van vlezig papier naar boven.

Dan zakt op zijn knieën met zijn handen voor zijn buik. En dan valt hij op zijn zij. De grond is ijskoud tegen zijn gezicht. Er stroomt een stuitende hoeveelheid bloed in de sneeuw.

'En zij zal nog erger sterven,' zegt de man met een verschrikkelijke glimlach. Hij duwt met de neus van zijn schoen tegen Dans ribben. Hij kreunt en rolt weg, op zijn rug, waardoor hij zijn buik blootstelt. Hij probeert zich met zijn handen te beschermen, een nutteloos gebaar.

Er drukt iets in zijn rug. Die verdomde pony.

Koplampen scheren over de straat als een hoekige ouderwetse auto de hoek om komt. Sneeuwvlokjes wervelen in de stralen van licht. De auto vertraagt als het licht op hen valt: Dan die daar dood ligt te bloeden en de man met het mes die zo snel als hij kan terug naar het huis strompelt, met de dageraad die zich al aan de horizon vertoont.

'Help!' roept Dan naar de auto. Hij kan het gezicht van de bestuurder niet zien achter het schitterende licht uit de ronde koplampen, net als een bril. Het enige wat hij kan zien is het silhouet van een man met een hoed. 'Hou hem tegen!'

De auto draait stationair en de hitte uit de uitlaat vormt sputterend dikke wolken van kooldioxide in de kou. Plotseling brult de motor, de banden draaien rond waardoor er stukjes ijs en grind wegschieten en de auto rijdt om hem heen. Het scheelt maar weinig.

'Val dood!' probeert Dan hem na te schreeuwen. 'Gore klootzak!' Maar het komt er meer uit als raspend gehijg. Hij buigt zijn
hoofd naar achteren om te kijken of hij de moordenaar kan zien.
Die is alweer bijna bij de voordeur. Hij is moeilijk te onderscheiden, en niet alleen door de sneeuwvlagen.

Dans blikveld wordt aan de randen harig en donker, alsof hij
staar heeft. Alsof hij in een put valt en de iris van het licht steeds
verder weg raakt.

Harper en Kirby 13 juni 1993

Hij schopt de deur open, druipend van het bloed en waanzinnig grijnzend om wat er in het verschiet ligt, met het mes en de sleutel in zijn hand. Maar de grijns sterft weg als hij ziet waar ze mee bezig is. Kirby staat midden in de kamer en schudt de benzine uit de Ronson Princess De-light over een berg spullen die ze daar verzameld heeft.

Ze heeft de gordijnen voor de ramen vandaan gerukt en er zitten her en der natte plekken op. Ze liggen op de matras uit de logeerkamer boven. Eromheen liggen achteloos neergesmeten flessen. De kerosine uit de keuken. De whisky. De stoel heeft ze op zijn kop gezet en opengescheurd zodat de vulling er in witte bosjes uit lekt. De grammofoon is aan stukken geslagen. Glimmende stukken hout en briefjes van honderd en wedbriefjes zijn in de gedeukte koperen hoorn gepropt. Ze heeft alles uit de kamer naar beneden gebracht. De vlindervleugels en het honkbalplaatje en de pony en de cassette met lange slierten donkerbruine tape die verstrikt zijn geraakt in een bedelarmband, het identiteitspasje uit het laboratorium en een protestbutton, een speldje met een konijn, anticonceptiepillen, een letter z van een drukker. Een stukgekauwde tennisbal.

'Waar is Dan?' zegt Kirby. Het licht uit de open haard schittert als een profetie in haar haar.

'Dood,' zegt Harper. De sneeuwstorm uit 1929 wervelt achter hem door de open deur naar binnen. 'Wat doe je?'

'Wat denk je?' zegt ze op spottende toon. 'Ik kon alleen maar wachten tot je terug zou komen.'

'Waag het niet,' zegt Harper als Kirby de aansteker aanknipt. Er verschijnt een gouden vlammetje. Ze laat hem op de stapel vallen. Die vat een seconde later vlam en vettige zwarte rook kringelt omhoog van het papier en oranje vlammen laaien op.

Hij schreeuwt het gekweld uit en duikt met het mes in zijn hand op haar af, maar iets houdt hem tegen.

Met een klap slaat hij tegen de vloer en hij laat de sleutel vallen als Dan hem half tackelt, op zijn knieën, met zijn armen om Harpers benen geslagen. Hij leeft nog, ook al vormt het bloed onder hem een plas, zwart en dik. Hij trekt aan Harpers broek om hem terug te slepen en bij haar vandaan te houden. Harper trapt verwoed naar hem en met zijn hiel schopt hij de sleutel over de vloer en die glijdt door het bloed, waarna hij op de drempel van het Huis tot stilstand komt.

Hij slaagt erin Dan met zijn schoen onder zijn kaak te raken. Dan kreunt en zijn vingers verliezen hun greep op zijn spijkerbroek.

Harper krabbelt overeind, met het mes nog steeds triomfantelijk in zijn hand. Hij zal haar doden en de brand blussen en haar vriend langzaam aan stukken snijden om de problemen die hij veroorzaakt heeft.

Maar dan treft hij Kirby's blik als ze het pistool op hem richt. De vlammen zijn heet in haar rug. Ze opent haar mond om iets te zeggen maar bedenkt zich dan. Ze ademt langzaam uit en haalt de trekker over.

Harper 13 juni 1993

De flits is verblindend. De kracht smijt hem tegen de muur.

Harper voelt aan het gat in zijn overhemd waar zich een donkere plek verspreidt. Aanvankelijk voelt het leeg. Dan dient de pijn zich aan en elke zenuw rond de baan die de kogel in hem heeft geboord licht tegelijkertijd op. Hij probeert te lachen, maar zijn ademhaling is vochtig en piepend terwijl zijn longen zich vullen met bloed. 'Dit kun je niet doen,' zegt hij.

'Echt niet?'

Ze ziet er prachtig uit, denkt Harper, met haar lippen opgetrokken om haar tanden te laten zien, heldere ogen, haar haar als een aureool om haar hoofd. Ze straalt.

Ze haalt de trekker weer over en knippert automatisch bij de knal. En nog een keer en nog een keer. Tot de trommel klikt. Hij registreert de ontploffing in zijn lichaam slechts vaag, alsof hij al afbladdert.

Dan gooit ze het pistool gefrustreerd naar hem toe en ze valt op haar knieën en slaat haar handen voor haar gezicht.

Je had me af moeten maken, stomme trut, denkt hij. Hij probeert zich in haar richting te bewegen, maar zijn lichaam reageert niet.

Zijn perspectief is scheef, vervormd tot een stompe hoek. Het hele tafereel bevindt zich onder hem, alsof hij omhoogvalt.

Het meisje dat schokt met haar schouders terwijl de vlammen omhooglikken vanuit de wirwar van de stoel en de gordijnen en symbolen, en een zwarte, chemische rook uitspugen.

De grote man die op de vloer ligt en moeizaam slikt, met zijn ogen dicht en zijn handen op zijn buik en zijn borst, en bloed dat door zijn vingers heen sijpelt.

Harper ziet zichzelf tegen de muur staan. Hoe kan hij buiten zichzelf zien? Hij kijkt op alles neer alsof hij hoog tegen het plafond zit geklemd, maar nog steeds vastgebonden is aan de homp vlees met zijn gezicht.

Harper ziet Harpers benen slap worden. Zijn lichaam glijdt verder weg langs de muur. De achterkant van zijn hoofd trekt donkere klodders bloed en hersens langs het roomkleurige behang.

Hij voelt de verbinding wegglippen en dan knappen.

Hij brult van ongeloof en probeert weer terug te krabbelen. Maar hij heeft geen handen om mee te grijpen. Hij is een dood ding. Een hoop vlees op de vloer.

Hij rekt zich uit om wat dan ook te pakken.

En vindt het Huis.

Vloerplanken in plaats van botten. Muren in plaats van vlees.

Hij kan het terugdraaien. Opnieuw beginnen. Dit ongedaan maken. De hitte van de vlammen en de verstikkende rook en de jankende razernij.

Het is niet zozeer een bezitting als een infectie.

Het Huis was altijd al van hem.

Altijd hij.

Kirby 13 juni 1993

De kamer wordt heet. De rook komt tussen de snikken door binnen en blijft in haar longen hangen. Ze zou hier gewoon kunnen sterven. Haar ogen dichthouden. Nooit meer opstaan. Het zou een makkie zijn. Ze zou al stikken voordat de vlammen haar konden bereiken. Ze kon gewoon diep inademen. Laat het los. Het is klaar.

Hardnekkig klauwt er iets aan haar hand. Net als een hond.

Ze wil het niet, maar ze doet haar ogen open en ziet Dan, die in haar hand knijpt. Hij zit voorovergebogen op zijn knieën. Zijn vingers zijn nat van het bloed.

'Kun je me even helpen?' zegt hij schor.

'O god.' Ze zit nog steeds te beven, huilen en hoesten. Ze slaat haar armen om hem heen en hij trekt een pijnlijke grimas.

'Au.'

'Wacht even. Ik heb je jas nodig.' Ze helpt hem eruit en bindt hem zo strak als ze kan bij de wond om zijn middel. Hij is al nat voordat ze klaar is. Daar moet ze niet over nadenken. Ze kruipt onder zijn arm, zet zich schrap tegen de vloer en duwt hem omhoog. Hij is te zwaar, ze kan hem niet optillen. Haar laars glijdt weg in zijn bloed.

'Jezus, voorzichtig.' Hij is heel erg bleek geworden.

'Oké,' zegt ze, 'zo dan.' Ze trekt haar schouders op zodat ze het grootste deel van zijn gewicht op zich neemt en houdt hem zo overeind. Langzaam schuifelen ze naar voren. Het vuur knettert achter hun rug en springt hongerig tegen de muren op. Het papier verblakert en vervormt en rook krult omhoog.

En God sta haar bij, ze kan hem hier nog steeds voelen.

Half kruipend en half vallend gaan ze in de richting van de deuropening. Vervaarlijk balancerend schopt ze met haar voet de deur dicht tegen het ijs en de sneeuw buiten.

'Wat doe je?'

'Ik probeer thuis te komen.' Ze laat hem op handen en voeten zakken. 'Hou nog heel even vol. Nog één seconde.'

'Ik vond het fijn om je te zoenen,' zegt Dan met brekende stem.

'Niet praten.'

'Ik weet niet of ik zo sterk ben als jij.'

'Als je me nog een keer wilt zoenen moet je je bek houden en niet doodbloeden,' snauwt ze.

'Oké,' hijgt Dan met een flauw glimlachje, en dan iets stelliger: 'Oké.'

Kirby ademt diep in en opent de deur naar een zomerse avond vol politiesirenes en zwaailichten.

Postscriptum

Bartek 3 december 1929

De Poolse ingenieur brengt de auto twee straten verderop tot stilstand en blijft met draaiende motor even na zitten denken over wat hij gezien heeft. Een naar tafereel, dat was duidelijk. Hij kon niet precies zien wat er gebeurde. De man die midden op straat in de sneeuw lag te bloeden. Dat was een schok voor hem geweest. Hij was bijna over hem heen gereden. Hij had zich niet echt op de weg geconcentreerd. Min of meer op zijn gevoel was hij naar huis gereden, helemaal vanuit Cicero.

Hij is een beetje dronken, moet Bartek toegeven. Heel erg dronken. Als hij begint te verliezen, grijpt hij makkelijker naar de jenever. En Louis zorgde ervoor dat de drank de hele avond en tot in de kleine uurtjes bleef vloeien, lang nadat hij zijn laatste geld had ingezet. En daarbovenop gaf hij hem nog krediet. Genoeg om zich volledig te gronde te richten. Nu is hij Cowen tweeduizend dollar schuldig.

De lelijke waarheid is dat hij geluk had dat hij überhaupt nog had weg kunnen rijden in zijn auto. Ze zullen het geld zondagochtend vlak voor de kerkdienst komen halen als hij geen manier verzint om er voor het weekeinde aan te komen. Het is minder erg dan wanneer ze voor hem persoonlijk komen, maar dat is de volgende stap. Diamond Lou Cowen laat niet met zich spotten.

Gokken met bekende gangsters. Vriendschap sluiten met persoonlijke maatjes van meneer Capone. Wat dacht hij nou? Hij heeft al genoeg aan zijn hoofd zonder zich om vijf uur 's ochtends met een bloederige woordenwisseling te bemoeien.

Maar toch is hij geïntrigeerd. Door de gloed die uit het geruïneerde huis de straat op vloeit en de onwaarschijnlijke weelde die hij door de open deur ziet. Hij zou terug moeten gaan om te helpen, houdt hij zichzelf voor. Of gewoon even een kijkje nemen.

Als het ernstig is kan hij altijd de politie bellen.

Hij keert om en rijdt terug naar het huis.

De sleutel ligt al op hem te wachten, vlak voor de drempel van de dichte deur, nat van de sneeuw en bevlekt met bloed.

Dankwoord

Ik wil iedereen bedanken die me geholpen heeft met dit boek.

Ik had een eersteklas team van researchers die informatie opdiepten, boeken die niet meer in druk waren, videobanden, foto's en persoonlijke verhalen over allerlei onderwerpen, van groepen die illegale abortussen uitvoerden tot radiumdanseressen, de evolutie van forensisch onderzoek, restaurantrecensies uit de jaren dertig en de geschiedenis van speelgoed uit de jaren tachtig. Mijn toegewijde onderzoeker Zara Trafford evenals Adam Maxwell en Christopher Holtorf van het research- en gamebedrijf Skyward-Star vonden vreemde en verbazingwekkende dingen voor me, die uitgewerkt werden door Liam Kruger en Louisa Betteridge, en ook Matthew Brown, die altijd op afroep beschikbaar was omdat hij met me getrouwd is. Dank jullie wel.

Ik had in Chicago geen beter logeeradres kunnen hebben dan bij Katherine en Kendaa Fitzpatrick, hoewel het een beetje vreemd was om Katherines dochter van twee jaar mee te nemen naar Montrose Beach om de plek te bekijken waar een moord was gepleegd. Kates echtgenoot, dr. Geoff Lowrey, gaf medisch advies en controleerde feiten, en KNO-arts Simon Gane ook. Eventuele missers neem ik voor mijn rekening.

Twittervriend Alan Nazerian (oftewel @gammacounter) reed me rond, ging mee naar Wrigley Field en stelde me voor aan zeer kundige behulpzame mensen, onder wie Ava George Stewart, die me waardevolle inzichten verschafte over het strafrecht tijdens het beste Chinese eten van de stad, bij Lao Hunan, en Claudia Mendelson, die me tijdens een kop koffie in Intelligentsia de beginselen van architectuur bijbracht. Claudia bracht me in contact met Ward Miller, die me tijdens een etentje in Buona Terra (Chicago is een stad voor foodies) over de bijzonderste gebouwen van de stad vertelde.

Adam Selzer, gids tijdens rondleidingen over het criminele verleden van Chicago, historicus en schrijver van boeken voor young adults, nam me mee naar de engste plekken van de stad, zoals gangetjes achter in het Congress Hotel, en vertelde me intrigerende verhalen over het Chicago van de jaren twintig en dertig, waarvan er veel het boek helaas niet hebben gehaald, en hij trakteerde me op een fenomeen uit Chicago: Al's Beef.

De ervaren inspecteur Joe O'Sullivan (oftewel @joethecop, inmiddels met pensioen) legde me op het politiebureau van Niles uit hoe de politie te werk gaat, en nam een paar dozen met me door vol oud bewijsmateriaal en foto's die me nog lang zullen bijblijven. (En daarnaast dronken we in louche tentjes cocktails van bourbon met bacon.)

Jim DeRogatis vertelde me van alles over hoe het eraan toegaat bij de *Chicago Sun-Times*, de documentalisten, inkt in de lucht, de redacteuren, de gekken en verhalen uit de frontlinie. Ik heb me bepaalde vrijheden veroorloofd. Daarnaast vertelde hij me in geuren en kleuren over de muziekscene van de jaren negentig, en stuurde me een exemplaar van zijn briljante, hilarische boek *Milk It: Collected Musings on the Alternative Music Explosion of the 90s*.

Ik ben dank verschuldigd aan sportverslaggever Keith Jackson en Jimmy Greenfield van *The Tribune*, die me de ins en outs van de sportjournalistiek vertelde, en de filosofie van honkbal heeft uitgelegd.

Ed Swanson, een vrijwilliger in het Chicago History Museum, bood aan de roman voor me door te lezen en nauwkeurig te letten op feiten over de geschiedenis, Americana en de El (of de L, zoals hij vroeger werd genoemd). Eventuele fouten zijn voor mijn rekening, en een paar kleinere, zoals de verschijningsdatum van *The Maxx* of de aanwezigheid van Afro-Amerikaanse werknemers bij de Chicago Bridge and Iron Company in Seneca, zijn welbewuste duwtjes in dienst van het verhaal.

Het krantenartikel over de moord op Jeanette Klara is gebaseerd op een echt artikel over een echte radiumdanseres, 'In New York She Is Dancing to Her Death', gepubliceerd in *The Milwau-*

kee Journal van 25 juli 1935. Met dank aan *The Milwaukee Sentinel Journal* voor hun toestemming enkele prachtige zinnen uit het oorspronkelijke bericht te citeren.

Pablo Defendini, Margaret Armstrong en TJ Tallie waren heel behulpzaam met uitstekende Porto Ricaanse verwensingen, terwijl Tomek Suwalski en Ania Rokita de Poolse tekst, die ook vol schunnigheden zit, controleerden en vertaalden.

Dr. Kerry Gordon van de Universiteit van Kaapstad, die proteines probeert los te peuteren, heeft me geadviseerd over het onderzoek van Mysha Pathan.

Nell Taylor van de Read/Write Library vertelde me uitvoerig over de geschiedenis van zines in Chicago, terwijl Daniel X. O'Neil me bijpraatte over punk uit de jaren negentig, alternatief theater en Club Dreamerz, en me originele flyers meegaf. Harper Reed en Adrian Holovaty ook bedankt dat jullie meegekomen zijn naar de Green Mill om naar de door de jaren dertig geïnspireerde gipsyjazzband Swing Gitan te luisteren.

Helen Westcott leende me al haar studieboeken over criminologie en leesmateriaal over seriemoordenaars, en Dale Halvorsen zorgde voor een gestage aanvoer van geweldige podcasts over waargebeurde misdrijven. Mijn studiomaatjes Adam Hill, Emma Cook, Jordan Metcalf, Jade Klara en Daniel Ting Chong hielden me met beide benen op de grond met grappige YouTube-filmpjes en dagelijkse plagerijtjes. En iedereen van animatiebedrijf Sea Monster bedankt dat ik me bij jullie mocht opsluiten terwijl ons pand gerenoveerd werd.

Ik wil mijn vrienden en familie en vreemdelingen op Twitter bedanken die me te hulp kwamen met nuttige suggesties of vertalingen of medisch advies en aanbevelingen over Chicago, en iedereen die ik vergeten ben te noemen.

Ik ben niet van plan de volledige bibliografie van mijn research op te sommen, maar dit waren enkele van de nuttigste en meest onderhoudende naslagwerken: *Chicago Confidential* van Jack Lait en Lee Mortimer, een geweldige, sexy en leuke gids over louche plekken en types in de stad uit 1950; het heerlijk toegankelijke

Chicago: A Biography van Dominic A. Pacyga; *Slumming: Sexual and Racial Encounters in American Nightlife 1885-1940* van Chad Heap; *Girl Show: Into the Canvas World of Bump and Grind* van A.W. Stencell; *Red Scare: Memories of the American Inquisition* van Griffin Fariello; de Herstory-bronnen van de Chicago Women's Liberation Union over Jane op de website van de Universiteit van Illinois Chicago, inclusief transcripties van persoonlijke verhalen; *Doomsday Men* van P.D. Smith, over de geschiedenis van de atoombom (en fragmenten die Peter me mailde uit zijn nieuwe boek, *City: A Guidebook for the Urban Age*); *Perfect Victims* van Bill James; *Whoever Fights Monsters* van Robert K. Ressler en Tom Schachtman; *Gang Leader for a Day* van Sudhir Venkatesh; Jack Clarks *Nobody's Angel*; *The Wagon and Other Stories from the City* van Martin Preib; Wilson Miners voordracht over de manier waarop auto's de wereld op een tektonische manier hebben vormgegeven tijdens Webstock 2012; *Chicago Neighbourhoods and Suburbs* van Ann Durkin Keating, naast *The Lovely Bones* van Alice Sebold; *I Have Life: Alison's Journey* zoals ze dat verteld heeft aan Marianne Thamm, en Antony Altbekers *Fruit of a Poisoned Tree*, die me stuk voor stuk inzichten verschaften over wat echte slachtoffers van geweld en hun families ondergaan. Studs Terkels orale overleveringen waren van onschatbare waarde voor het overbrengen van de verhalen van echte mensen in hun eigen stem.

Eerste lezers Sarah Lotz, Helen Moffett, Anne Perry, Jared Shurin, Alan Nazerian, Laurent Philibert-Caillat, Ed Swanson, Oliver Munson en de geniale adviseur op het gebied van tijdreizen Sam Wilson kwamen stuk voor stuk met goede suggesties om de roman beter en interessanter te maken.

Het boek zou niet ter wereld zijn gekomen zonder superagent Oli Munson. Dank ook aan iedereen van Blake Friedmann en hun internationale agenten. Ik ben vooral de redacteuren en uitgevers dankbaar die er meteen in geloofden, met name John Schoenfelder, Josh Kendall, Julia Wisdom, Kate Elton, Shona Martyn, Anna Valdinger, Frederik de Jager, Fourie Botha, Michael Pietsch,

Miriam Parker, Wes Miller en Emad Akhtar.

Ik had dit boek niet kunnen schrijven zonder de liefde en steun van mijn echtgenoot, Matthew, die weken aaneen alleenstaand vader is geweest voor onze dochter, terwijl ik op reis was om research te doen of opgesloten zat achter mijn bureau om te schrijven en redigeren en altijd een van de eerste lezers is. Dank je wel. Ik hou van je.